Андрей Константинов

# СУДЬЯ

Санкт-Петербург
«Издательский Дом "Нева"»
Москва
Издательство «ОЛМА-ПРЕСС»
2001

ББК 84. (2Рос-Рус) 6
    К 65

**Издательство «Олма-Пресс» и**

**«Издательский Дом „Нева"» представляют книги А. Константинова о судьбе Андрея Обнорского-Серегина:**

**«Адвокат»**
**«Судья»**
**«Журналист»**
**«Вор»**
**«Сочинитель»**
**«Выдумщик»**
**«Арестант»**
**«Специалист»**
**«Ультиматум губернатору Петербурга»**
**«Агентство „Золотая пуля"».**

# Часть I
# СУДЬЯ

Февральские ночи в Петербурге долгие и темные. Холодный ветер бродит по пустынным улицам надменного города, швыряя в лица случайных прохожих мокрый снег. «В такие ночи хорошо быть дома, лежать на широкой кровати под толстым одеялом, прижимаясь к теплому женскому телу... А на улицах холодно и страшно. И никого, кроме бандитов и ментов, не встретишь. И еще неизвестно, кто из них страшнее». Примерно так думалось бывшему завлабу и кандидату наук, а ныне частному извозчику, медленно курсировавшему на старом «москвиче» по Васильевскому острову в безнадежных поисках клиента.

На углу Малого и Детской кандидат-извозчик притормозил, чтобы «москвич» не рассыпался на ямах и рытвинах перекрестка. Справа от машины чернело пустыми глазницами выбитых окон бывшее общежитие университета, слева начиналось Смоленское кладбище. Хоть и был бывший завлаб кандидатом очень материалистических биологических наук, но почувствовал, как суеверный страх вдруг захолодил живот. «Веселенькое место. Тут клиентов точно не будет, кроме душ неупокоившихся», —

попытался приободрить себя шуткой извозчик и вдруг оцепенел от ужаса, машинально вдавив педаль тормоза в пол. Из темноты кладбища скользнула к машине черная тень. Вымазанная землей рука стукнула в стекло.

— Подбросишь, хозяин?

— Не... не... не! — забормотал биолог, судорожно ища ногой педаль газа.

— Ты что, больной? — сказала тень хриплым, но вполне человеческим голосом.— Фильмы ужасов смотреть любишь?

— Раньше любил, пока видак не продали. Жрать-то что-то надо. Спасибо родной демократической власти. Сам дурак, ее же и выбрал, — извозчика, видимо, от пережитых волнений разобрал словесный понос. — Куда ехать-то?

Человек с кладбища уже по-хозяйски усаживался на переднее сиденье. Биолог хотел было робко возмутиться, но странный пассажир вдруг выудил из кармана смятую двадцатидолларовую бумажку и положил ее перед водителем.

— Езжай пока в центр, там определимся. — Человек устало закрыл глаза и попытался откинуться в кресле.

Вывалянного в грязи человека звали Сергеем Челищевым, и еще полгода назад он работал следователем в прокуратуре. «Неужели уже полгода прошло?» Сергей нашарил в кармане куртки сигареты, зажигалку и закурил, не спрашивая разрешения у водителя. Как ни странно, печка в раздолбанном «москвиче» работала на совесть, и Челищев почувствовал, как приятное тепло разливается по замерзшему телу. После зимней холодной грязи котлована в салоне старенькой машины было даже уютно.

«Да, веселые дела, что делать-то будем, дядя Сережа?» — спросил себя Челищев и открыл глаза. «Москвич» выезжал на пустынный Невский.

— Центр, — намекнул водитель, опасливо косясь на пассажира. — Куда дальше поедем?

— Подожди, браток, дай подумать, — ответил Челищев, закуривая новую сигарету. Пальцы начали дрожать в похмельном колотуне. Дрожь эта, с одной стороны, мешала сосредоточиться, а с другой — заставляла соображать быстрее. По опыту Сергей знал, что через несколько минут похмелье заявит о себе во весь голос, и тогда станет по настоящему плохо.

«Домой я не поеду. Не могу, не сейчас. К Катерине?.. Тоже не могу, не выдержу, дел наворочу... Помнится, Доктор передал, что Антибиотик мне три дня сроку дал, чтоб появиться... Отлежаться надо, оклематься, в себя прийти... Где бы упасть? Дожил — никого вокруг... Федосеич! Как же я сразу-то...»

— В Лугу поедем, — повернулся Челищев к притихшему извозчику.

— Куда?! Нет, это уже без меня... — начал было протестовать тот, но резко осекся, увидев извлеченные Сергеем из недр грязных штанов две сотенные купюры бакинских\*.

— А... Я сейчас, мне только домой позвонить надо, предупредить, что...

— Иди, звони, — устало махнул рукой Челищев и, увидев нерешительность в глазах водителя, вымученно усмехнулся: — Да не бойся

---

\* Бакинские — доллары (*жарг.*).

ты за свою банку, кому нужна эта развалюха...
Иди звони... Да, еще пива мне возьми пару
банок в ларьке, а то меня совсем бодун забо-
дает...

Егор Федосеевич Алексеев — в прошлом
известный в Петербурге тренер по дзю-до,
воспитавший не одного чемпиона. Прошел через его руки когда-то и Челищев. Федосеич
любил его, выделял за прекрасную, природой
подаренную технику выполнения приемов, но
ставку на Сергея никогда не делал: «Злости в
тебе нет, а без злости чемпионами не стано-
вятся...»
Федосеич был талантлив и авторитетен, но
слишком независим и чудаковат, чтобы за-
нимать высокие посты среди чиновников от
спорта. Что-то кому-то он не так сказал или
даже по роже дал какому-то деятелю... Через
несколько месяцев его круто подставили, за-
вели уголовное дело по факту хищения тало-
нов на питание спортсменов во время сборов...
Сергей, уже работавший в то время в прокуратуре города, пытался помочь, но пару лет
Федосеичу пришлось-таки потоптать зону...
Выйдя по амнистии, он из Питера уехал, обо-
сновался на маленьком хуторке под Лугой, оставив городскую квартиру бросившей его молодой жене-теннисистке... После зоны Федосеич как-то сразу постарел, огородничал и жил
отшельником. Изредка его навещали лишь самые любимые ученики, в число которых входил когда-то и Челищев...
К хибаре Федосеича «москвич» доплелся
лишь под утро, когда Сергей уже влил в себя
четыре банки пива. Похмелье не отступало,

сжимало липкими тисками грудь, сбивало дыхание и лихорадочно потряхивало все тело. Челищев еле вылез из машины, которая, тут же развернувшись, торопливо затарахтела в обратный путь...

Федосеич открыл дверь сразу, словно всю ночь поджидал Сергея. Спокойно осмотрев Челищева с головы до ног, старый тренер угрюмо поинтересовался:

— Давно запил?

Сергей измученно мотнул головой и вытер со лба испарину:

— Не помню, давно... Дней пять... или шесть. Старик крякнул, осмотрел еще раз одежду Челищева и буркнул:

— Сымай! До исподнего раздевайся и на диван ложись, пледом укройся...

Сергей бросил одежду грязным комом у порога и со стоном опустился на старенький диван. Федосеич пошуровал в шкафу, вытащил бутылку, налил полстакана.

— Пей залпом. А то загнешься еще, пока я баню истоплю и все остальное приготовлю.

Челищев выпил. Это была спиртовая настойка с каким-то необычным привкусом, но разобраться в своих ощущениях до конца Сергей уже не смог, потому что впал в странный полутранс-полусон... Остатками сознания Сергей как-то реагировал на то, что Федосеич отнес его на руках в баню, потом заставил выпить большую кружку какого-то травяного варева, от которого Челищева долго выворачивало наизнанку, потом старик парил его и снова заставлял что-то пить. Последнее, что запомнил Челищев перед тем, как окончательно провалиться в забытье, — это как Федосеич расспрашивал его, а он, еле ворочая языком, отвечал... Потом глаза старика стали расти, надвинулись на Сергея, и он утонул, растворился в них...

Он проснулся с абсолютно ясной головой, но руки и ноги были совершенно ватными, слабыми, как у новорожденного.

Челищев повернул голову и встретился глазами с Федосеичем, сидевшим за столом и прихлебывавшим чай из большой кружки.

— Ну что, жив, охломон?

— Еще не знаю, — честно ответил Сергей, ощупывая себя непослушными руками. На Челищеве было надето старенькое, но чистое армейское бязевое белье, но когда его переодевал Федосеич — Сергей не помнил.

— Какой сегодня день? Сколько я проспал?

Старик фыркнул в кружку.

— Продрых ты ровно сутки. Хорошо — вовремя приехал. Еще бы немного попил, и — привет горячий... Мог бы запросто ласты склеить. Ладно, давай к столу, алкашонок...

Челищев откинул старый плед, поднялся с дивана и сам не понял, как очутился на дощатом полу — ноги не держали напрочь.

Федосеич даже не переменил позы — продолжал прихлебывать чай.

— Молодец, страховку еще помнишь, в падении группируешься правильно... Чего разлегся-то?.. К столу давай. Идти не можешь — ползи... Меньше себя жалей, больше думай о том, что сделать надо...

Сергей заскрипел зубами и на четвереньках пополз к столу. Пока он вскарабкивался на скамью, старик налил огромную керамическую кружку какого-то горячего отвара.

— Пей. Как допьешь — гулять тебя поведу. Сам себя будешь выхаживать...

От травяного взвара Челищева пробил горячий пот.

— Мне завтра назад в Питер надо. Желательно в человеческом виде.

— Завтра? Жаль, еще бы пару денечков, ты бы у меня совсем огурцом стал... Ну, завтра так завтра... Погуляем сейчас, потом поешь и снова спать будешь. А травки из тебя всю дурь выдавят. Расслабься сейчас, потом думать будешь.

Федосеич выгуливал Сергея целый день, отвлекал от черных мыслей разговорами, рассказывал разные смешные случаи из своей тренерской практики. Словно по взаимному уговору, они не касались причин, приведших Челищева на хутор в таком скотском состоянии... К вечеру пошел снег. Огромными мокрыми шапками он налипал на ветви деревьев в саду, гнул их к земле... Старик перехватил взгляд Сергея на заснеженные деревья и спросил:

— Ничего это не напоминает тебе, Сережа?

— Нет. А что? — встрепенулся Челищев.

Федосеич помолчал, покачал головой укоризненно.

— Да, многое ты подзабыл... Основной принцип дзю-до был когда-то открыт человеком, который вот так же смотрел на заснеженные деревья. Снег гнет ветки, и чтобы не сломаться под тяжестью, им нужно склониться до самой земли. Тогда снег сам соскользнет, а ветки распрямятся... Силу противника нужно использовать против него же.

— А если противников слишком много?

— Слишком много — как раз не очень страшно: они обязательно будут мешать друг другу. Тебе же нужно лишь сделать правильный отсчет своих движений. Побеждает не тот, кто самый сильный, а тот, кто правильно концентрирует свои силы в нужном направлении...

— Знать бы это направление, — невесело усмехнулся Сергей.

— Это знание живет в тебе, постарайся услышать его... Оно заложено в каждом человеке, но большинство не желает с ним считаться...

Помолчали. Покачивающиеся на ветру заснеженные ветки завораживали Сергея, словно гипнотизировали. В шелесте снега и свисте ветра слышались какие-то знакомые голоса...

— Пойду баню топить, а там — поужинаем да и спать пораньше ляжем, — голос Федосеича вывел Челищева из оцепенения, и он тряхнул головой:

— Егор Федосеич... Я вчера вам что-нибудь рассказывал?.. Ну, такое, не совсем обычное?..

Старик усмехнулся:

— Да уж наговорил — три вагона арестантов... Не знаю даже — верить ли или бредил ты... На антибиотик какой-то жаловался... Ты что, водку еще и таблетками какими-то заедал?

Сергей опустил глаза:

— Нет. Антибиотик — это человек такой, точнее — нелюдь. Я... Вы лучше забудьте все, что я говорил... Мог сболтнуть что-нибудь, что вам беду принесет.

Федосеич нахмурил брови:

— Ты, Сережа, за меня не решай, что мне лучше... И стращать меня не надо, поздно уже.

Я все свое давно отбоялся, оттого и покой в душе обрел. Болтливостью я и смолоду не отличался, а расспросить тебя вчера должен был — мы давно не виделись, и я понять хотел, что за человек ко мне пришел.

— Ну и что за человек, каково заключение? — попытался иронизировать Челищев.

— Человек пока что... Раз душа болит... Не жалел ты, видно, душу-то свою, всю ее поранил... Ладно, пойду баню топить... За ужином поговорим, если захочешь...

После бани Сергея совсем разморило, он размяк и вдруг, неожиданно для самого себя, начал рассказывать Федосеичу все свои злоключения — подробно и без прикрас... Старик слушал, не перебивая, лишь изредка прихлебывал из кружки остывший чай. Потом они долго сидели молча, пока наконец Сергей не поднял голову:

— Что мне теперь делать-то, а, Федосеич?

Старый тренер посопел в кружку, потом взглянул Челищеву прямо в глаза.

— Это ты сам решить должен, Сережа. Только сам, и никак иначе... Одно только скажу: жизнь никогда не захлопнет за тобой одну дверь, не открыв другую... Думай, Сережа, думай... А сейчас — пошли спать. Завтра тебе вставать рано, если днем в Питере хочешь быть.

Утром Федосеич отдал Челищеву выстиранную и выглаженную одежду и подвез его на мотоцикле в Лугу.

— Ну, с Богом, сынок... Я в тебя верю, ты — хороший парень, переможешь беду и себя обретешь. Меня знаешь как найти, всегда тебе рад буду. Береги себя.

Они обнялись, и Сергей, не оглядываясь, пошел на вокзал...

Днем он уже был в Питере и сразу начал искать Виктора Палыча. Антибиотик словно ждал его звонка — сидел в кабинете «У Степаныча». Особой радости, услышав голос Сергея, он не выказал и добрым дедушкой не прикидывался.

— Нашлась пропажа? Нагулялся?

— Да я, как сказали — Доктор передавал, чтоб через три дня... — начал оправдываться Челищев, но Антибиотик перебил его:

— Ладно. Потом переговорим. Подходи к восьми вечера на угол Энгельса и Луначарского — там такой длинный дом стоит. Ко второй парадной подходи, тебя встретят и ко мне проведут. Все.

Антибиотик повесил трубку. Сергей поехал домой — переодеться и умыться с дороги. У подъезда хозяина дожидалась его «вольво». Сергей погладил машину по заснеженному крылу:

— Хорошая ты моя... Смотри-ка, дождалась, не угнали тебя, на части не растащили.

С поднявшимся настроением он вошел в квартиру, долго прибирался, вытирал скопившуюся пыль, потом тщательно побрился, вымылся, надел чистую рубашку и незаметно для себя задремал в кресле. За час до назначенного Антибиотиком времени Сергей проснулся, потянулся, радуясь возвращающейся в тело силе, смастерил себе на скорую руку чашку кофе и отбыл.

«Странное место выбрал Виктор Палыч для разговора, — думал Челищев по дороге. — Интересно, почему к Степанычу не пригласил? Конспиративную хату завел, наверное...»

Двор огромного П-образного дома, стоявшего на углу Энгельса и Луначарского, был пустым и темным. Сергей вышел из машины и, не торопясь, пошел ко второму подъезду. Он не оглядывался, поэтому не заметил, как скользнули за ним три тени. Они бесшумно настигли Челищева, и внезапно Сергей ощутил, что на него сзади напялили грубый длинный мешок, через который в грудь уперлось острое лезвие:

— Жить хочешь?! Тиха будь!

На руках Сергея щелкнули наручники, и его, придерживая с двух сторон, куда-то быстро повели. Взревел мотор автомобиля, чьи-то руки нагнули Челищеву голову, а потом толкнули в спину. Он упал на заднее сиденье автомобиля, и почти сразу его перекатили на пол. Невидимки сели в машину. Те, кто устроились сзади, поставили ноги на Сергея и на всякий случай кольнули его ножом.

— Тиха, тиха...

Машина рванулась вперед. Сергей попытался устроиться поудобнее и сразу же заработал пинок каблуком под ребра:

— Тиха, би-илять, скимаузе!*

Волна липкого страха накрыла Челищева, но он попытался сосредоточиться и просчитать ситуацию.

«Кто это? На милицию не похоже. Совсем непохоже... Комитет? Им такой цирк зачем? Говорили с кавказским акцентом... Кто? Гурген? Зачем? Мы расстались нормально... Чечены? Зачем?! Кто знал, что я здесь буду? Антибиотик... Но могли и от дома вести. Куда везут?

---

* Скимаузе — грубое табасаранское выражение. (Табасаране (табасаранцы) — народность в Дагестане).

Спокойно, спокойно... Если просто замочить хотели — уже грохнули бы... Значит, разговаривать будут... Кто?»

Машина шла на приличной скорости, и Сергей догадался, что его вывозят за город. После резкого поворота налево дорога стала хуже, ухабы и ямы заставили похитителей снизить скорость. Машина сделала еще несколько поворотов и остановилась. Челищева грубо вытащили и, толкая в спину, заставили идти. Терпкий запах навоза, пробивавшийся даже через плотный мешок, вызвал у Сергея предположение, что он находится на какой-то ферме. Его втолкнули в теплое помещение, щелкнули ключом наручников, но только для того, чтобы, надев на каждое запястье по отдельному браслету, приковать его руки к стулу... Челищева, похоже, оставили одного. Хлопнула дверь, и с улицы отдаленно донесся чей-то голос, говоривший на незнакомом гортанном языке... Снова хлопнула дверь, вошедший зажег свет, а потом сдернул с Сергея мешок.

Сергей огляделся. К своему удивлению, он обнаружил, что сидит прикованным к стулу в чистой и неплохо отделанной комнате, напоминавшей гостиничный номер: дорогие обои, ковровое покрытие на полу, хрустальная люстра под невысоким потолком.

Прямо перед Челищевым стоял плечистый крепыш. Его вислый нос, крепкие белые зубы и густая трехдневная щетина убедительно свидетельствовали о том, что родина незнакомца лежит где-то рядом с хребтами Кавказа.

— Ты кто такой и зачем... — Договорить Сергей не успел — крепыш ударил его подошвой зимнего сапога в лицо. От этого удара

Челищев вместе со стулом кувыркнулся на пол, сразу же поблагодарив судьбу за то, что пол в комнате застелен паласом.

— Э-э, давай так, я тут спрашиваю, а ты свой рот поганый будешь открывать, когда я скажу, да?

Кавказец одной рукой, рывком, поставил стул вместе с Сергеем на место, и того поразила эта страшная, какая-то первобытно-зверская сила.

— Ты куда шел, а? Куда?

Сергей молча дернул щекой и отвернулся.

— Куда шел, би-лять?

Страшный удар кулаком в лицо снова швырнул Челищева на пол. В голове зазвенело и зафонило, как в испорченном телефоне. Кавказец снова поднял стул, Сергей облизнул кровь с губ.

— Гыде твой хозяин, а?

Челищев сплюнул кровь прямо на пол и выдохнул:

— Хозяин у тебя есть, а я сам по себе, сам себе хозяин.

На этот раз кавказец проявил разнообразие — одновременно ударил Сергея ногой справа и рукой слева, так что стул лишь качнулся туда-сюда, но устоял. Видимо, в какой-то момент Сергей отключился, потому что, когда он открыл глаза, горец с любопытством изучал его записную книжку. Увидев, что Сергей очнулся, белозубый сын гор ткнул книжкой Челищеву в лицо.

— Это телефон... Чей? Чей?!

Книжка была раскрыта на букве «А»: кавказец показывал Сергею телефон Антибиотика, вернее, телефон кабачка «У Степаныча».

Челищев сглотнул кровь, наполнившую рот, и прохрипел:

— Позвони да сам спроси... Глядишь, все и выяснится...

Кавказец распрямился, нехорошо улыбнулся и потряс книжкой.

— Умный, да? Ты сейчас у меня ее есть будешь, вместе с кожей, клянусь!..

Удар, оранжево-красные брызги в глазах... Прежде чем навалилась спасительная чернота, вспомнилась Сергею скорченная окровавленная фигурка Винта в гараже у Гургена...

Он очнулся от звука льющейся воды. Открыв глаза, Сергей увидел, как горец наполняет ванну в маленьком санузле, примыкавшем к комнате.

— Сейчас все мне расскажешь. Плавать сейчас будешь, да...

Сергей скрипнул зубами и почувствовал — один зуб слева еле держится. Челищев харкнул в кавказца, но плевок не долетел.

— Ты не горец, ты — шакал и трус. Расцепи мне руки, чурка! Будь мужчиной!!

Глаза у небритого крепыша подернулись розовой пленкой.

— Что ты сказал?! Зарэжу!

«Все. Сейчас он меня забьет, — устало и как-то отрешенно подумал Сергей. — Глупо-то как... Я же вовремя пришел на стрелку. Что случилось? Люди Антибиотика должны были заметить... Меня искать должны... Или Виктор Палыч решил меня разменять?..»

Между тем Антибиотик был рядом. Виктор Палыч сидел в соседней комнате в кресле и через зеркало, прозрачное с его стороны, с недовольным видом наблюдал сцену допроса Челищева...

Когда Сергей, похоронив Гуся, исчез на несколько дней, Антибиотик впал в ярость, быстро сменившуюся самыми неприятными подозрениями... Виктор Палыч не любил, когда его люди выпадали из поля зрения — мало ли какие возникнут контакты нежелательные... А от таких контактов и до вербовки недалеко... Правда, на Сергее висел покойный Гусь, и, мало того, Челищев сам отдал Виктору Палычу объяснительные всех свидетелей драки. Но в том-то и дело, что по этим объяснительным выходило, будто Сергей лишь защищался... Да ведь бумажки-то в один момент переписать можно...

Нет, в ментовку, к бывшим друзьям, Челищеву хода не было... Все это Виктор Палыч разумом понимал, но все же исчезновение Сергея заставляло его нервничать... Если бы только одних ментов приходилось опасаться. Через несколько дней Челищева, правда, обнаружили — в дупелину пьяного, в каком-то кабаке, заросшего и страшного... Вполне возможно, что мальчик просто стресс снимал, от убиения Гуся полученный. И все же... Береженого Бог бережет — поэтому, когда Сергей позвонил и сообщил, что вернулся и оклемался, решил ему Виктор Палыч небольшую проверочку устроить...

Своих людей, как назло, под рукой было мало — пришлось Антибиотику обратиться к группе дагестанцев, точнее — табасаранцев, возглавляемых неким Магомедом Магомедовым по кличке Мага. Эти даги были интересными ребятами. В городском раскладе они стояли особняком, не примыкая ни к «черным», ни к «белым», потому что были по сути своей чистыми наемниками. Маге было все равно, от кого получать деньги. Все это знали, и всех это до поры устраивало. Магу часто привлекали для того, чтобы склонить под крышу бизнесменов — «даги» устраивали беспредельный наезд на какого-нибудь барыгу, сверкали зубами и кинжалами, а потом появлялись спасители — родные русские бандиты... Как Мага умудрился остаться живым за несколько лет такой интересной работы, можно было только удивляться...

Антибиотик смотрел на разбитое лицо Челищева и зло покусывал тонкие губы: «Кретин черножопый... Всю идею обговнял!» Маге было поручено похитить Сергея, привезти его в загородную гостиницу, лишь недавно переделанную из обычной свинофермы, и грамотно прокачать на вшивость. Но, видно, правду говорят, что самые красивые комбинации могут быть угроблены бездарным исполнением... Вместо тонкой «прокачки» табасаранец, напрочь, видимо, позабыв инструкции, начал Челищева тупо бить, задавать совершенно идиотские вопросы, зачем-то совал Сергею записную книжку в лицо... «Урюк вонючий... так он сейчас ему последние мозги поотшибает... А мальчонка-то — ничего, крепко держится».

Заметив, что Мага окончательно завелся, Виктор Палыч, досадливо крякнув, решил выйти из-за кулис.

Сергей с отчаянием ждал новых, добивающих ударов, когда в комнате раздался знакомый голос:

— Хватит, Мага, завязывай! Ты и так норму перевыполнил, ударник хренов!..

Мага затормозил в полуметре от Челищева, возмущенно цокнул языком, хлопнул себя по бедрам и что-то забормотал с явным раздражением.

— Ты полопочи, полопочи мне еще! — озлился Виктор Палыч. — Делай, что велят! Давай, пришли кого-нибудь наручники снять — и живо отсюда!

Мага укоризненно покачал головой, остывая, недобро подмигнул Сергею на прощание и вышел за дверь. Антибиотик аккуратно, чтобы не испачкать в крови дорогой костюм, обошел Челищева и с кряхтением уселся в кресло у стены.

Сергей усмехнулся разбитыми губами — все вставало на свои места.

— Добрый вечер, Виктор Палыч, спасибо за гостеприимство, за интересный спектакль! Браво!

Антибиотик нервно побарабанил пальцами по журнальному столику:

— Что касается спектакля, то тут мне за тобой, Сереженька, не угнаться... Ты у нас на весь Питер цирк закатываешь... С драмкружком из одного актера!

Их диалог прервал вошедший в комнату молодой дагестанец, который, покосившись на Виктора Палыча, стал возиться с наручниками, сковывавшими руки Челищева. Как только кольца браслетов разомкнулись, Сергей молча ударил кавказца кулаком в ухо. Тот отлетел к двери, упав на четвереньки и зашипел, как кошка.

— Хватит! — Антибиотик рявкнул так, что, казалось, зазвенела люстра под потолком. А может быть, это в голове у Сергея продолжало звенеть от ударов. Сделав дагестанцу знак рукой — мол, убирайся, — Виктор Палыч резко повернулся к Челищеву:

— Ты что на черножопых срываешься?! Давай уж прямо на мне! Это ведь я им сказал с тобой, э-э-э... профбеседу провести. Правда, заставь дураков Богу молиться — они весь лоб расшибут. Как у тебя лоб-то, цел? Хорошо, успел я вовремя.

Сергей, стиснув зубы, катнул желваки на скулах и сморщился от боли:

— Значит, повоспитывать меня решили?!

Антибиотик укоризненно вздохнул, поднялся из кресла, достал из бара в стене бутылку вина:

— Ты, Сережа, щечками-то на меня не дергай... Ставки в нашей игре тебе, я думаю, известны? Побеждает сильнейший, а ты себя слабым показал... Старые люди раньше говорили: падающего подтолкни. А тебя и подталкивать не надо было... Все питерские кабаки собой обтер. М-да... Винца выпьешь?

Челищев мотнул головой.

— Вот это правильно, ты свое попил, надолго хватит... А что касается всех этих, как ты выразился, спектаклей, — Виктор Палыч обвел рукой комнату, — надо же было тебя как-то в чувство привести... Ты не один работаешь, с людьми, да вдруг взял и на всех плюнул. Коллектив такого не прощает... И хватит об этом. Я надеюсь, ты все понял правильно и на меня, старика, не обижаешься? — Голос Антибиотика стал ласковым до вкрадчивости.

Сергей опустил глаза, чтобы не видны были загоревшиеся в них холодные черные огоньки.

— Не обижаюсь...

— Вот и правильно, — заулыбался Виктор Палыч. — Обиженных, как ты знаешь, ебут все, кому не лень, или, как учит нас мудрая народная пословица, на них еще и воду возят...

Ненависть жаркой волной затопила сознание Сергея. «Ах ты, упырек! Два шага сделать, до горла дотянуться... И все! И все, отсюда я уже не выйду... Рано, рано пока...» Волна схлынула, оставив после себя липкую испарину, выступившую по всему телу...

Между тем Антибиотик продолжал:

— Ладно, будем считать, что забыли и проехали. Давай о деле поговорим. Пока ты э-э-э... развлекался, появилось много вкусной работы. Криминала никакого, всего лишь маленький ченч, который предлагают наши старые друзья из Сибири... Ты меня слушаешь?

— Да-да, Виктор Палыч, конечно, — Челищев с трудом заставил себя улыбнуться. — А что конкретно я должен делать? Обеспечить гарантию проведения сделки вместе с этими вашими гориллами?! Антибиотик, уловив что-то в тоне Сергея, недовольно поморщился:

— При чем тут гориллы... Не о них речь, не о том ты думаешь... Гориллы сегодня есть — завтра их нет, а мы, Сереженька, будем всегда, мы мастеровые потому что. Ладно, конкретно поговорим завтра вечером. Часикам к семи подъезжай к Степанычу, выспись как следует, себя в порядок приведи...

Виктор Палыч небрежным жестом вынул из кармана костюма толстую «котлетку» долларовых купюр и бросил ее на колени Сергею:

— Это тебе... на лекарства и стоматолога. Ну-ну, не хмурься на старика. Научись причины всех своих проблем в себе находить, глядишь — и проблем меньше станет... Ты поезжай-ка сейчас прямо к Карине, в сауну, пусть они тебя по полной программе к жизни воскресят... Они там — настоящие мастера, доверяйся им смело. Карина, между прочим, — кандидат наук, не так давно еще в Лесгафта доцентом работала...

Антибиотик направился к выходу и, уже взявшись за ручку двери, оглянулся:

— Машину свою за воротами найдешь, ключи — в замке.. Да, Катерине Дмитриевне позвони, не забудь... Она тут, когда ты пропал, чуть с ума не сошла и нас всех задергала — найдите да найдите! Она девушка правильная, а ты ее психовать заставил. Нехорошо. Друзья так не поступают...

Виктор Палыч сделал нажим на слове друзья, хитренько улыбнулся (очень Сергею не понравилась эта улыбочка) и вышел. Челищев долго сидел неподвижно, смотрел на пачку долларов у себя на коленях, потом взял ее непослушными, будто чужими пальцами и засунул в карман. Осторожно встал (голова гудела, но кружилась лишь чуть-чуть, можно было ждать худшего) и вышел из комнаты.

Во дворе с удивлением огляделся: он стоял в центре стандартной свинофермы, переделанной в настоящий загородный пансионат. Судя по всему, переоборудование еще не закончилось, потому что во дворе аккуратными штабелями были сложены стройматериалы, заботливо укрытые пластиковыми полотнищами...

— М-да... Бордель для одинокого бизнесмена... Эй, есть тут кто живой?!

Сергею казалось, что народу на ферме-пансионате много, только все попрятались, затаились, рассматривают его из своих нор... На окрик вышла откуда-то лишь бабка в ватнике, которая, не задавая вопросов, стала отпирать ворота. «Странно, — подумал Челищев. — А куда же Антибиотик делся?.. Ворота заперты, да и шума мотора не было... Хитрое местечко — эта фермочка...»

— Как до Питера-то добраться?

Бабка махнула рукой в темноту:

— Езжай прямо, через километр на трассу выберешься, там налево — и до города рукой подать будет...

Сергей взглянул на циферблат — стрелки отцовских часов холодно светились во мраке, подбираясь к одиннадцати. «Надо бы часы-то спрятать, уж больно приметные... Как их только Антибиотик не заметил... Ладно, поехали к Карине, Сергей Саныч, может, хоть там по морде бить не будут...»

До оздоровительного центра Челищев добрался быстро, припарковал машину у входа и, буркнув охране, чтобы позвали Карину, направился в бар. Он не успел еще развалиться в пластиковом кресле, как услышал торопливые легкие шаги.

— Ой, Сергей Александрович, что это с вами?

Карина, глядя на лицо Челищева, испуганно прикрывала ладошкой рот. Дорогой «найковский» спортивный костюм выгодно обтягивал ее сильную фигуру. Сергей улыбнулся и процитировал Семен Семеныча из бессмертной «Бриллиантовой руки»:

— Да вот, Карина, «споткнулся — упал, очнулся — гипс».

— Ой, Сергей Саныч, какая же у вас трудная работа... Кто вас так разукрасил?

— Злые люди, Кариночка, понаставили везде капканов, понимаешь... Сможешь со мной что-нибудь сделать? А то с таким лицом в демократической России по улицам ходить не рекомендуется — застрелят без предупреждения. И опознать потом не смогут...

Карина с сомнением покачала головой:

— Ну, все что можно, мы, конечно, сделаем, но дня два-три все равно придется немножко косметикой попользоваться, если на люди выходить собираетесь... Пойдемте, Сергей Саныч, в кабинет... А в сауну вам пока не стоит: ваши украшения слишком свежие, им, наоборот, сейчас холод нужен...

Карина долго колдовала над лицом Сергея, прикладывала лед к синякам, потом наложила какие-то мази. Затем она уложила Челищева на массажный стол, раздела и стала бегать по его телу прохладными сильными пальцами... Сергей стал расслабляться, его потянуло в сон... Сквозь дрему он чувствовал, как Карина переворачивает его на спину, и, кроме ее пальцев, Сергей ощутил прикосновения языка. Или это Катя целует его? А может быть, Наталья? Юля? Лица женщин проносились калейдоскопом перед закрытыми глазами Челищева, он застонал, поймал рукой Карину за шею и стал глубже втискивать свой член в ее мягкие влажные губы... Видно, и впрямь Карина знала секреты массажа, потому что еще ни разу до этого Сергей не трахался во сне, если не считать юношеских мечтаний, конечно... Он кончил и, словно в обморок упал, в глубокий колодец провалился, темный, но теплый. Ничего вокруг, лишь темнота и покой, только сверху чей-то голос:

— Спи, Сереженька, ты хорошо поспишь сейчас, все силы вернутся...

Кто говорит это? Голос знакомый, а вспомнить нет сил, сил нет ни на что...

Челищев крепко спал. Карина долго смотрела на него, потом заботливо накрыла огромным махровым полотенцем, вздохнула и выскользнула из массажного кабинета.

Она прошла в пустой бар, налила себе рюмку коньяку, закурила и с усталой тоской закрыла глаза. Потом невесело усмехнулась чему-то, подвинула стоящий на стойке белый с золотом телефон, стилизованный под старину, и стала набирать номер.

— Алло, Катерина Дмитриевна?.. Добрый вечер... Да я знаю, что ночь уже, но вы говорили, если Сергей Александрович появится, сразу позвонить... Да, он здесь, у нас... Хорошо.

Положив трубку, она закурила снова, потом встряхнулась и громко сказала:

— Жорик, где ты там?! Кофе мне свари покрепче и «Амаретто» туда капни.

Маленький барменчик возник, словно прятался под стойкой и ждал этих слов. С сочувствием глянув на Карину, он засуетился у кофеварки.

— Какая подлая штука жизнь, Жорик...

Челищев просыпаться не хотел, ворчал, постанывал, не понимая, кто его будит и зачем.

— Просыпайся, Сережа... Сергей Саныч, к вам сейчас приедут.

Сергей сел на массажном столике, свесил ноги и непонимающими глазами уставился на Карину.

— Кто приедет?

Карина отвела глаза:

— Катерина Дмитриевна... Вы уж извините, Сергей Александрович, но мне было велено, если только появитесь — позвонить...

— Так... — Челищев начал одеваться, покачивая головой. К встрече с Катей он не был готов, оттого занервничал и разозлился. Карина как-то по-детски шмыгнула носом.

— Сережа, не сердись. Я ведь человек подневольный.

Катерина ворвалась в массажный кабинет, как тайфун, цунами и ураган, вместе взятые

— Ты... Ты позвонить мог?! Ты мог хотя бы позвонить?! Какая же ты скотина!

Сергей не успел даже рта открыть, как Катя подскочила к нему и с размаху влепила звонкую пощечину.

Сергей остолбенел. Чего-чего, а вот таких семейных разборок он совсем не ожидал.

— Ты что делаешь-то, Катя! — попытался было урезонить ее Челищев, но Катерина, судя по всему, вошла в раж — вторая пощечина обещала быть не последней, если бы Сергей не перехватил запястья Катиных рук.

— Ты что?! Что вы все меня по голове-то бьете?! Я вам что — груша боксерская?! Тоже мне, макивару нашли...

— Пусти, пусти меня, скотина безмозглая! — Катя шипела и вырывалась, как взбесившаяся кошка; опасаясь, что она начнет пинаться, Сергей развернулся к ней левым бедром.

Карина стояла у двери с приоткрытым от удивления ртом.

— Катя, успокойся, люди же смотрят!

— Вон! — рявкнула Катерина, обернувшись на Карину. Та, скрывая усмешку, скользнула за дверь:

— Я вам сейчас кофеечку приготовлю...

— Вон! — Карина исчезла, а у Кати, видимо, энергетический выброс закончился, она обмякла в руках Сергея и заплакала.

— Господи, какая же я дура!

У Челищева екнуло сердце, он хотел было обнять Катерину, прижать к груди, поцеловать мокрые глаза, но всплыли в памяти голос Гургена и безвольная, окровавленная фигура Винта. Сергей почувствовал, как давит на правом запястье браслет отцовской «Сейки»... Он перевел дыхание и усадил Катю на белый пластиковый табурет.

— Какая же я дура, — повторяла Катерина с упорством испорченного граммофона. Сергей вздохнул:

— Катя, прости меня... Я... Ты же уже знаешь все... Эта история с Гусем доконала, нервы сдали совсем, я с катушек и поехал. Словно затмение нашло какое-то...

Он чувствовал, что слова получаются какими-то фальшивыми, но, видимо, даже такие оправдания Катерине были нужны.

— Но позвонить-то можно было? Я ведь... Я ведь чуть с ума не сошла... Сереженька... Как же ты мог...

Она обхватила Сергея руками за бедра и прижалась лицом к его животу.

В животе у него стало пусто и холодно, как при полете вниз с американских гор. «А как же ты могла: знать, что моих родителей убивать собираются, — и молчать?!!» — чуть было не выкрикнул ей в затылок Сергей, но лишь закашлялся — язык почему-то отказывался повернуться, а в следующее мгновение он уже взял себя в руки.

— Прости меня, Катюшка, больше такое не повторится... Я обещаю...

Она судорожно вздохнула-всхлипнула и подняла глаза:

— Горе ты мое луковое... Я... Да что там говорить... Мне два дня уже как в Сибири быть надо — Виктор Палыч в командировку посылает. Я тянула под разными предлогами — тебя хотела увидеть, убедиться, что ты жив... Вот, спасибо, убедилась... Можно лететь спокойно, самолет через три часа.

— В Сибирь? Тебе в Сибирь лететь надо? — удивился Челищев.

Он вспомнил, как Антибиотик говорил ему о предстоящей «вкусной» работе с сибирскими коллегами.

— Да, в Сибирь... А что тебя так удивило?

Сергей объяснил, и Катя устало усмехнулась.

Похоже, мы с тобой по одному и тому же делу работать будем. Как комсомольцы в известной песне — тебе на запад, мне — на восток.

— А что за дело-то?

— Алюминий, что же еще... Сибирский алюминий... Виктор Палыч тебе все завтра подробно расскажет, давай не будем сейчас о делах. Просто помолчим немного перед дорогой, Сереженька...

Она снова уткнулась ему в грудь лицом, а он молча гладил ее по волосам одеревеневшими пальцами... Смутно было на душе у Челищева. Женщину, которую обнимал, Сергей и любил, и ненавидел одновременно.

В оздоровительном центре было тихо, как в заколдованном спящем королевстве. Из массажного кабинета не доносилось ни звука. В баре над двумя остывающими чашками кофе неподвижно сидела, ссутулившись и подперев щеку рукой, усталая и сразу как-то постаревшая Карина...

Весь следующий день Сергей отсыпался, вставая с кровати лишь для того, чтобы поесть. Организм брал свое — на Челищева напал страшный жор, периодически сменявшийся приступами сонливости. Из этого «берложьего» состояния Сергея вывел звонок в дверь. Он открыл, не поинтересовавшись, кто звонит — после всего случившегося за последние две недели чувство опасности почти атрофировалось. На пороге стоял улыбающийся Толик-Доктор. Неизвестно почему, Челищев обрадовался ему, как близкому другу, которого не видел несколько лет:

— Толян! Елки-палки, заходи, а я думал, ты с Катериной в Сибирь полетел.

Доктор несколько смешался от такого радушного приема:

— Да нет, Сергей Саныч, с Катериной Дмитриевной Танцор полетел со своими пацанами, а мне велели к тебе пристегнуться.

— Толик, ты брось меня по отчеству кликать, а то я себя дедушкой чувствовать начинаю... Пойдем на кухню, кофейку навернем, у меня, по-моему, и мороженое в морозилке есть — как знал, что ты придешь, не трогал...

Челищев, измученный тишиной пустой квартиры, неосознанно радовался появлению живого человека, оторвавшего его от бесконечных невеселых размышлений. Доктору же такое внимание со стороны Сергея откровенно льстило, и он стал похож на большого ребенка, изо всех сил пытающегося напустить на себя важность.

— Ну, рассказывай, какие новости в городе, чем братва живет, а то я сто лет уж ничего не слышал. — Говоря, Челищев накладывал Толику в огромную суповую тарелку «атомную» порцию финского мороженого. Потом разлил кофе по чашкам, присел к столу и достал сигареты. Доктор немедленно набил рот холодным лакомством и, шумно прихлебывая кофе, стал степенно излагать новости, причавкивая и негромко мыча от удовольствия:

— Ну что, все в основном, как было, но звери совсем забыковали — пацаны со всех сторон говорят: решать что-то нужно. От них уже не протолкнуться: раньше сидели себе на рынках да у ларьков — это еще куда ни шло, а теперь в приличное место не зайдешь — всюду черно. «Взрослым» говорили — а они все тянут, решить не могут... Опера... Даже опера не против, чтобы черножопым беспредел устроить — позавчера на «пермских» в «Виктории» мусорня наехала — всех повязали, повезли на Литейный фотографироваться, ну там, как положено, отмудохали всех... Так вот — Водолаза двое в масках в сортир заволокли и ну ногами месить — два ребра сломали, пидоры. Так вот — месят его, а Водолаз им в уши вливает: «Что вы все время нас да нас. Когда «черных» плющить будете, беспредел же в городе из-за них?» А ему мусоренок, вроде как с сожалением: «Начальству виднее, кого в первую очередь, и не вздумайте нацменов трогать, иначе вам совсем пиздец». Так Водолаз-то потом и смекнул, что у ментов начальство «черными» прикуплено, опять зверьки проворнее оказались Ну а сейчас все ждут, до зверьков все с дорогой душой дорвутся, только свистни...

Доктор солидно вздохнул и снова навалился на мороженое. Сергей изо всех сил старался не улыбнуться.

— А так — особых новостей-то нет... Александра Иваныча еще при тебе посадили — так и сидит... Голодных много появилось, с головой совсем не дружат, молодые какие-то, борзые.. Да, дуэль у нас тут намечается — Клейстер-Казанец с нашим Женькой-Питоном из-за женщины всерьез стреляться собрались — на Коркинских озерах, картечью. Ну дети, ей-богу... Женька-то ее у Клейстера отбил, ну тот и завелся... Придется завтра с Ноилем встречаться, перетирать это дело, а то придумали — мало нас менты мочат, так еще и сами друг друга...

— Толик, а казанцы — они же мусульмане, значит — тоже «черные»?

Доктор надолго задумался, потом покачал головой:

— Нет, то, что не «черные», — это точно, они в уважухе, хотя и беспредельщики, но и не наши они — это ясно. Они — между... Да! — Толик хлопнул себя по лбу. — Чуть не забыл подарок-то передать, Катерина Дмитриевна велела...

Доктор полез во внутренний карман куртки и достал оттуда черную трубку-радиотелефон.

— «Дельта»! Крутая штука, только денег жрет — немерено... Но тебе уже положено, сейчас все пацаны серьезные на трубках — удобно и быстро...

К кабачку «У Степаныча» Сергей с Доктором подкатили за две минуты до назначенного времени. Толик остался в машине, а Сергей пошел внутрь. Он не был здесь с того самого дня, как увез Гуся... Интерьер не изменился, а вот лица официанток и барменов были Челищеву незнакомы: видно, после той истории Степаныч решил от греха сменить персонал... Антибиотик как всегда сидел в кабинете, потягивал красную «Хванчкару». Впрочем, потягивал, пожалуй, громко сказано — один бокал густого красного вина Виктор Палыч мог мусолить весь вечер...

— Сереженька, заходи, садись... Поужинаешь со стариком? — Антибиотик вновь изображал из себя ласкового дедушку, искренне радующегося внучку, из чего Сергей понял, что его грехи — списаны. До поры.

— Не откажусь, Виктор Палыч. Что-то ем и ем, наесться не могу...

— Так организм-то молодой, ему топливо нужно... Сейчас все мигом накроют, а я тебе пока тему обрисую.

Прислуживать пришел старый официант, знакомый Челищеву. Время от времени халдей бросал опасливо-уважительные взгляды то на Сергея, то на Антибиотика, и у Челищева от неприятных воспоминаний засосало под ложечкой...

Когда ужин был подан и они остались вдвоем, Виктор Палыч неторопливо начал говорить:

— Как ты знаешь, Сережа, я никогда за криминалом не гонялся, наоборот, всегда считал, что чем ближе к закону — тем безопаснее... Есть, правда, отдельные, из ума выжившие — в «мерседесах» ездят, но раз в месяц идут карманы по трамваям шарить — мол, по понятиям это.. Ну, да не о них речь, — лицо Антибиотика зло перекосилось, видно, все-таки занимали его мысли те, кто за понятия цеплялся... Сделав над собой усилие, Виктор Палыч продолжил:

— Так вот, в той теме, которую мы сейчас начинаем, криминалу нет. Ну, почти нет. А суть в том, что через несколько дней из Красноярска должен прийти эшелон с алюминием... У этого эшелона трудная, но интересная судьба, которая нас, в принципе, волновать не должна... Нас должен, в конечном итоге, заботить только один вагон, который совместными стараниями превратится из гадкого утенка в прекрасного лебедя...

Антибиотик говорил долго, временами опускал некоторые подробности, но интуиция и опыт бывшего следователя помогали Челищеву воссоздать «выброшенные за ненадобностью» Виктором Палычем кусочки мозаики... Картина вырисовывалась простая до гениальности.

В далекой заснеженной Сибири пыхтел трубами комбинат, выплавляющий алюминий. Часть алюминия отправлялась потребителям, а часть накапливалась на заводе — так называемые брак, неучтенка, полученные игрой на минусово-плюсовых допусках, а также металл, оставляемый на комбинате для «внутренних нужд». Быстро ли, медленно ли, но постепенно

2 Судья

накопилось такого «левого» металла вагонов шесть-семь. Его нужно было реализовывать, потому что, оставаясь на комбинате, он был просто металлом, а попав, к примеру, в Эстонию, превращался в поражающую воображение кучу долларов...

Для того чтобы алюминий дошел хотя бы до Петербурга, нужно проделать уйму бумажной работы — и работа такая проделывалась специалистами из структур так называемой «старой торговой мафии». Воротила из Сибири Семен Андреевич Бородатый, по кличке Хоттабыч, хорошо знал главу питерской фирмы «Глиноземтехинвест» Ашота Саркисовича Гаспаряна — еще по тем временам, когда сам жил и работал в Ленинграде. Семен Андреевич договорился с Ашотом Саркисовичем, и оба начали готовить необходимые бумаги и нужных людей. Сделка сама по себе не была такой уж сложной — на бумаге такие сделки можно проворачивать хоть каждую неделю, но в жизни все часто получается не так, как задумываешь, особенно в новой России, где так много появилось хищных острозубых ртов, готовых впиться в чужой каравай... Поэтому коммерсантам было никак не обойтись без серьезных «охранных структур», которые должны быть кровно заинтересованы в успехе алюминиевого проекта. Гарантом Хоттабыча в Сибири выступал вор в законе Сэм, Гаспарян же замыкался на Антибиотика.

Переговоры между сибиряками и питерцами были сложными и многоэтажными — и не потому, что стороны опасались кидка со стороны друг друга: совсем непросто было определить меру ответственности за алюминиевый состав на различных этапах, а отсюда непосредственно вытекали вопросы величины долей. Важно было также обсудить, кто, где и сколько кому отстегивает за «официальность».

В результате договорились, что один вагон из состава реализуется в пользу Хоттабыча, Сэма и его людей, один — дербанится Гаспаряном и Антибиотиком со товарищами, а остальное уходит в бездонный карман чиновников и начальников вечно голодного российского служивого сословия... Но игра стоила свеч, потому что за один только вагон алюминия можно было выручить не десятки и не сотни тысяч долларов, а миллионы...

— В общем, Сережа, — подвел итог Антибиотик, — наша работа в наших руках. Катерина Дмитриевна контролирует процесс непосредственно в Сибири. Завтра к нам прилетает Семен Андреевич с ксерокопиями документов. Ты возьмешь наших ревизоров и подъедешь к нему — он остановится в «Пулковской», — пусть проверят, чтоб все в ажуре было. Доверяя — проверяй, я Сэма давно знаю: он всю жизнь считал, что «лоха кинуть не западло»... Если с документами порядок, везешь Семена Андреевича к Гаспаряну — пусть они дальше сами нюансы дорабатывают. А ты с людьми встречаешь состав — его должны загнать на овощебазу. Контролируешь и охраняешь перегрузку алюминия в КамАЗы. Смотреть нужно в оба, потому что в Питере сейчас немерено голодной братвы развелось. Я уж не говорю о «черных», которые с гор спустились, где коз трахали, а здесь у нас впервые баб попробовали и сразу захотели с ишаков на «мерсы» пересесть... Спидоносцы... А работать никто не хочет, все хотят все и сразу... Потому, Сережа, задача у тебя важная и ответственная — быть в готовности ударить по чужим и жадным рукам загребущим... Пройдет все нормально, зашуршат бумажки в кармане — сразу поймешь, Сережа, что лучше — водку пить или работать. Не сочти за намек, но Карл Маркс в свое время правильно сказал: труд создал человека. А Карл Маркс, как все евреи, был мужичком неглупым, в капиталах толк знал...

Виктор Палыч засмеялся, переводя дух после долгой речи. Сергей задумчиво курил. Масштабы и размах деятельности Антибиотика почти физически давили на него.

— Моя какая доля? — он не ожидал от себя этого вопроса, но Виктор Палыч, похоже, ни капельки не удивился.

— Ну, давай прикинем: мы получаем «чистый» вагон со всеми необходимыми документами — лицензиями-разрешениями. С этого вагона — треть Гаспаряну и его людям (коммерсантов, Сережа, беречь надо, иначе они работать не будут), треть — мусорам, извини-подвинься (генералы тоже люди, тоже кушать хотят. Генерал — это ведь не должность, Сережа, это счастье), ну, а треть — нам... И вот с этой трети — твои... Ну, скажем, три процента..

— Всего три?

Антибиотик нахмурился:

— Работать надо, а не достоевщиной заниматься... Тогда будет не три процента, а пять... И то, заметь, ты уже в доле работаешь.

— Мне же ребят кормить надо, — Сергей интуитивно почувствовал, что именно торгуясь, как на восточном базаре, он сможет заслужить больше доверия у Антибиотика, успокоив его подозрительность...

— Ты за братву не беспокойся, накормим, на крайнек — сами недоедим. У них доля особая, ты за них не переживай. Я говорю чисто о твоей доле. Она тебе нравится? Это очень большие деньги, Сережа... К таким деньгам, кстати, нужно осторожно относиться, с непривычки можно и не переварить, отравиться...

Сергей кивнул головой:

— Нравится. Мне все очень нравится, Виктор Палыч. Когда Бородатого встречать?

— Завтра в десять утра в центральном холле «Пулковской» увидишь человека лет пятидесяти с коричневым кейсом. Это и будет Хоттабыч. Ты у него спросишь: «Не хотите ли джину с тоником?» А он ответит: «Я сам джинн...»

Виктор Палыч посмеялся над остроумностью пароля и отзыва. Сергей тоже хмыкнул — за компанию.

— Хоттабыч — странное какое прозвище... За что он его получил?

Антибиотик сделал удивленные глаза:

— А ты, Сережа, о нем ничего никогда не слышал? Ну да, ты в те времена еще совсем молодым был. Хоттабыч — действительно волшебник в своей сфере... Вот, дай Бог, закончим все с этим алюминием — я тебе расскажу о нем кое-что. У таких людей учиться надо, он — живая, можно сказать, история...

Мотнув отрицательно головой на вопрос Виктора Палыча — слышал ли он раньше о Хоттабыче, Сергей покривил душой. Легенду про этого человека в городской прокуратуре знали даже стажеры, но Челищев считал ее просто следаковской байкой, не подозревая, что главный ее герой — жив и здравствует..

Якобы был когда-то давно Хоттабыч городским чиновником средней руки. И построил он большой девятиэтажный дом и даже заселил его людьми и подключил ко всем коммунальным службам. Фокус был в том, что и сам дом, и люди, в нем жившие, существовали лишь на бумаге, а на самом деле на том месте, где якобы жили счастливые новоселы, был пустырь... Все стройматериалы и финансовые затраты ушли «налево» — на дачи нужным людям... Больше года существовал по бумагам дом-призрак. Потом возник акт о просадке почвы из-за грунтовых вод в месте расположения дома, и его решено было расселить и разобрать. Люди, которые до того не покидали своих коммуналок во временном фонде, получили наконец квартиры в разных концах города, а дом-призрак, вызванный из небытия заклинаниями Хоттабыча, в небытие и вернулся...

Легенда эта постепенно обросла красочными подробностями. Приходилось Сергею слышать, что позже Семен Бородатый открыл по аналогии магазин-призрак, который функционировал долго и успешно... Много чего говорили, но Челищев не очень верил в эти сказки, поэтому и невнимательно их слушал, о чем, впрочем, пожалел сразу, как услышал кличку Хоттабыч из уст Антибиотика...

Когда утром следующего дня Сергей вместе с Доктором и тремя его бойцами вошел в центральный холл «Пули» (так было принято называть «Пулковскую» среди братвы), сибирская «делегация» их уже поджидала. Точнее, никакой делегации не было. Хоттабыч — пятидесятилетний полный мужчина в старомодном костюме, сидел в одиночестве, прижимая к животу дорогой кейс из натуральной коричневой кожи. Сергей удивился было отсутствию охраны, но потом заметил двух прилично одетых молодых мужчин, читающих газеты в нескольких метрах справа и слева от Семена Андреевича. Эти люди не производили впечатления раскачанных монстров, они вообще не бросались в глаза, но их жилистые фигуры, спокойствие и уверенно плавные движения говорили понимающему человеку о многом.

Челищев осмотрел свою команду и ощутил некоторое смущение, как если бы он ввалился в оперный театр в болотных сапогах и ватнике, шокируя приличную публику. Хоттабыч еще раз подтвердил известную, в общем-то, Сергею истину, что теневые финансово-промышленные воротилы почему-то очень не любят видеть рядом с собой «быков», какими норовят себя окружать разные мелкие спекулянты из ларьков, магазинчиков и бензоколонок. Серьезные люди прилично одеты, прилично говорят и окружают себя приличными людьми, что не мешает им быть суперпрофессионалами.

Обменявшись словами пароля и отзыва (Хоттабыч, произнося свои слова, еле сдерживал усмешку), Челищев и Бородатый пожали друг другу руки.

— Ну-с, молодой человек, будемте работать? Время — деньги, я предлагаю подняться наверх в номер и посмотреть документацию.

Сергей согласно кивнул:

— Конечно, Семен Андреевич, только я в этом не специалист, через десять минут подвезут нашего эксперта, он и проверит все...

— Разумно, — Хоттабыч встал и назвал Сергею номер своей комнаты. — Только я вас очень прошу — оставьте своих... э-э-э... коллег внизу. В номере они нам не понадобятся. Пусть в автоматы здесь поиграют, что ли, — Бородатый улыбнулся и добавил: — Я, естественно, имею в виду игровые автоматы.

Челищев усмехнулся. Семен Андреевич был обаятельным человеком с мягким и тонким чувством юмора.

Через десять минут точно по графику подвезли эксперта. Им оказалась седая женщина лет шестидесяти — пенсионер-ревизор, подрабатывающая в частной фирме «Аудитор». Похожая на Шапокляк сухонькая старушка была одета бедно и, вероятно, работала, чтобы как-то помочь своим детям и внукам.

Когда Челищев со старушкой вошли в названный Хоттабычем номер, открывший им на стук Семен Андреевич вытаращил от удивления глаза:

— Вот так встреча! Это и есть ваш эксперт, молодой человек? Браво! Наталья Сергеевна — замечательный специалист, могу засвидетельствовать это лично...

Старушка опустила голову, и на ее впалых щеках стали выступать красные пятна. Сергей, ничего не понимая, крутил головой — от Хоттабыча к Наталье Сергеевне. Между тем Бородатый развалился в кресле и залился жизнерадостным смехом:

— Ой, не могу! Узнаю юморок питерских друзей... Ну-ну, Наталья Сергеевна, не смущайтесь и не делайте вид, что меня не узнаете... Помнится, во время последней вашей ревизии моего бывшего хозяйства я говорил, что мы еще встретимся. Вы меня тогда еще жуликом называли, а я пытался вам объяснить разницу между жульничеством и коммерцией. Не смог я вас тогда убедить, и пришлось мне сменить климат на более суровый... Впрочем, в тех местах, куда я попал, люди оказались более дальновидными, умеющими видеть перспективу... В результате — время все расставило по своим местам, не находите, Наталья Сергеевна? Да вы не переживайте так, я зла не помню, больше того, поверьте, я искренне рад вас видеть! Спасибо друзьям — устроили мне свидание с молодостью... Нет, правду говорят, в какой-то момент нужно в корне менять жизнь и начинать все сначала...

Наталья Сергеевна поджала дрожавшие от унижения (а может быть, и страха) губы и прошла к столу, на котором Хоттабыч разложил документы.

— Это — ксерокопии, а сам состав придет в Питер через три дня, — сказал Бородатый, обращаясь к Сергею. — Располагайтесь, молодой человек, расскажите мне, чем живет Северная Пальмира? Давненько я не был в ваших краях...

Пока Челищев с Семеном Андреевичем вели неспешную светскую беседу, Наталья Сергеевна, надев старомодные очки, начала изучать кипу документов. Работала она быстро, профессионально, время от времени доставала из принесенного с собой детского портфельчика какие-то справочники и что-то там искала... Примерно через час с небольшим она сложила все бумажки в аккуратную стопочку, сняла с носа очки и, убрав их в чехольчик, сказала, обращаясь к Сергею:

— Документы сомнений не вызывают. Я могу быть свободна?

В ее тоне сквозило тщательно маскируемое презрение к Челищеву, Бородатому, да и к самой себе, наверное, тоже. Жалость острой иглой кольнула Сергея, и он поднялся навстречу старой женщине:

— Конечно, конечно... Спасибо, Наталья Сергеевна, вас проводить?

— Не стоит. Дорогу я найду сама. Всего доброго. Она слегка нагнула голову и, не встречаясь глазами с разулыбавшимся Хоттабычем, вышла.

Семен Андреевич покачал головой:

— Нищая старость — это ужасно... Все-таки удивительное у нас государство — больше всего обижает именно тех, кто фанатично его защищает... Хотя, может быть, это высшая плата за фанатизм? Как знать, как знать...

Он оторвался от своих размышлений вслух и повернулся к Сергею, подтолкнув к нему документы:

— Забирайте, молодой человек, это ваше. Отдайте их Гаспаряну — и я жду от него звонка. Я Ашотика не видел... Позвольте... Да, больше пятнадцати лет... Господи, как бежит время! Вам этого еще не понять... Пятнадцать лет! Вы не поверите, но пятнадцать лет назад уважаемая Наталья Сергеевна была еще женщиной вполне в соку — а сейчас... Все мы не молодеем... Да, так вот — я буду отсыпаться и отдыхать. Выходить из гостиницы не собираюсь, так что Ашот сможет меня найти немедленно. Всего доброго — но мы, как я понимаю, не прощаемся...

Сергей спускался в холл и удивлялся, как в течение такого короткого промежутка времени один и тот же человек может сначала полностью обаять, а потом вызвать чувство брезгливого омерзения. А именно это чувство зашевелилось в груди Челищева, когда Хоттабыч, похохатывая, покровительственно смотрел на Наталью Сергеевну.

Выйдя из гостиницы в компании Доктора и его братков, Челищев вынул радиотелефон и, ловя на себе почтительные взгляды прохожих и испытывая от этого какое-то детское удовольствие, набрал номер офиса «Глиноземтехинвеста». Ответила, видимо, секретарша.

— Будьте добры Ашота Саркисовича.

— Одну минуточку, а кто его спрашивает?

— Это Сергей Челищев, адвокат...

Через несколько секунд Гаспарян взял трубку.

— Ашот Саркисович, это Челищев. Я только что забрал документы у Семена Андреевича...

Договорить Сергею Гаспарян не дал:

— Молодой человек, не надо по телефону. Зачем эфир сотрясать, посторонних людей беспокоить... Приезжайте, поговорим...

В трубке раздались гудки отбоя. Челищев кивнул Доктору и пошел к своему «вольво». Доктор с братками уселся в BMW. Ехать пришлось почти через весь город — офис «Глиноземтехинвеста» располагался на Большом проспекте Васильевского острова. По дороге Сергею показалось было, что к ним хвостом прицепилась белая «девятка», но на Университетской набережной эта машина исчезла, оставив быстро растаявший холодок недоброго предчувствия.

Видимо, в офисе «Глиноземтехинвеста» раньше была большая коммунальная квартира, новые хозяева, не жалея средств, превратили ее в настоящий дворец.

Охрана, вероятно, была предупреждена заранее, потому что коротко стриженный парень, похожий на бывшего офицера, никаких вопросов Сергею не задавал, лишь скользнул опытным взглядом по фигуре, отыскивая пистолетную выпуклость, и, не обнаружив таковой, проводил Сергея в приемную. Секретарша, как и все в этом не приметном с улицы офисе, была высшего качества — длинноногая, большеглазая, в мини-юбке и строгом деловом жакете. Она приветливо распахнула глаза навстречу Челищеву:

— Ашот Саркисович сейчас занят — несколько минут, не больше. Может быть, выпьете чашку кофе?

— Из ваших рук — с удовольствием, — улыбнулся Сергей и развалился в мягком кожаном кресле. Из-за двери, ведущей, видимо, в кабинет Гаспаряна, доносились еле слышные голоса. Учитывая, что звукоизоляция в офисе была отличной, разговор там, судя по всему, шел на повышенных тонах. Секретарша между тем вертелась в приемной. Приготавливая кофе, она умудрилась нагнуться невероятное количество раз, так что Челищев успел рассмотреть ее задницу во всех возможных ракурсах и подробностях. Будучи уже достаточно тертым по разным хитрым офисам человеком,

Сергей не приписывал суету девицы исключительно на счет собственного мужского обаяния: он знал, что в некоторых конторах на должности секретарш брали проституток-профессионалок, задачей которых было отвлечь посетителей, сбить их деловой настрой.

Обитая черной кожей дверь в кабинет Гаспаряна резко распахнулась, и оттуда выскочил красный всклокоченный человек в костюме-тройке. Его очки и козлиная бородка были явно знакомы Челищеву, но он не смог сразу вспомнить, где раньше видел это лицо. А тут еще и секретарша эта с кофе и задницей в придачу.

— И запомни — про проблемы я слушать не желаю! Их последнее время из-за тебя что-то слишком много стало! — донесся рассерженный голос хозяина кабинета. Козлобородый машинально втянул голову в плечи и шмыгнул к выходу мимо секретарши, не удостоившей его даже взглядом. Мысли Сергея перебил Гаспарян — красивый, абсолютно седой сухощавый армянин вышел из кабинета, смахивая ладонью с лица сердитое выражение:

— А-а, Сергей, если не ошибаюсь, Александрович? — Гаспарян, видимо, был из давно обрусевших армян: по-русски он говорил без малейшего акцента.

— Не ошибаетесь, — рассеянно ответил Челищев, все еще пытаясь вспомнить, где видел козлобородого. Почему при виде его так прыгнуло в груди сердце и испортилось настроение?

— Леночка не успела еще вас попотчевать... кофеечком? — с двусмысленной паузой спросил Ашот Саркисович.

— Нет, только собиралась... приступить, — улыбнулся Сергей. Гаспарян рассмеялся, Леночка улыбалась, скромно покраснев. В приемной сразу установилась игривая атмосфера легких дружеских подначек и милых шуток в рамках приличия. Будто и не доносились минуту назад сердитые выкрики из кабинета.

— Ну-с, пожалуйте в кабинет, а кофе попьем вместе. Леночка, мне, как всегда, послаще!

В кабинете Гаспарян взял копии документов, переданных Челищеву Бородатым.

— Все в ажуре, Наталья Сергеевна проверила внимательно. Да, Семен Андреевич был приятно удивлен этой встречей.

— Ха-ха, узнал все-таки... Хотя такое вряд ли забудешь.. Я слышал, молодой человек, и вам приходилось людей за решетку отправлять?

Сергей напрягся.

— Приходилось.

— Нет, нет, Сергей Александрович, не подумайте, я это не в упрек вам сказал. Наоборот, я как раз всегда больше ценил людей с... э-э-э... разносторонним жизненным опытом.

Возникшую было неловкость в разговоре сгладила Леночка, появившись с кофейным подносом в руках. Она тщательно расставила чашки, сахарницу и кувшинчик со сливками на столе, показала по очереди свою попку Челищеву и Гаспаряну и упорхнула.

— Итак, Семена вы встретили... — перешел к деловой части беседы Гаспарян. Мелко прихлебывая из крошечной чашечки, он ожидающе смотрел на Сергея.

— Да, все без накладок. Он ждет вашего звонка.

— Страшно подумать, сколько лет мы не виделись... — Ашот Саркисович вздохнул. — Вы, Сергей Александрович, как я понимаю, будете курировать м-м-м... вопросы безопасности нашего э-э-э... проекта?

Челищев кивнул.

— В таком случае вот что я попрошу вас сделать: вам придется вновь навестить Семена Андреевича и передать ему — я с нетерпением жду мгновения, чтобы его обнять, но, рискуя прослыть негостеприимным хозяином, вынужден констатировать, что это время еще не пришло. До того как груз со всеми лицензиями и зеленым светом уйдет к рыбоедам, наша личная встреча может быть неправильно истолкована э-э-э... заинтересованными сторонами. Семен — умный человек, и я уверен, что он все поймет правильно...

Сергей пожал плечами.

— А почему вы не хотите все это сказать ему по телефону?

Гаспарян усмехнулся и поставил пустую чашечку на стол.

— С некоторых пор я абсолютно перестал доверять телефонам, факсам и телексам, чего и всем желаю. Возможно, кому-то я покажусь смешным, но это обстоятельство меня волнует мало. Лучше лишний раз перестраховаться, чем потом локти себе кусать. Если будет что кусать и чем... Все это, естественно, не означает, что мы с Семеном Андреевичем вообще не будем общаться. Но на данном этапе, я полагаю, это общение следует вести через доверенных лиц. Одно из таких доверенных лиц —

вы, Сергей Александрович, — Гаспарян сделал легкий полупоклон в сторону Челищева. — Другое лицо навестит Семена сегодня в двадцать ноль-ноль. Пожалуй, у меня на сегодня все. Рад был познакомиться, место и точное время прибытия груза вам сообщат через два дня. Если у вас нет больше ко мне вопросов... — Ашот Саркисович развел руками, высказывая сожаление, что нет, мол, времени подольше пообщаться с таким приятным собеседником.

Челищев встал, попрощался и вышел. Покидая приемную, он послал Леночке воздушный поцелуй. Она профессионально улыбнулась в ответ и, закинув ногу на ногу, продемонстрировала Сергею «на посошок» аппетитное крутое бедро, обтянутое тончайшими колготками.

Выйдя на улицу, Челищев закурил и попытался разобраться в своих ощущениях. Он испытывал смутное беспокойство, тревогу и одновременно возбуждение — как хищный зверь, почуявший свежий след... Человек в очках из приемной Гаспаряна... Почему все время вспоминается его лицо? Где-то Сергей его уже видел... Подошел Доктор — он с бойцами оставался на улице, контролируя вход.

— Адвокат, все в порядке? Ты что смурной такой, босс?

Челищев растоптал окурок каблуком.

— В порядке-то в порядке, но в «Пулю» еще раз прокатиться придется...

Доктор пожал плечами — мол, надо так надо, какая разница, куда ехать, все равно весь день на колесах.

— Толик, тут минут десять-пятнадцать назад мужик один из офиса вышел...

Доктор кивнул:

— Очкастый? Вылетел, как в жопу трахнутый. Его «Волга» ждала с госномерами.

— А ты его раньше нигде не видел? Не знаешь, кто такой? Лицо у него, понимаешь, знакомое, а вспомнить никак не могу...

Толик глубоко задумался, наморщил лоб, подергал себя за мочку уха, потом отрицательно покачал головой:

— Не видел... Да я, если честно, его и не рассмотрел, я же говорю — он как наскипидаренный в «волжанку» прыгнул и укатил...

— Ну ладно... По машинам, погнали в «Пулю»...

Бородатый переданному Сергеем сообщению не удивился, рассмеялся весело, с еле заметным оттенком снисходительности:

— Ашотик всегда любил детективы. Когда-нибудь он со своей шпиономанией... — Хоттабыч оборвал себя на середине фразы и поскреб указательным пальцем переносицу: — А впрочем, он прав. Всю жизнь с тройной страховкой работал, потому и у хозяина на даче* не бывал... Потому что умный. Вот некоторые считают, что по-настоящему умным можно стать только после зоны... Чушь все это, Сережа. В зоне можно только опыта поднакопить, а ума она не прибавляет. По-настоящему умные — они на воле. За редким исключением, — Семен Андреевич сам себя погладил по голове и снова рассмеялся: — Ну что же, не взыщите, Сережа, что пришлось вас погонять туда-сюда, а сейчас, наверное, можно

---

* На даче у хозяина — в зоне (жарг.).

и отдохнуть. Основная работа начнется через три дня...

У Сергея было сильное искушение подъехать к «Пулковской» вечером и понаблюдать, какое такое доверенное лицо от Гаспаряна подъедет к Хоттабычу, но после недолгих размышлений он эту идею похоронил. Во-первых, гонца он мог не знать в лицо, а народу в «Пулковской» шляется разного, как говорится, немерено. Во-вторых, его самого могли при наблюдении «срисовать», и возникли бы неприятные вопросы. В-третьих, время, названное Ашотом Саркисовичем, могло сильно отличаться от реального времени встречи (учитывая страсть Гаспаряна к конспирации, он мог вполне использовать метод «плюс-минус», когда для вычисления истинного времени нужно прибавить или отнять несколько часов от названного). Поэтому Челищев съездил к Антибиотику, доложил о результатах дня и отправился домой отдыхать. Лежа на диване перед включенным телевизом, он в который раз задавал себе вопрос: что делать?

«Чего ты хочешь, дядя Сережа?.. Как ты думаешь дальше жить? — спрашивал он сам себя и постепенно начал формулировать ответы: — Я хочу отомстить».

«Отомстить?»

«Ну, скажем так, рассчитаться. Воздать по заслугам. За папу с мамой, за себя... За Федосеича, бабу Дусю и Наталью Сергеевну, за всех тех, кто сам за себя рассчитаться не смог...»

«Ты что, с мафией собираешься бороться? Смешно».

«Не с мафией. И не бороться. Я хочу рассчитаться с конкретными людьми».

«Месть — это блюдо, которое подают холодным...»

«Да, я помню об этом. Я буду ждать удобного момента... Я буду ждать».

«А ты уверен в своем праве на суд? „Не судите, да не судимы будете", — сказано в Писании».

«Уверен. И суда над собой не боюсь. Мой Бог в моей душе. И суд тоже...»

Этот внутренний диалог с самим собой, как ни странно, успокаивал Челищева, убаюкивал его вместе с монотонным бормотанием телевизора... Веки стали тяжелыми, потянуло в сон. Вдруг что-то словно толкнуло Сергея и заставило его, стряхнув дрему, впиться глазами в экран. Козлобородый! Ну да, конечно, как же он сразу не вспомнил!

По пятому каналу шла информационная программа «Факт». Корреспондент рассказывал об очередном заседании депутатов горсовета. Крупным планом показывали стоящего на трибуне Мариинки человека, которого Сергей видел у Гаспаряна.

«...депутат Валерий Глазанов обратил внимание на недостаточное финансирование правоохранительных структур Петербурга. При неуклонном росте преступности в городе и по всей стране, его выступление можно считать весьма актуальным напоминанием простой истины, что прежде чем требовать чего-то от нашей милиции и прокуратуры, следует обеспечить условия для их нормальной работы...»

Точно! Валерий Глазанов, депутат Петросовета, комиссия по правоохранительным органам! Страстный трибун, борец с коррупцией и организованной преступностью... Сергей вспомнил тон, которым Гаспарян разговаривал с Глазановым. Ну и ну... Хотя чему, собственно, удивляться? Как правило, громче всех: «Держи вора!» — кричит сам вор...

Сергей закурил. Облегчение, которое наступает после того, как вспомнишь то, что долго мучило подсознание, не наступало. Что-то еще было связано с Глазановым, где-то еще Сергей его видел... Но сколько ни напрягал Челищев свою память — она молчала... Сигарета догорела в пепельнице, и пришел глубокий сон.

Утром Сергей решил привести себя в нормальную физическую форму. Получасовая зарядка заставила его взмокнуть, как испуганную мышку. «Да, запустил ты себя, дядя Сережа... Жирком оброс, дыхалки никакой...» Тело было рыхловатым и плохо слушалось команд, посылаемых мозгом. Оно словно мстило Челищеву за небрежение к себе. «Ничего. Потихонечку, полегонечку... Диетка, зарядка. Пьянству — бой опять-таки...» — утешал себя Сергей, принимая душ.

Вода приносила ощущение свежести и очищения.

Весь день он проездил с Доктором по мелким текущим стрелкам, усердно выполняя наказ Антибиотика: «Тебе, Сережа, сейчас нужно себя показать, чтобы братва не думала плохо... Пацаны, между прочим, работали, пока ты в «бухалово» опускался».

Вот Сергей и пахал, и к концу дня вместе с усталостью удивленно почувствовал удовлетворение, как от хорошо сделанной работы. Хотя что тут удивительного, бандитский хлеб — он только со стороны легкий. Возвращаясь домой, он вновь заметил у себя на хвосте машину. На этот раз это было серая «восьмерка».

«Что за черт... Мерещится мне, что ли?!» Еще три светофора — «восьмерка» не отставала. Нарушая правила, Челищев сначала рванул вперед со скоростью под сто километров, а потом резко, с визгом покрышек развернул машину. «Восьмерка» по инерции проскочила мимо, человек, сидевший за рулем, пригнулся, но Челищев успел разглядеть колючие, восточного разреза глаза... «Вот блядство! Палыч, что ли, все успокоиться никак не может?»

Свернув в темный переулок, Сергей остановился и, еле попадая от злости пальцами в кнопки радиотелефона, набрал номер Антибиотика.

— Алло, Виктор Палыч? Это Сергей. Опять ваши шуточки? Теперь эскорт мне решили прицепить?

Антибиотик помолчал, потом спросил осторожно:

— А ты ничего не путаешь, Сережа? Может, показалось, с устатку-то?

— Да какое показалось...

— Ты остынь, остынь, Сереженька, — Виктор Палыч засопел в трубку, размышляя. — Я к тебе никого не приставлял... Ты вот что, будь повнимательнее сейчас, без ребят домой не езди. Дело-то делаем серьезное, любопытствующих может быть много. Люди злы и завистливы. Хотя, может быть, это и сибиряки страхуются. Я выясню. Завтра вечером нам скажут место приема груза. Заедешь ко мне, все обсудим.

Антибиотик повесил трубку, а Сергей еще долго сидел в машине. Чувство тревоги не отступало.

Подъехав к дому и поставив машину на сигнализацию, Челищев огляделся. Никого. Двор словно вымер. Откуда же тогда это звериное ощущение взгляда на спине? Войдя в темный подъезд, Сергей прислушался. Тихо. Лишь приглушенное бормотание телевизоров за дверями. Прижимаясь спиной к стене, Челищев поднялся до своей площадки, на ощупь открыл дверь и облегченно вздохнул, лишь закрыв ее за собой.

«Нервы. Это просто нервы. Надо бы ствол взять, поносить, говорят — успокаивает...»

Ночью ему приснилась Катя. Он пытался ее обнять, но она уворачивалась, ускользала...

Утром, несмотря на разбитость и плохое настроение, Сергей заставил себя сделать зарядку. Мышцы приятно заныли, и завтрак после душа доставил почти физическую радость. Позвонил Доктор, сказал, что подъедет с ребятами через десять минут. Выйдя на лестницу и запирая дверь, Сергей вновь ощутил тревогу. Повинуясь наитию, он поднялся вверх на один лестничный пролет. Из окна, выходящего во двор, хорошо просматривались все подходы к подъезду. А на полу у трубы мусоропровода лежали четыре свежих окурка сигарет „Мальборо". Кто-то стоял здесь, чего-то ждал и курил не далее чем накануне вечером... Сергей присел на корточки и ковырнул пальцем окурки.

«Блядь, вот блядь-то! — Челищев попытался успокоиться и собраться с мыслями. Во-первых, кто-нибудь мог тут ждать девушку... Нет, не годится, у нас в подъезде либо совсем сопливые девчонки, либо сорокалетние тетки живут… Алкаши могли выпивать? Могли, но алкаши не курят „Мальборо" и бросают обычно остатки закуски — сырки плавленые недоеденные, бумажки… Так… Менты? Не похоже, слишком непрофессионально и грубо… Кто?»

С окончательно испортившимся настроением Сергей вышел во двор. Из подъехавшей вплотную к его «вольво» «бээмвухи» улыбался Доктор.

— Босс! — заорал он на весь двор. — У нас проблемы! — И загоготал, пугая озябших голубей. Челищев сморщился и без улыбки спросил:

— Какие проблемы?

Толик все никак успокоиться не мог, хохотал, хлопая себя по ляжкам. Наконец, вытерев кулаком глаза, начал рассказывать:

— Ночной магазин «Пять минут» на Шаумяна помнишь? Ну, они нам платят нормально, и мы их не душим. Там девки нормальные работают, я лично проверял… Мы там охранника на ночь поставили, и никогда никаких проблем, кроме пьяниц… А тут вчера объявился какой-то крутой рэкет — наехали, охраннику башку пробили, сказали девушкам, что «крышу» их на хую вертели, это нас, то есть, вот, приговорили к пол-лимону утром, а то сожгут. Совсем как мы в молодости. — Доктор снова начал ржать, всполошив двух зашедших было во двор старушек — они шмыгнули обратно на улицу, как молоденькие. — Короче, ехать надо, а то там у администрации со страху месячные раньше времени начнутся. Или кончатся!

Сергей вздохнул и кивнул головой. Прежде чем открыть дверь своей машины, он вдруг под обалдевшим взглядом Толика оперся руками на асфальт и заглянул под днище «вольво». Покрутив головой и не найдя ничего подозрительного, Сергей встал и отряхнул руки.

— Ты че, Адвокат?! — Толик открыл рот от удивления.

Челищев неопределенно покрутил рукой.

— Да так, показалось... Стучало вчера вроде что-то под днищем... Снег, наверное, намерз... Ладно, поехали!

«Пять минут» был магазинчиком средней руки, дававшим, впрочем, неплохие деньги за счет недавно полученного разрешения на круглосуточную торговлю. Продукты радовали разнообразием и огорчали ценами. Хозяйка — симпатичная торгашка лет тридцати — бросилась к Сергею с Доктором, как к последней надежде, нервно переплетая пухлые пальцы рук:

— Ой, мальчики! Приехали! Ну, слава Богу! Я уж думала...

Доктор важно перебил ее:

— А ты не думай, Татьяна, тем более плохое. Мы когда-нибудь свои обязательства нарушали? Вот, наше слово верное... Да не трясись ты так, вставай за прилавок, готовься гостей встречать. А мы с Сергеем Санычем пока к товарам прицениимся... Ты знаешь, кто это?

— Да откуда ж я знаю, я их вчера первый раз увидела... — запричитала было Татьяна, но Толик досадливо перебил ее:

— Да не о них речь, я про Сергея Саныча спрашивал... Это — Адвокат, слыхала? Поняла, какие люди в твою лавку зашли?

Татьяна, судя по всему, ничего не поняла, но на всякий случай закивала головой и льстиво улыбнулась Челищеву. Сергей хмыкнул и скомандовал:

— Так, все, кончаем базар. Толик, скажи ребятам, чтобы машины подальше отогнали, а то спугнем.

«Крутой рэкет» подъехал минут через пятнадцать на старой «двойке» с поеденным ржавчиной кузовом. Двое молодых парнишек, лет по восемнадцать, остались на входе, двое, чуть постарше, пнув ногами двери, зашли в магазин. Челищев и Доктор в разных углах сделали вид, что выбирают продукты на витринах. Вошедшие решили сразу взять быка за рога:

— Ну ты, коза толстожопая, бабульки приготовила? Бабки, говорю, готовы? — хриплым голосом рыкнул на широко открывшую от страха глаза Татьяну высокий коротко стриженный блондин. Девочки-продавщицы попрятались за прилавки.

— Молодой человек, — подошел к блондину Сергей. — Вы зачем женщине хамите?

Блондин резко повернулся и, тыча средним пальцем правой руки Сергею в грудь, быстро заговорил, дыша плохим табаком:

— Слышь, ты, уебок! Сейчас ты закроешь вафельник, тихо съебешь отсюда и поставишь в церкви свечку, что все так кончилось! Ты понял?

— Понял, — вздохнул Челищев, взял блондина за палец, которым тот тыкал, вывернул ему руку и швырнул подсечкой через весь магазин навстречу Доктору. Доктор был уже наготове — держа в руках предусмотрительно прихваченную из «бээмвухи» ножку дубового стола, он встретил «крутого» страшным ударом поперек живота и тут же «доработал» сверху по загривку. Блондин молча упал лицом в пол. Его приятель, побледнев, попытался вытащить из-за пояса обрез охотничьего ружья. Сергей не дал ему этого сделать: схватив правой рукой «стрелка» за лицо, а левой за отворот куртки, он изо всех сил треснул стриженую голову о стену...

За дверями люди Доктора месили дубинками двух, поставленных на шухер.

— Ну, вот и все, а ты боялась, — сказал побледневшей Татьяне Доктор. — Мы вас грабить никому не дадим. Сами будем.

И Толик, довольный собой, загоготал.

— Ой, мальчики, — сказала Татьяна. — Ой, мальчики... — И заревела. А потом вышла из-за прилавка и обняла Доктора. Толик такого поворота дела явно не ожидал, поэтому страшно смутился.

— Слышь, ты это, Тань, кончай это, ну че ты, Татьяна?..

Но директорша не слушала его, продолжала обнимать и реветь:

— Ой, мальчики, ой... Я же... в ОРБ звонила... Они сказали, иди в район...К у-участковому ходила на... на всякий случай... а он... говорит: «Сами разбирайтесь...», а мы... Вите-то... голову проломили, я думала, что вы...

И зарыдала еще громче на груди Доктора.

— Ну, ты даешь, Татьяна... Чтоб больше такого не было... Я ж говорил тебе: в мусорню не ходи, забудь туда дорогу... Ну ладно, ладно, не реви, мягонькая ты моя...

Толик усмехнулся и погладил Татьяну по пышной груди.

Челищев между тем рассматривал обрез вертикальной двустволки. Переломив стволы, он вынул патроны — обрез был заряжен жаканами. «Вот так, — подумал Сергей. — Смех смехом, а мог бы и пальнуть, если бы чуть-чуть порасторопнее был...»

Он снова зарядил обрез и сунул за пояс.

«Трофей. Повожу пока с собой — если что, скажу милиции, что отнял у хулиганов».

Между тем с улицы в магазин затащили еще два бесчувственных тела.

— Куда их, Адвокат? На конюшню?

Сергей задумчиво кивнул:

— Да, тут тяжелый случай. Без трудотерапии не обойтись. Отправляй туда. Грузите через заднюю дверь. «Рафик» только вызвоните...

Конюшней в команде Адвоката называли ферму, где разводили лошадей. Это хозяйство, располагавшееся в сотне километров от Питера, год назад приобрел Олег. Прибыли оно никакой не давало, и никто тогда Званцева не понял, а он злился и рычал на братков: «Дурачье, разведем породистых лошадей, сами кататься будем, на Запад продавать... На Западе породистая лошадь знаете сколько стоит?» На самом деле Олег, случайно попав на эту ферму, наверное, просто пожалел больных голодных лошадей...

Но, как ни странно, оказалось, что конюшня — объект весьма нужный, даже необходимый. Ее стали использовать как своеобразную тюрьму для должников, пленников из других группировок, заложников из семей несговорчивых коммерсантов. Пленников, чтоб не даром ели хлеб, заставляли работать — ухаживать за лошадьми, чистить стойла... Однажды был даже такой забавный случай — один бизнесмен, побыв заложником на конюшне, попросил потом (за деньги!) забрать туда своего сына-пьяницу, чтобы несколько месяцев подневольного труда протрезвили и перевоспитали его...

— Толик, ребята сами управятся, поехали со мной! — скомандовал Сергей, но Доктор, которого не отпускала Татьяна, сделал Челищеву «значительные» глаза, скосив их на аппетитную директоршу, как бы говоря: «Мне бы тут остаться... Ненадолго... Женщину до конца успокоить. В ее кабинете. Раз уж так карта легла...»

Сергей на молчаливую просьбу в глазах Доктора рассмеялся, махнув рукой:

— Ладно, оставайся... Проследи за всем... В шесть встречаемся «У Степаныча», не опаздывай...

Он вышел из магазина и пошел к своей машине. Так получилось, что к ресторанчику Степаныча Сергей подъехал минут за сорок до назначенного времени. Припарковав автомобиль на другой стороне проспекта, Челищев откинулся в кресле и закурил. Весь день ему вспоминались озверелые глаза мальчишки, пытавшегося застрелить его из обреза. Обрез теперь лежал под водительским сиденьем «вольво», а мальчишка, вероятно, уже на конюшне...

«Вооруженный налет на магазин. Еще лет семь назад это было бы ЧП на весь город... А теперь участковый даже слушать об этом не хочет... Сколько злобы в людях накопилось... Может, мы всем народом просто сходим с ума?..»

Занимаясь любимым делом русских разночинцев — размышляя о судьбах народа, Челищев машинально поглядывал на дверь кабачка. Она внезапно отворилась и выпустила на улицу человека в костюме-тройке с дорогой тростью в руках. Человек быстрым шагом подошел к ожидавшей его в десятке метров от входа черной «Волге», сел в нее, и машина медленно тронулась. Когда человек проходил мимо фонаря, желтый свет упал на его лицо, заискрился от дорогой оправы модных очков, и Сергей узнал его. Это был депутат Глазанов.

Челищев сидел в машине с дымящейся сигаретой во рту, забыв, что нужно затягиваться.

«Вот это да... Вот это круто... Нет, ладно он еще к Гаспаряну бегает — Ашот хоть и жулик, но как бы неофициально... А официально он солидный, уважаемый коммерсант, не жалея сил строящий новую Россию... Но Антибиотик-то... На нем клейма негде ставить, какого же черта Глазанов к нему бегает? Видно, с головой у парня проблемы... или крайняя степень необходимости заставила... Если он, конечно, не заехал к Степанычу случайно — просто поужинать на свою скромную депутатскую зарплату.» — Сергей хмыкнул. Последняя мысль развеселила бы его, если бы не трудно объяснимая нервозность, ощущение тревоги, охватывавшее Сергея всякий раз, когда он видел Глазанова или думал о нем. Челищев чувствовал, что получил какую-то очень важную информацию, но пока не знает, как ее расшифровать и оценить...

«Ерунда какая-то... Ну, предположим, Глазанов был у Палыча.. Ну и что? Позавчера он был у Гаспаряна, сегодня у Антибиотика... Ну сука он дешевая, и что? Виктор Палыч... Интересно, давно ли они знакомы?»

Интуитивно Сергей почувствовал, что ответ на мучивший его несформулированный вопрос находится где-то рядом, но, даже вспотев от напряжения, Челищев к разгадке не пришел: что-то, связанное с Глазановым, снова ушло в подсознание, как заноза, которая то высунется, то снова уйдет глубоко под кожу...

За размышлениями и попытками разобраться в своих нервных рефлексах Сергей не заметил, как стрелки часов приблизились к шести. Из состояния полудремы его вывел длинный гудок подъехавшего BMW. Увидев вышедшего из машины Доктора, Челищев не смог удержаться от смеха: на шее Толика красовались два смачных засоса, красноречиво свидетельствовавшие о том, что Доктор в полной мере насладился ролью спасителя и избавителя.

— Ну что, утешил Танечку? На столе? Или у нее в кабинете кушеточка нашлась?

Толик шутку не поддержал. Он казался несколько растерянным, словно столкнулся с неожиданной, мало изученной проблемой:

— Там по-разному получилось... Она баба-то неплохая, и жизнь у нее не сахар совсем, она мне порассказывала. Торгашка — она ведь тоже человек, — Доктор вдруг спохватился, что говорит что-то не то, и быстро добавил: — Нет, если барыга — мужик, то он, конечно, не человек, но бабы-то... Это ведь другое дело, а Адвокат?

— Конечно, другое, — поддержал Челищев, с удивлением глядя на смущенного здоровенного бандита. Ну, женщины! Чтобы пробудить что-то человеческое в этой поросшей мхом грубости и жестокости душе, оказалось, нужно всего-то ничего — поплакать на груди, дать понять парню, что он — самый сильный и добрый...

— Ты смотри, не обижай Татьяну-то, теперь права не имеешь, — серьезно сказал Сергей и, увидев вопрос в глазах Доктора, пояснил: — В Китае тот, кто спас человека, становится как бы его должником и ответственным за всю его дальнейшую жизнь.

Толик помотал головой:

— Погоди, я чего-то не понял, кто кому должен: тот, кто спас, или кого спасли?

Челищев улыбнулся:

— Тот, кто спас, должен отвечать за того, кого спас. Потому что как бы дал ему новую жизнь. Ну, в общем, это сложная философия — конфуцианство и все такое. Но китайцы — люди умные, у них на философии все боевые искусства основываются. Так что смотри...

Доктор, обрадованный неожиданной поддержкой и тем, что Челищев не стал его грубо вышучивать, замычал:

— Да не, я это... Мы там нормально побазарили, по жизни...

— Ладно, хватит лирики, пошли, нас Палыч уже заждался. Он не любит, когда опаздывают.

Антибиотик действвильно ждал их, был собран, сух и деловит. Ужина не предложил и вообще был краток:

— Состав приходит завтра в одиннадцать ноль-ноль, и с товарной его перегонят на Калининскую овощебазу. Мы с директором договорились, но к ночи перегрузку из вагонов в «КамАЗы» надо закончить. Ваша забота —

чтобы погрузка в фуры прошла нормально, а также проводить «КамАЗы» до автопарка.

— А дальше? — Сергей почувствовал, что нервозность Виктора Палыча передается ему.

— А дальше — не наши проблемы, слава Богу. Из автопарка фуры пойдут в Ивангород под охраной ГАИ. И в каждой машине по омоновцу будет сидеть...

Антибиотик лихорадочно потер ладошки:

— Так, давайте, времени не теряя, езжайте на Калининскую базу, посмотрите там все — где людей расставить, ходы, выходы. С грузчиками вопросы решите — чтоб трезвые были и не доходяги. А сами уже с утра все контролировать должны. Толик, пошли к Вальтеру пораньше человека за оружием. С ранья ментов на перекрестках меньше, пусть он стволы в багажниках прямо к базе везет, там и раздадите...

Виктор Палыч помолчал, пожевал губами.

— И вот еще что: я сибиряков спрашивал насчет машин, которые за тобой, Сережа, ездят, — они говорят, что в этом раскладе не при делах. И я в это верю, потому что записиховали они, что им предъява пойдет, а кому это надо, когда все уже на мази... Тьфу-тьфу-тьфу, — Антибиотик суеверно сплюнул через левое плечо и перекрестился: — Так что повнимательнее. Без пацанов домой не ездить! И чтобы они в подъезд первыми входили! Толик! За Сергея Александровича головой отвечаешь, понял?

Доктор кивнул.

— Ну все, ребятки, за дело.

Сергей встал, дождался, пока Толик выйдет, и, помявшись, сказал:

— Виктор Палыч, если позволите, два вопроса...

— Слушаю тебя, — Антибиотик тоже встал, показывая, что времени на долгие разговоры нет.

— Как там Олег? Есть какие-нибудь новости? Виктор Палыч кивнул.

— Это хорошо, что друга не забываешь... Вопросы решаются, не волнуйся... С грузом разберемся — их еще легче решить можно будет. Дело сделаем — можно будет малявку* ему передать, а там, глядишь, и встретитесь вскорости. Не переживай. Что еще?

Сергей помялся и спросил, глядя прямо в глаза Антибиотику:

— Катя... Гм, Катерина Дмитриевна с Танцором — зачем они в Сибирь поехали, что им там делать?

Антибиотик недовольно поджал губы, но все же ответил:

— Ну, во-первых, они контролировали отправку груза, наблюдали, так сказать... Ну, а во-вторых, — у сибиряков ведь тоже должны быть гарантии, что с их людьми здесь, в Питере, будет все в порядке. Это, так сказать, формальности, которые надо соблюдать... Уедут отсюда сибиряки — и Катерина Дмитриевна с Танцором вернутся...

Сергей хотел было спросить еще что-то, но Виктор Палыч перебил его:

— Давай, Сережа, поезжай на базу. Все вопросы потом, как дело сделаем...

«Нормальные дела, — думал Челищев, подъезжая к базе. — Значит, Катерина с Танцором

---

* Малява — письмо (жарг.).

там в заложниках... Интересно, они сами это понимают или нет? Наверное, понимают, на наивных детишек они не похожи...» Воспоминание о Катерине вызвало теплую волну нежности и желания, мгновенно сменившуюся, впрочем, жестким холодком... Испытав почти физическую боль, Сергей скрипнул зубами и сунул в рот сигарету...

У огромного комплекса овощебазы Челищева с Доктором встретил толстый суетливый человек, постоянно потиравший потные ладошки. Угодливо заглядывая в глаза, человечек проводил вею братву к разгрузочной платформе. Платформа оказалась не очень длинной, одновременно можно было разгружать не более трех вагонов. Около часу Челищев с Доктором бродили по базе, изучая подъездные пути. Наконец Сергей, постоянно помечавший что-то в записной книжке, занялся подсчетом.

— Короче, чтобы все нормально перекрыть — нужно человек двадцать... И еще человек десять на сопровождение первых «КамАЗов». Осилим? Толик кивнул:

— Без проблем. Я так примерно и прикидывал.

— Ну и ладно. Тогда пошли с грузчиками разбираться...

Грузчиков собрали в яблочном хранилище, видимо, с «ефрейторским зазором», и они уже успели одуреть от сожранных яблок и долгого бестолкового ожидания. Увидев Челищева с Доктором, они оживленно загомонили:

— Эй, господа хорошие! Работа будет или нет? Чего сидим-то?

Доктор выступил вперед, успокаивающе подняв руки:

— Ша, мужики, кончай базарить! Слушайте сюда. Значит, работать будем завтра, работы будет много, за нее и «отмаксаем»* хорошо... Сколько вас собралось?

Мужики переглянулись.

— Четырнадцать... А что грузить-то будем?

— Люминий! — отрубил Толик и улыбнулся. — А для особо любопытных будет чугуний... Работаете до упора — разгружаете вагоны и перекидываете груз на «КамАЗы»... Платим на рыло полтинник баксов. Завтра быть на месте как кровь из носу в час дня! При себе иметь паспорт, фамилии я сейчас перепишу. И чтобы все трезвые были! Запах услышу — пеняйте на себя! Закончите — ящик водки на бригаду ставим. Все, сейчас записывайтесь и получайте по десятке аванса... Вопросы есть?

Грузчики нерешительно переминались.

— Вагонов-то сколько будет, начальник?

— Семь вагонов.

— Ого!.. — мужики взволнованно загудели. — Пупы не надорвем?

Толик помахал рукой:

— Ниче, я вижу, мужики вы крепкие, электрокары нам дадут... Ну, а если что — мы поможем!

— Ага, поможете, кулаком в зубы, — угрюмо проворчал кто-то в толпе грузчиков, и все засмеялись возбужденно. Пятьдесят баксов для этих людей были большими деньгами. Они не

_____
* Отмаксать — заплатить (жарг.).

были грузчиками, официально оформленными на базе: в эту бригаду сбивались те, кто работал ночами, чтобы прокормить семью. Грузчики постепенно выстраивались в очередь к Доктору, который записывал фамилию каждого в блокнот.

— Сергей? Ты... Вас Сергей Челищев зовут?

На Сергея смотрел жилистый ясноглазый парень, уже записавшийся у Доктора. На вид ему было лет двадцать семь-двадцать восемь, но, возможно, его просто старила густая каштанового цвета борода.

Челищев удивленно порылся в памяти:

— Да, я Челищев... Мы что, встречались где-то?

Парень сверкнул зубами из бороды:

— Ну да... Я же — Сашок... Гумиста, не помните? Все тогда думали, что это я воровал часы и документы, а вы меня спасли... Помните?

— Сашок?! — ахнул Сергей. — Быть не может! Тебя и не узнать...

Узнать Сашу Выдрина было и впрямь мудрено. Последний раз Сергей видел его одиннадцать лет назад, Сашку тогда едва исполнилось пятнадцать...

Это было летом 1982 года. Сборная университета была на сборах в спортлагере, в Гумисте под Сухуми — там когда-то был замечательный олимпийский центр... Море, солнце, фрукты — и все на халяву. Ради этого можно было терпеть изнурительные каждодневные трехразовые тренировки.

Вместе с основным составом в Гумисту приехали несколько «малышей» — мальчишек из юношеской сборной «Буревестника». «Взрослые» на «малышню» внимания не обращали, не знали даже толком, как кого зовут, пока не случилось несколько краж — сразу у трех парней из основного состава пропали документы, часы, деньги... Самое неприятное — вместе с паспортами пропали и комсомольские билеты, а это грозило по тем временам большими неприятностями... Крал явно кто-то из своих, кто хорошо ориентировался в расположении кроватей и тумбочек и знал, когда все уходят на тренировки... После небольшого общего собрания решили не расходясь обыскать рюкзаки и чемоданы всех сразу. Обыск взрослой сборной ничего не дал. Парни были в отвратительном состоянии: подозрительность, как ржавчина, начала точить каждого... Кто-то предложил перетряхнуть вещи «малышей», и в матрасе на койке Саши Выдрина были найдены пропавшие часы «Электроника».

На Сашка было страшно смотреть. Он озирался, как затравленный волчонок, но натыкался лишь на презрительно-жесткие взгляды.

Парнишка упал на колени и, давясь слезами, закричал:

— Богом клянусь, не брал я, честное комсомольское!

Сашку не поверили и дали два дня, чтобы он вернул все, что, как считали, успел «толкнуть» абхазам. Местные жители уже тогда охотно покупали чужие документы — на всякий случай...

Сергей почему-то сразу решил, что Выдрин ни при чем — мальчонку явно подставили, сбивая след. Челищев долго пытался вспомнить, кто раньше других уходил с тренировок, и память его не подвела: дважды, жалуясь на растяжение стопы, уходил в медпункт Паша Орлов — он учился на испанском отделении филфака... Сергей вместе с одним парнем с восточного факультета, Андрюхой Обнорским, незаметно стали следить за Орловым и накрыли-таки его как раз в тот момент, когда он собирался забрать украденные деньги, часы и документы из тайника под валуном на берегу Гумисты...

Орлова били долго и жестоко — его привязали за руки к столбу и пинали ногами, как грушу. Когда он терял сознание, его обливали водой и били снова... Сор из избы решили не выносить, и в милицию никто заявлять не стал. У Орлова просто отобрали все деньги, порвали на мелкие клочки его документы и выгнали из лагеря, посоветовав добираться до Ленинграда пешком.

— Чтоб ты сдох, подлюга, — напутствовал избитого Орлова тренер. — Смотри, в милицию пожалуешься — вообще закопаем!.. Гадина ты, мразь, у своих красть — это... это... Короче, сука ты!

Дальнейшая судьба Паши Орлова была туманной: рассказывали, что на четвертом курсе его посадили за фарцовку, а в зоне он стал любимым петухом какого-то авторитета.

Перед Сашком же извинялась вся сборная, а мальчишка был настолько благодарен Челищеву и Обнорскому, что готов был целовать им руки... Сашок с тех пор ходил хвостиком за Сергеем и Андрюхой, даже пытался однажды выстирать их кимоно, за что получил от Обнорского по шее — слегка, чтоб запомнил.

Андрей тогда долго ерошил выгоревшие волосы Сашка и приговаривал:

— Ты, Сашок, запомни главное: никогда ни перед кем не унижайся, даже перед теми, кому ты чем-то обязан...

А потом сборы закончились, и Челищев больше Сашка не видел — «малыши» тренировались в спортивном зале ЛИСИ. К тому же после четвертого курса Сергей перестал ходить на тренировки вообще...

— Конечно, узнаешь теперь тебя, бородатого, как же, — Сергей изумленно качал головой. — Тогда-то у тебя даже пушка еще не намечалось... Слушай, Сашок, а ты каким макаром здесь оказался?

Выдрин невесело хмыкнул:

— Да обычным... Я ведь потом тоже в универ поступил, хотел на востфак, как Обнорский, но не прошел по конкурсу, а спортнабора туда не было, ну я и двинул на истфак, на кафедру археологии. Попал, как ни странно. Учиться было интересно, тем более я к третьему курсу мастера получил, в Берлин даже ездил выступать... Ну, а потом — травма мениска, и по схеме — за борт... Распределение в школу учителем истории. А там — дурдом настоящий, не дети, а уроды какие-то... Тут как раз приятель предложил кооператив открыть. Я, дурак, согласился — открыли мы кафе... Короче, через год он слинял со всеми деньгами, а меня в БХСС — шесть месяцев «Крестов» и «уголовное дело прекратить за отсутствием доказательств» того, чего я не совершал... Ну и все — на работу не устроиться, а жрать что-то надо, у меня мать старенькая совсем, со смешной пенсией... Вот и хожу сюда, двух зайцев убиваю — форму спортивную поддерживаю и заработок какой-никакой... Ну, и работу ищу... Только пока все, что ни подворачивается, — сплошь полная спекуляция, а она мне уже вот где, — Сашок рубанул себя ребром ладони по горлу. — Может, вы чего-нибудь предложите?

Челищев махнул рукой:

— Хватит «выкать», Сашок, не такая уж у нас разница в возрасте. А насчет работы... Понимаешь... То, чем я сейчас занимаюсь, — это, как бы полегче сказать-то...

Сашок понимающе кивнул головой:

— Да я вижу, не слепой... Но... Серега, возьми меня к себе, я не подведу... А так жить тоже уже невмоготу, нищета задушила, матери в глаза смотреть стыдно...

— Ты не понимаешь, — пытался было вразумить Сашка Сергей, но тот перебил:

— Да все я понимаю... Я давно уже хочу к бандитам податься, только случай все никак не подворачивался... Если ты меня не возьмешь — к другим уйду.

Сергей задумался:

— Ладно, посмотрим... После разгрузки поговорим... Хотя, стой, одно дело я тебе могу уже сейчас поручить: мне нужно снять хату на пару месяцев. Приличную, желательно поближе к центру... Вот тебе пятьсот баксов: сторгуешься за четыреста — остаток твой... Только об этом не должна знать ни одна живая душа. Понял?

— Понял, — улыбнулся Сашок, незаметно пряча деньги. — Будет исполнено, босс, и даже быстрее, чем ты думаешь. У меня как раз есть одна квартирка на примете...

Решение снять «конспиративную хату» Челищев принял спонтанно, неожиданно для самого себя. Видно, вспомнились утренние окурки в подъезде, у мусоропровода...

Между тем Доктор закончил «перепись населения», напомнил всем зычным голосом время сбора и повернулся к Челищеву:

— Ну что, Адвокат, кажись все? Давай мы тебя побыстрее в квартирку доставим, а то мне тоже надо в одно место заехать... — Толик переминался с ноги на ногу, и Сергей улыбнулся, догадавшись, что это за место:

— Татьянку утешать опять поедешь? Смотри, до смерти не зажалей...

Доктор покраснел и насупился, но Сергей дружески взял его за плечо:

— Ладно, без обид, я так, пошутил неудачно... Ты езжай спокойно, только завтра не проспи, а меня сегодня провожать не надо: я дома ночевать не буду...

Доктор заколебался:

— Но Палыч сказал...

— Я же тебе объясняю — я домой сегодня не поеду. Палыч сказал — меня до квартиры провожать, так?

— Так, — кивнул Толик.

— А как вы меня туда сможете проводить, если я туда не еду?

Доктор поскреб в затылке:

— Да, действительно... А где ты ночевать собрался? Чтоб знать, на всякий случай...

Челищев спрятал усмешку в уголках губ.

— Да так, у женщины одной...

— А-а... Ну, ясно, — Толик понимающе кивнул, еще помялся для приличия и протянул руку, прощаясь:

— Значит, встречаемся уже здесь? Ну, приятного вечера, босс.

— Тебе того же.


Сергей не обманул Докора, сказав, что собирается к женщине, но если бы Толик узнал, сколько этой женщине лет и как она выглядит, то удивился бы несказанно...

Спрятав за пазуху купленную в «ночнике» бутылку дорогого французского коньяка, Челищев поднялся по темной лестнице старого дома на канале Грибоедова и долго звонил в обитую рваным дерматином дверь. Судя по всему, в этой квартире не боялись воров и налетчиков, которым поживиться было бы просто нечем: дверь открылась без звяканий цепочки и испуганного вопроса: «Кто там?». Челищев шагнул в темную прихожую.

— Здравствуй, баб Дусь, прости, что без звонка. Я не очень поздно?

Бывшая «важнячка» Евдокия Андреевна Кузнецова — ныне уборщица в горпрокуратуре баба Дуся — от неожиданности охнула, а потом обняла ночного гостя.

— Сереженька... Ты же знаешь, я тебе всегда рада... Забыл ты совсем старуху, пропал куда-то, не заходишь... Ты снимай куртку-то, а бутылку не прячь, я сейчас мигом чего-нибудь на стол соберу. Ты, поди, голодный?

Сергей неопределенно пожал плечами. От бабы Дуси слегка попахивало алкоголем: она, видимо, уже тяпнула на сон грядущий.

— Проходи, проходи, Сереженька... Уж не взыщи, деликатесов нет, — старуха торопливо покрывала обшарпанный стол штопаной, но чистой скатертью. Аскетичная бедность маленькой двухкомнатной квартирки заставила Челищева сжать зубы, чтобы не выругаться.

Баба Дуся ушла на кухню, а Сергей опустился на продавленный диванчик. «Подлая жизнь, Господи, какая подлая жизнь...»

...Когда бутылка «Наполеона» была ополовинена (Сергей почти не пил, лишь пригубливал свою рюмку), Евдокия Андреевна заметно оживилась, раскраснелась и даже чуть помолодела.

— Как ты живешь-то, Сергуня? У нас про тебя всякое болтают: мол, ты теперь чуть ли не крупным бандюганом стал...

Челищев махнул рукой — мол, пусть болтают, что хотят, что с них взять. Баба Дуся кивнула головой:

— Я тебя, Сережа, всегда любила, потому что в тебе совесть живет. Это в конечном счете главное. Везде можно остаться человеком, и везде негодяев полно... Только нормальные люди куда-то исчезают, а негодяев все больше и больше — плодятся, как тараканы...

— Кстати, о негодяях, — Сергей закурил и откинулся на диванчике. — Ты, баб Дусь, Хоттабыча такого не помнишь? Должна помнить, про него у нас в прокуратуре легенды рассказывали.

— Легенды, говоришь? — Евдокия Андреевна усмехнулась и налила себе рюмку. — За твое здоровье, Сергуня!..

Выпив, она смачно закусила коркой черного хлеба и снова невесело усмехнулась:

— Легенды... Вот почему так жизнь устроена — про них, понимаешь, легенды слагают, а про нас и не вспомнит никто... Как же мне не знать этого сраного Хоттабыча, если я его и сажала? Полгода под него копала, одних ревизий было столько, что... — Баба Дуся махнула рукой и достала сигарету из пачки, которую Сергей предупредительно ей протянул.

— Легенды... Хотя Семен и впрямь был человеком необычным, у него не голова была, а настоящий компьютер, он достать мог что угодно и когда угодно... А Хоттабычем я его окрестила, за то, что деньги из воздуха делать умел. Так, видно, кликуха эта к нему и пристала... Помнишь, я тебе про «луковое дело» рассказывала? С него вся раскрутка и пошла, там такая подобралась компания — просто туши свет! Вот они его и потушили... Семен на «вышку» тянул, но никого не сдавал, а однажды проговорился: «Если я начну показания давать, то до суда не доживу, и вы, гражданка следователь, тоже...» Не поверила я ему, вот и поплатилась... Потом уже, после автокатастрофы, локти себе кусала... От Семена нити в обком шли или даже выше еще... А до суда из солидных людей он и впрямь один дожил, остальные так, мелочь пузатая...

Евдокия Андреевна докурила сигарету до фильтра и тут же потянулась за новой:

— А у тебя, Сергуня, видать, с Семеном пути пересеклись? Смотри, он человек страшный...

Сергей заерзал на диване:

— С чего ты, баб Дусь, решила, что пересеклись?

Старуха усмехнулась:

— Ну, я хоть бабка и пьющая, но из ума пока еще не вышла — вчера Семен в прокуратуру заявился, а сегодня ты приходишь и разговор о нем невзначай заводишь...

— Постой, постой, баб Дусь, в какую прокуратуру...

— Да в нашу, в какую еще... А что ты так удивляешься? Сейчас многие растратчики да фарцовщики солидными бизнесменами стали, а Семен-то рангом повыше был... Так что с полным правом нанес, можно сказать, официальный визит нашему руководству... Я как его увидела — чуть ведро не выронила. Раздобрел он, постарел, но узнать можно. Это меня вот уже никто не узнает. И он не узнал. Важный такой стал, солидный. Хотя он и раньше себя подать умел... Наверное, явился серьезные вопросы о «безвозмездной» помощи правоохранительным органам решать. И депутат этот, Троцкий, при нем суетится, шмыгает, как церковный староста проворовавшийся... У Прохоренко в кабинете заперлись, потом к ним еще из ГУВД генерал Хомяков подъехал...

— Погоди, баб Дусь, какой депутат Троцкий? — затряс непонимающе головой Челищев.

— Ну этот, как его... Глазанов. Вылитый Троцкий — бородку свою козлиную все время щиплет и пенсне протирает...

— Глазанов?!

Видимо, Евдокия Андреевна услышала в возгласе Челищева не удивление, а недоверие, потому что, обиженно поджав губы, встала, отошла в угол комнаты и начала, что-то бормоча, рыться в груде сложенных прямо на полу книг и каких-то папок.

Челищев между тем, судорожно затягиваясь сигаретой, сращивал в мозгу концы с концами: «Ну, конечно... Гаспарян говорил про „доверенное лицо"... Это и есть господин депутат...

Интересно, почему они его так подставляют... Хотя, постой, почему подставляют? Он же депутат, пользуется неприкосновенностью, его в разработку ни менты, ни комитет взять не могут, ни наружку* поставить, ни единицу**... Идеальный курьер, и риску никакого... Ай да Антибиотик... Или Глазанов — человек Гаспаряна? Нет, скорее, все-таки, Виктор Палыч — хозяин... Круто люди работают, круто...Значит, они — „безвозмездную" помощь, а им — гаишные эскорты до границы с Эстонией? И все законно, чинно, благородно... Все для блага России... и отдельных ее граждан...»

Между тем баба Дуся вернулась к столу, держа в руках пухлую бухгалтерскую книгу в черной клеенчатой обложке.

— Вот, смотри, Сергуня. Я в эту книгу разные интересные факты заношу про наше замечательное руководство. Они-то меня за человека не считают, внимания не обращают, а я домой приду — запишу, что видела... Может, потом когда-нибудь и пригодится кому-нибудь, если хозяин в стране найдется, может, начнут порядок наводить... Грех так говорить, но иногда даже думаешь: «Сталина на вас, сволочей, нет...» Вот смотри, у нас сейчас февраль, последнюю запись я сделала сегодня.

В книге аккуратным почерком были проставлены даты, под ними шли лаконичные записи. Это была своеобразная летопись прокуратуры: кто с кем встречался, кого куда назначали, какие вывешивались приказы, по каким

---

* Н а р у ж к а — наружное наблюдение, слежка (*жарг.*).
** Е д и н и ц а — прослушивание (*жарг.*).

поводам проводились пьянки, кто кого трахал в кабинете... Рядом с фамилиями некоторых посетителей стояли звездочки, а в конце книги на этих людей давались короткие объективки — число, место рождения, адрес, судимости (если были), род занятий...

— Ну, ты даешь, баба Дуся... А адреса-то как пробивала?

— Я же тебе уже говорила, Сережа: из ума еще не выжила, помню, как что делается..

Челищев машинально запомнил адрес и телефон Глазанова. Депутат жил в «доме еврейской бедноты» на Финляндском проспекте, за гостиницей «Санкт-Петербург».

— Да, ну и кондуит, — качал головой Сергей, листая книгу. — Почитать такую простому человеку — его кондратий хватит.

Евдокия Андреевна налила себе еще рюмку.

— Ты, Сережа, наверное, думаешь — совсем рехнулась бабка, компроматик непонятно для чего собирает, шпионит... Только я ведь про нормальных людей ничего не пишу — о своих, к слову, художествах ты здесь слова не найдешь... Да и делаю я это так, для себя: на бумагу выплеснешь, и вроде душа меньше болит... Никому эта книжка не понадобится, а про хозяина в стране — это я так, от обиды сказала...

Баба Дуся говорила что-то еще, но Челищев уже не слышал ее — глаза его вдруг стало заволакивать розовым туманом, а выбрасываемый в кровь адреналин грозил разорвать сердце: в записях августа 1992 года, за два дня до даты гибели своих родителей, Сергей нашел упоминание о визите Глазанова к Никодимову — первому заместителю прокурора города

Николая Степановича Прохоренко... Сергей сам
не мог понять, отчего его так затрясло...

— Что с тобой, Сергуня? Ты аж побелел
весь, — откуда-то издалека донесся до Челищева голос бабы Дуси.

— Сейчас, сейчас... — невпопад ответил Сергей, выпил залпом, не почувствовав вкуса, рюмку коньяка и начал вынимать сигарету из пачки,
забыв, что во рту уже дымится одна... Коньяк снял пелену с глаз и успокоил взбесившееся
сердце. Челищев глубоко вздохнул и прочитал
запись еще раз: «Деп. Глазанов — у Никодимова, с утра, был около 5 минут, ушел в сост. нерв.
возб. Никодим. немедленно — к Прохор. (глубоко озаб.). Вызвали в кабинет Воронину, обсуждали что-то около 30 минут. Потом Воронину
отпустили. Никодим. с Прохор. пили до обеда
(2 бут. коньяк «Арарат»), после чего уехали из
прок., якобы на совещ. в ГУВД. До вечера не
возвр.».

Сергей налил себе еще рюмку и снова выпил как воду, пытаясь свести в кучу скачущие
мысли: «Вот оно... Глазанова я раньше мог
у нас в прокуратуре видеть... Если он „доверенное лицо" Антибиотика, то что получается?
Кто у кого на связи? Спокойно, спокойно...
Накануне убийства моих Глазанов — в прокуратуре... Совпадение? Да, он у нас частенько
мелькал. То-то я все думал, что рожа больно
знакомая... Спокойно...»

Челищев чувствовал, что между приходом
депутата в прокуратуру и убийством его родителей связь самая прямая, и, сосредоточив-
шись, начал строить версию: «Спокойно, только спокойно... Что я не мог понять, это как
можно было посылать убийцу к нам в кварти-

ру, зная, что у директора сын — следователь, с правом ношения оружия, кстати... А убийцы пришли рано утром, когда сын, то есть я, должен был быть дома. С пистолетом вместе... Значит, меня дома быть не должно было... А я и не был: я Юлю трахал... Так... Накануне пришел приказ о повышении классности... Так, спокойно, спокойно... А, кстати, это не я Юльку трахнул, а, скорее, она меня... Антибиотику было нужно, чтобы я не ночевал дома... Но почему так сложно? Мотивы должны быть простыми... И слишком много людей в курсе...»

Челищев был уверен, что мысли его идут в верном направлении, но мозг уже отключался, кипел от перегрузки. Сразу все ответы на все вопросы прийти не могли. К тому же — правильно сформулированный вопрос зачастую важнее ответа... И у кого выпытывать эти ответы? Антибиотик — не скажет, Прохоренко с Никодимовым — тоже калачи тертые. Депутат Глазанов и Воронина... Этих двух, в принципе, расколоть можно было бы: они люди слабые, ломаные... Только на что их колоть и как?

Сергею казалось, что еще немного — и он сойдет с ума. Уходящее чудовищное напряжение оставляло после себя испарину и слабость.

— Да что с тобой, Сергуня?! — баба Дуся испуганно смотрела Челищеву в глаза и трясла за плечо. — Тебе нехорошо, сынок?

— Нет, все нормально, — сказал Сергей, еле ворочая языком, как после нескольких схваток на татами. — Просто прокуратуру нашу вспомнил, вот и нахлынуло. Нервы стали ни к черту. Устал я что-то, баб Дусь... Совсем устал.

Евдокия Андреевна вздохнула и стала гладить Сергея по голове. На нос ему капнула теплая слезинка.

— Ты что, баба Дуся? — встрепенулся было Челищев, но она махнула рукой.

— Не обращай внимания, сынок. Я последнее время что-то совсем слабая на слезу стала... Давай-ка ложись спать, я тебе в Алешкиной комнате постелю. Завтра поедешь, да и выпил ты — чего на гаишников нарываться...

Сергей не возражал. Он с самого начала хотел попроситься к Евдокии Андреевне на ночлег. Что-то не пускало его домой. Снова вспомнились найденные утром окурки у мусоропровода. Кто бы это все-таки мог быть? Но сил ломать голову еще и над этой загадкой не было совсем, Челищев еле дождался, пока баба Дуся постелит ему в комнате сына. Он утонул в колхозе, закончив первый курс юрфака, когда сама Евдокия Андреевна лежала в больнице после автокатастрофы?.. Еще одна странная история...

Сергей со стоном упал на низкую кровать, и его обступили лица тех, о ком он постоянно думал последние дни. Лица все время двигались, и было уже не разобрать, кто из этих людей живой, а кто мертвый, и они молча смотрели на него, словно ждали какого-то ответа.


Встреча алюминиевого эшелона и последующая переброска груза в «КамАЗы» прошли без малейшей заминки. К тому же выяснилось, что перекидывать алюминий в машины для срочной отправки в Ивангород нужно только из трех вагонов, а остальные будут ждать своей очереди в одном солидном «почтовым ящике» под присмотром «вохровцев». Самое главное было в том, что Антибиотик, а через него и Челищев со своими людьми за эти вагоны уже не отвечали.

Грузчики работали как звери и, забив последний «КамАЗ», просто падали от усталости. Двух из них стало рвать желчью, но никто не жаловался — Доктор расплатился со всеми честно и даже накинул сверху по пятерке — на радостях, наверное... У парня, похоже, шел медовый месяц. Когда Челищев утром встретил Доктора, то только головой покачал — к приобретенным накануне засосам, успевшим несколько потускнеть, прибавились новые — свежие и ядреные. Толик отчаянно зевал, рискуя вывихнуть себе челюсть, но был весел и жизнерадостен, как пингвин на льдине. Отлично выспавшийся Сергей был, напротив, хмур и угрюм — ему не давала покоя информация, полученная от бабы Дуси...

— Ты чего такой невеселый, босс? Не дала, что ли? — дружелюбно спросил Толик у Сергея, прохаживавшегося вдоль платформы.

— Что не дала? — не понял Челищев.

— Ну что бабы могут не дать... Ты же вчера сказал, к женщине поедешь...

— А-а-а... Дать-то дала, но слишком много, боюсь, не унесу, — усмехнулся Сергей, в который раз вспоминая записи из бухгалтерской книги. Толик понял его по-своему. Хохотнув, он, понизив голос, доверительно сказал:

— Для таких случаев, когда сомневаешься, нужно марганцовку с собой в кармане носить — заскочил на кухню, развел в стакане, член прополоскал — и душа не болит... А гандоны я и сам не люблю... И врач один, когда от трипера лечил, тоже говорил: «Гандон — паутина против сифилиса и броня от удовольствия».

Доктор говорил абсолютно искренне и из самых лучших побуждений. Поэтому он лишь пожал плечами, когда Челищев согнулся от хохота:

— Странный ты сегодня какой-то, Адвокат: то ходишь злой, как черт, то ржешь, как защекоченный...

Закончив переброску груза, Сергей позвонил Антибиотику. Тот похвалил, но велел не расходиться, сидеть на базе и ждать звонка — «КамАЗы» должны дойти до границы, вот тогда уже будет все...

Ждать предстояло долго — до Ивангорода груженым фурам часа три идти, да там еще сколько на таможне возни будет — хоть и дают «зеленый свет», но пока все бумаги сверят, пока штампы поставят... Вся братва — человек двадцать мордоворотов, перекрывающих базу во время переброски алюминия, — собралась в том самом яблочном хранилище, где накануне скучали грузчики. Толик, пристроившись на сложенных картонных коробках, быстро уснул, подложив кулак под голову, а остальные разбились на две кучки — в одной начали шлепать картами, в другой — травить байки.

К Сергею подошел черный от усталости Сашок Выдрин. Пока шла погрузка, времени поговорить с ним у Челищева не было, да и Сашку было не до разговоров. Выдрин опустился на корточки рядом с Сергеем и незаметным движением вложил ему в руку два ключа:

— Ваше задание выполнено, шеф. Двухкомнатная хатка, в самом центре — дом на углу Сенной и переулка Гривцова. Что особенно ценно — там отдельный вход, вообще своя маленькая парадная, других квартир нет... Ванная, телефон, телевизор... Мебель не очень, но чистая, постельное белье в шкафу...

Сергей от изумления даже привстал:

— Когда успел-то? Ты что, волшебником подрабатываешь?

— Да нет, — замялся Сашок. — Это приятеля моего квартира... Он в Югославию махнул на несколько месяцев — подзаработать, а ключи мне оставил.. Цветы у него там от матери-покойницы остались, он просил их хотя бы раз в неделю поливать... А деньги, что ты давал, я обратно принес, — Сашок виновато улыбнулся и полез было в карман, но Сергей удержал его руку:

— Оставь себе, считай, что заработал... За честность — спасибо, а цветы я буду поливать.

Выдрин помолчал, кивнул головой и осторожно спросил:

— Как насчет вчерашнего разговора? Я про работу.

Сергей досадливо сморщился:

— Сашок, ты сам не понимаешь, о чем просишь... Это такая грязь.

Выдрин деликатно, но твердо перебил его:

— А ты, Сергей, видимо, считаешь, что так я — в белом фраке? Где сейчас не грязь? Везде одно и то же... Но хоть чем-то заниматься нужно? Куда податься? Я Андрея Обнорского просил меня к себе взять — у них ставок нет, газета еле концы с концами сводит...

Челищев удивленно посмотрел на Сашка:

— Андрей? А при чем здесь газета? Он же на Ближнем Востоке переводчиком работал...

Сашок присвистнул:

— Так ты не в курсе? Ну да, он же под псевдонимом пишет — Андрей Серегин. Читал, наверное, его бандитские эпопеи? Он в девяносто первом уволился и в журналисты подался... Сейчас криминальным отделом заведует...

— Постой, Серегин — это Обнорский? Я же читал его статьи... Ну, дела! А я его в последний раз в конце восьмидесятых... Или — в девяностом, он опять в свою Аравию собирался. Злой был, как черт, мы с ним напились тогда до зеленых соплей... И все — как сгинул парень, я даже думал, что нашел-таки свою пулю в барханах... А он, оказывается, Серегиным стал... У тебя координаты его есть?

Выдрин кивнул:

— Конечно, только дома. Ну, так что, босс, берешь меня к себе?

Челищев долго молчал, курил и вздыхал. Наконец кивнул головой:

— Ладно, давай посмотрим, что получится... Побудешь со мной рядом — может, и сам передумаешь... Смотри только, как бы поздно не было... К нам попасть легче, чем уйти.

Сашок повеселел:

— Ну так ты же меня в обиду не дашь?

Челищев усмехнулся:

— Я сам-то на птичьих правах... Ох, Сашок, оставил бы ты эту затею.

Но Выдрин упрямо мотнул головой:

— Нет, а то и я в Югославию наемником умотаю, чем так жить... А что мне делать-то нужно будет? Долги вышибать? На пробивки* ездить?

Сергей невесело рассмеялся и хлопнул Сашка по плечу:

— Это ты у господина Серегина начитался? Его главная ошибка в том, что он пытается загнать жизнь в схему. Делать пока не надо ничего, просто будешь со мной рядом. Мне, в принципе, действительно нужен человек, на которого можно опереться.

Настроение у Челищева опять резко испортилось, потому что ему вспомнилось, как примерно такие же слова говорила ему Катя, когда они неожиданно встретились минувшей осенью. Как будто целая жизнь прошла.

— Иди сейчас домой, Сашка, отдохни как следует, а я со всем этим говном раскручусь и сам тебя найду. Телефон только оставь. И подумай еще раз как следует...

Выдрин, видно, почувствовав перемену настроения у Сергея, кивнул, продиктовал телефон и ушел, оставив Челищева наедине с невеселыми размышлениями...


Антибиотик позвонил только ночью, когда половину братвы уже стал пробирать понос от сожранных на халяву яблок:

— Сережа? Ну, слава Богу, груз уже у рыбоедов... Распускай пацанов и сам отдохни как следует. Дело сделано, через пару дней зеленые зашуршат...

Челищев растолкал безмятежно проспавшего все эти часы Доктора:

---

* П р о б и в к а — разновидность наезда, разведка боем (*жарг.*).

— Вставай, Толян, отмучились... Собирай у пацанов волыны, отвози их к Вальтеру и езжай к Татьяне. В середине дня мне завтра звякни на трубу* — как отоспишься. А я поехал, спать хочу — умираю.

Сергей потряс сжатыми над головой руками, прощаясь с боевиками, и направился было к выходу, но Доктор догнал его:

— Адвокат, а свою «тэтэху»-то... забыл?

Челищев вынул из-за пояса пистолет, сунул было его Толику, но потом вдруг передумал:

— Я тебе его завтра отдам, пусть он пока со мной побудет.

Доктор пожал плечами: мол, смотри сам, добавил лишь:

— Ксиву не забудь написать.

Сергей улыбнулся:

— Адвоката учишь? Сейчас и напишу...

Он действительно присел на корточки и написал на страничке, вырванной из ежедневника: «Я, Челищев Сергей Александрович, 1963 года рождения, адвокат, проезжая по Пискаревскому проспекту, услышал шум и увидел побежавших куда-то людей, лиц которых разглядеть не смог из-за темноты. Выйдя из машины, я заметил на земле блестящий предмет, оказавшийся пистолетом ТТ со снаряженным магазином, заводской номер... Указанный пистолет я подобрал для последующей передачи в органы милиции. Число, подпись».

Доктор, заглядывая Сергею через плечо, кивнул и заметил:

— С этими ксивами главное — новые не забывать писать каждый день и старые сжи-

---

* Звякнуть на трубу — позвонить по телефону (жарг.).

гать... А то недавно менты Самовара прихватили, а у него таких писулек штук семь на кармане — на три дня назад и четыре вперед... Тебе пацанами помочь?

Сергей покачал головой:

— Да ну, людей только смешить... У меня просто нервы разгулялись, отоспаться нужно, вот и перестанет дрянь всякая мерещиться... Да и к тому же — металл уже ушел, дело сделано... Давай, Толян, до завтра.

Челищев хоть и бодрился перед Доктором, по-мальчишески не желая выглядеть в чьих бы то ни было глазах трусом, на самом деле чувствовал себя далеко не так уверенно, как бы хотел. Потому и волын оставил — вроде обычная железка, а уверенности придает...

В полутемном дворе у своего подъезда ему стало еще более не по себе, а когда оказалось, что на лестнице горит только лампочка на самом верхнем этаже, Сергей ощутил настоящий страх. Он остановился, прислушался. Было тихо, лишь из-за двери в квартире на втором этаже доносилась музыка и приглушенный женский смех.

Прижимаясь спиной к стене и сжимая во взмокшей руке пистолет, Челищев стал медленно подниматься. Ему казалось, что он очень громко дышит, и Сергей остановился, выравнивая дыхание. Страх не отпускал, заставлял крепче стискивать оружие. На мгновение Сергею захотелось повернуться и выбежать из подъезда, но потом ему стало стыдно: «Что-то ты, дядя Сережа, совсем дошел — темноты боишься, как маленький. Так действительно крыша может поехать. Взрослый мужик, а такой херней страдаешь...» — Уговаривая себя таким образом, он поднялся до своей двери, облегченно вздохнул, снял ладонь с рукоятки ТТ и полез в карман куртки за ключами.

И в этот момент сверху, от окошка у мусоропровода, на него прыгнул человек с тусклым лезвием в правой руке. Сергей, почувствовав колебание воздуха, успел лишь повернуться к нападавшему, но удара ножом увидеть не смог. Направление удара было выбрано грамотно и точно — в левое подреберье, снизу вверх к сердцу, и не повстречайся нож с засунутым за ремень брюк на левом бедре пистолетом, быть бы Челищеву покойником. Но сталь ударилась о сталь, и лезвие скользнуло мимо, с противным скрипом распарывая кожу куртки. Сила удара была такова, что Челищева отшвырнуло в угол. В слабых отблесках света, падавших из окна на лестницу, Сергей увидел, как нападавший оскалил зубы, показавшиеся в темноте невероятно белыми, выставил вперед правую ногу и, крутанув кистью, описал клинком в засвистевшем воздухе стремительную восьмерку.

«Сейчас он меня убьет», — отрешенно подумал Челищев, но его правая рука жила самостоятельной жизнью. По крайней мере Сергей сам не понял, как успел выхватить оружие и сбросить его с предохранителя. Предохранитель щелкнул негромко, но гуттаперчевый человек с ножом, видимо, хорошо знал, что последует за этим звуком. Он резко присел и прыгнул вниз, через один лестничный пролет, потом через другой, и Челищев потерял его из вида. Звук еще одного прыжка, еще, потом несколько быстрых шагов и хлопок входной двери. И снова тихо, только сердце колотится о ребра да в висках кровь стучит.

Нападение, короткая схватка и стремительное бегство нападавшего заняли всего несколько секунд, и Челищев, держа перед собой трясущийся ствол, даже спросил себя: а не привиделось ли ему все это? Но саднил от мощного удара левый бок, а через распоротую куртку проникал холодный воздух.

Несколько раз глубоко вдохнув и выдохнув, Сергей, еле переставляя ватные ноги и вытянув пистолет перед собой, пошел вниз. Его била крупная дрожь, он что-то бормотал, но сам не мог разобрать что.

Освещаемый тусклым светом фонаря двор был пуст. Судорожно крутя головой, Челищев выбежал через подворотню на улицу. Попавшийся ему навстречу случайный поздний прохожий ойкнул, увидев пистолет, и бросился бежать. Сергей вернулся во двор и подошел к своей машине. Внезапно ему пришло в голову, что тот, кто едва не убил его, может быть где-то рядом и сейчас спокойно прицеливается в большую глупую мишень.

Челищева снова затрясло, он быстро открыл машину и сунул ключ в замок зажигания. Не успевший остыть двигатель взревел и вынес «вольво» через подворотню на улицу. Сергей лихорадочно вертел руль, и машину кидало из стороны в сторону, словно ее водитель был вдребезги пьян. Челищев положил ТТ на правое сиденье рядом с собой и погнал по городу.

Никто не преследовал его, ночной Питер был пустынен и мрачен, но Челищев упрямо накручивал километр за километром, поминутно озираясь через плечо. Лишь пролетев на бешеной скорости по набережной мимо «Крестов», Сергей почувствовал, что к нему вернулась

способность спокойно думать. У Большеохтин-
ского моста он затормозил и достал из пачки
сигарету. Пальцы все еще мелко подрагивали,
но руки уже не тряслись. Сделав несколько затяжек, он ощутил резкую боль в левой стороне
груди. Сунув руку за пазуху, Сергей попал пальцами в липкую теплоту. Видимо, нож, скользнув
по пистолету, все-таки задел тело, а лезвие было настолько острым, что сразу боль не почув-
ствовалась. Осторожно прощупав бок, Челищев
убедился, что рана неглубокая, и, докурив, он
снова тронул машину.

До переулка Гривцова, где была квартира,
ключи от которой ему отдал Сашок, Сергей
добрался без приключений.

Квартиру он нашел быстро и, поднимаясь по
отдельной узкой лестнице, держал перед собой
ТТ, хотя кто его мог ждать у дверей, к которым
он подходил впервые в жизни?

Судя по образцовому гостиничному порядку,
в квартире давно уже никто не жил, но отсутствие пыли и запаха затхлости говорило о том,
что ее недавно навещали. Сергей запер за собой дверь на все возможные замки, позажигал
свет во всех комнатах и начал искать аптечку.
Ее он обнаружил в ванной. Выцветшая этикетка
на пузырьке с перекисью водорода не внушала
большого доверия, но, когда Челищев начал об-
рабатывать рану, бесцветная жидкость зашипе-
ла на крови вполне добросовестно. Кровь почти
остановилась, по крайней мере Сергей надеялся, что к утру края раны стянутся.

Еды в квартире никакой не было, и Челищев
понял, что укладываться спать придется на голодный желудок. Впрочем, недалеко был ночной магазин, но Сергею совсем не хотелось

выходить на улицу. «Ладно, дотерплю до утра, а там Сашку позвоню, чтоб еды притащил. Сейчас-то ему звонить бесполезно — дрыхнет без задних ног», — подумал Сергей, но телефонную трубку «Дельты» все же достал: Антибиотика после всего случившегося побеспокоить было вполне уместно. Челищев набрал номер его радиотелефона и, сев в кресло и закурив, долго слушал гудки, на которые никто не отвечал. Виктор Палыч предупреждал, что звонить ему по этому номеру можно лишь в случае крайней необходимости. Наконец гудки прервались знакомым недовольным голосом:

— Ну, кто там еще?

Антибиотик, видимо, был не один — в трубке слышался приглушенный смех и женский голос. Или голоса.

— Это Челищев, — Сергей кашлянул и, затянувшись сигаретой, спросил: — Вас, Виктор Палыч, не удивляет, что я вам звоню?

Антибиотик от такой наглости онемел на некоторое время, по крайней мере пауза в трубке была долгой, а потом Виктор Палыч ответил преувеличенно спокойно, видимо, еле сдерживаясь, чтоб не сорваться на матерный ор:

— Ты, Сережа, в курсе — сколько времени? Или тебе часы подарить?

— Нет, спасибо, часы у меня хорошие, — ответил Челищев, мельком глянув на отцовскую «Сейку». — Просто я полагал, что вы сильно удивитесь, услышав мой голос, в то время как по всем расчетам я должен был бы уже остывать в собственном подъезде с финкой в боку.

— Что?! Ты что мелешь? — голос Антибиотика загустел. — Да тихо вы, мокрощелки! — гаркнул он куда-то в сторону.

— Складно получается, Виктор Палыч: работа сделана, утром меня находят, зарезанного злыми хулиганами, а на мертвого и долю отдербанивать не надо — покойники, они ведь народ непритязательный...

Антибиотик на другом конце аж задохнулся:

— Да ты... Ты что за фуфло мне вкручиваешь?! Предьявы какие-то строишь, набухался опять, что ли?!

Потом, видимо, сообразив, что с Челищевым действительно происходит что-то неладное, Виктор Палыч сбавил тон:

— Ладно, Сережа, кончай пургу мести. Через полчаса жду тебя на углу Невского и Восстания. Приедешь — все обсудим, нечего серьезные разговоры по телефону вести.

И Антибиотик, не дожидаясь ответа, выключил трубку.

Сергей закурил и быстро начал просчитывать ситуацию. Он все-таки сам не до конца верил в то, что киллера подослал Виктор Палыч. К тому же просто «ложиться на дно» и скрываться от него — не имело смысла. Через пару дней его бы высчитали — Челищев хорошо представлял себе возможности Антибиотика: его искали бы не только бандиты, но и милиция... Отказаться ехать на встречу — означало откровенно плюнуть Виктору Палычу в лицо, а он бы этого не простил никогда... Поэтому, хоть и не без внутренней борьбы, Сергей вышел из квартиры, сел в машину и поехал к Невскому. ТТ он оставил дома — Антибиотика охраняли так, что ствол у Сергея все равно обнаружили бы и отобрали.

Челищев ехал по Садовой медленно, все еще продолжая мучиться сомнениями — может быть, плюнуть на все и бежать? Может, смерть ждет его на углу Невского и Восстания?

Сомнения разрешились быстро — он не успел еще доехать до Невского, как его машину зажали две «восьмерки». Выскочившие оттуда стриженые ребята заглянули в салон «вольво».

— Сергеем тебя зовут? К Виктору Палычу едешь?

Это были так называемые «дежурные экипажи», которые Антибиотик на всякий случай заставлял двадцать четыре часа в сутки курсировать по городу — для прикрытия неожиданных встреч, «перехватов» и мобильного использования в нужных ситуациях. Раньше Челищев считал, что слухи об этих экипажах — просто сплетни.

Сергея довезли до угла Невского и Восстания, где в «джипе» уже ждал Виктор Палыч. Он был не один, с ним в машине сидела молоденькая девчушка в шубе на голое тело. Увидев Челищева, Антибиотик приказал девушке и шоферу убраться из автомобиля, и они терпеливо мерзли под мокрым снегом все время, пока в «джипе» шел разговор.

Сергей рассказывал путано и долго, но Антибиотик ни разу не перебил его.

— Так... И ты, значит, Сереженька, на меня, старика, грешить начал? Это после всего, что я для тебя сделал? Ну, спасибо, не ожидал...

— А что мне еще прикажете думать? — буркнул Сергей.

Антибиотик помолчал, а потом сказал устало:

— Ты, сынок, видать, и впрямь все мозги пропил. Если б я тебя решил «на размен» поставить, то... А скажи-ка, Сереженька, не я ли тебе говорил: без пацанов домой не ездить, а?

И чтоб первому в подъезд не входить?! А?! Молчишь! Ведь при Толе-Докторе разговор был, ему же и поручалось. Ну ладно, он — дебил контуженный, но ты-то? Ты же у нас голова, с дипломом университетским... Учишь, учишь вас, молодых, а вы все одно — на нас, стариков, норовите с прибором положить... Ладно, где ты сейчас упал?

— Я... — Челищев замялся. — Я в надежном месте.

— Ну-ну, — сухо отозвался Виктор Палыч. — Ну-ну. Я, конечно, понимаю, ты сейчас весь на нервах, денек у тебя выдался непростой. Отлежись, отойди, а потом на спокойную голову подумай — стал бы я такой маскарад городить, даже если бы мне и приспичило? Сделать-то все можно было бы попроще и почище. Ладно, отдыхай, а я пока займусь всем этим блядством. О-хо-хо, в кои веки отдохнуть хотел, расслабиться... Тебя, Сережа, зацепило-то не сильно? Смотри, шутки с перьями, они такие... Если что — звони сразу, доктора мигом пришлем.

— С труповозкой вместе?

Антибиотик хмыкнул:

— Ты хоть и раненый герой, но все ж не зарывайся, стыдно потом будет. Пару деньков полежи, подумай — сам и извинишься. Да, послезавтра Катерина Дмитриевна возвращается... Ей, я думаю, ты себя проведать разрешишь?

— Время покажет.

— Покажет, покажет, — охотно согласился Антибиотик. — Время, сынок, это такая занятная штука... Ну, ладно, «трубу» держи при себе, поправляйся.

Антибиотик уехал вместе с машинами дежурных экипажей. Машину Сергея никто не сопровождал — он покружил по центру и вернулся в квартиру на Гривцова.

Анализируя разговор с Виктором Палычем, Сергей еще долго сидел в кресле и смолил одну сигарету за другой: «Нет, похоже, и впрямь тут Палыч не при делах... Или он гениальный актер... И уж ему-то было бы действительно проще сделать по-другому — дернуть к себе и удавить потихому: мент, мол, оказался засланным... Правда, неизвестно, как бы на это отреагировали Олег с Катей... Хотя как они отреагировали на убийство моих?»

Ничего умного измученный мозг был не в состоянии придумать, и Сергей начал укладываться спать. Чутье подсказывало ему, что за покушением действительно стоит не Виктор Палыч, а кто-то другой... Но кто? И почему? Вот так — без претензий, предъяв, намеков — убирают редко. Людей «мочить», это только в кино просто... Последнее, что пришло в голову уже засыпавшему Сергею, — это была почему-то мысль о депутате Глазанове. Спал Сергей беспокойно, но он уже стал привыкать к своим ночным кошмарам.

Утром Челищев позвонил Сашку и попросил привезти какой-нибудь еды. Выдрин обещал быть через час, и Сергей поплелся в душ — умываться и рассматривать свои раны. Порез затягивался нормально: слава Богу, никакой заразы на ноже нападавшего не было. Челищев залез в ванну и долго нежился под теплыми струями душа. До завтрака Сергей курить не любил, но, ожидая Сашка, все же не выдержал и засмолил сигарету. «Курение натощак —

4 Судья

**97**

чисто русская привычка», — вспомнил он вы-
читанную где-то фразу.

Сигарета помогла ему сконцентрироваться на
мысли, которую Сергей не успел додумать с вечера. «Депутат Глазанов... Вечером с ним можно
попробовать „побеседовать“ — более удачный
случай вряд ли выпадет... Я лежу где-то раненый, кто на меня подумает...»

Сергей зябко передернул плечами — холо-
дом дохнуло при мысли, чем должна закон-
читься эта «беседа», и он, как страус, прячу-
щий голову в песок, прошептал:

— Не будем загадывать, поглядим, как карта ляжет.

Когда раздался звонок в дверь, Челищев пошел открывать, прихватив пистолет. Сашок,
увидев направленный в свой живот ствол, хотел было пошутить, но, заметив на Сергее раз-
резанную и окровавленную рубаху, осекся.

— Что случилось, шеф?

Челищев неохотно начал рассказывать:

— Да так, встретили в подъезде, неизвестно
кто... Вот видишь?! А ты — на работу про-
сишься!..

Сашок возмущенно фыркнул:

— Вот именно! Между прочим, был бы я
там, в подъезде, рядом, — может, ничего и не
случилось бы...

Челищев промолчал. Логика в словах Выдрина, безусловно, была, но уж больно не хотелось
втягивать парня. Сергею захотелось объяснить
Сашку, что, помимо обычного и не очень большого риска влететь в ментовку, есть перспективы гораздо более неприятные. Ведь если некоторые поступки, мысли и планы его, Челищева, стали бы известны Антибиотику или его

ближайшему окружению, то смерть Сергея была бы скорой. А вместе с ним за компанию наверняка убрали бы и подручного, которым так хотел стать Сашок. Но ничего этого Сергей объяснять не стал, потому что в помощнике действительно остро нуждался. Что бы вот сейчас он делал, если бы не Сашок... На кухне за завтраком Сергей решил — по возможности не «светить» Сашка перед братвой, оставить его, так сказать, спрятанным козырем в рукаве...

— Ладно, Саня, считай, что ты уже на работе... Да не радуйся ты, как ребенок малый, ей-богу! Вот что мне сейчас нужно — возьми деньги и смотайся в «Неву-Стар», это в гостинице «Москва». Купи там мне рубашку джинсовую новую, лучше черную, размер у меня XL, и джинсы, тоже черные — 34—34. Так, что еще... диктофончик возьми маленький, микрокассеты к нему и батарейки запасные. Так — еще две бутылки джина нужно...

Сергей задумался, потом хлопнул себя по лбу:

— Куртку, куртку какую-нибудь найди — теплую и приличную. Только всякое говно турецкое не бери — пусть дороже будет, но качественнее. Вот тебе штука баксов — должно хватить, что останется — себе оставишь... К обеду управишься?

Сашок неуверенно кивнул:

— Только с курткой... А вдруг я куплю, а тебе не понравится?

Сергей махнул рукой:

— Понравится, понравится... Лишь бы потемнее была, светлую кожу не бери, ладно? И когда вернешься, звони так — длинный, длинный, короткий, длинный...

Закрыв за Сашком дверь, Сергей лег на диван, и сомнения по поводу задуманного на вечер овладели им с новой силой. «А вдруг Глазанов вообще домой не приедет? Или приедет не один? Может, Сашка с собой взять? Нет, в такие дела парня втягивать совсем ни к чему... К тому же — это мои личные проблемы... А что, если я все путаю, если все мои выводы — просто горячечный бред? Глазанов ведь меня потом где хочешь опознает. Значит... Не судите, да не судимы будете... Нет уж, хоть какое-то воздаяние людям по делам их должно быть и на земле...»

В этих размышлениях Челищев незаметно задремал и проспал до возвращения Сашка. Выдрин выполнил все поручения и обеспокоенно смотрел, как Сергей примерял обновки. Все оказалось впору.

— Спасибо, Сашок. Теперь вот что...

Сергей положил окровавленную рубаху в полиэтиленовый пакет и начал запихивать туда же порезанную кожаную куртку:

— Это хозяйство надо куда-нибудь выкинуть, а еще лучше сжечь...

— Сжечь?! Куртка-то совсем новая... Может, я ее лучше себе возьму? Разрез не такой уж большой — заплатку поставить и все, а кровь с полкладки оттереть — не фиг делать...

Челищев пожал плечами:

— Как хочешь... Только по улице с ней не носись, пока в порядок не приведешь... А то прихватят — скажут, что с покойника снял, — не отвертишься, пристегнут к какому-нибудь «глухарю».

— Не... — довольно улыбнулся Сашок. — Я ее сегодня же так заделаю — как новая будет.

— Ладно, — Сергей кивнул. — И еще одно, Саня. Пока вся эта ерунда вокруг меня не выяснится, запомни — ты меня не видел, сюда не приезжал, ключи не давал. Никому ни одного слова — ни маме, ни приятелям, ни любовницам. Никому вообще. Иначе у нас обоих могут возникнуть большие проблемы..

Выдрин усмехнулся:

— Не маленький, понимаю... Когда позвонишь?

Сергей неопределенно пожал плечами:

— Как только, так сразу... Надеюсь, что через несколько дней... Ну, а если не позвоню — забудь меня, как будто и не встречались... Да позвоню я, позвоню, что со мной сделается, — добавил Челищев, увидев в глазах Сашка невысказанный вопрос.

Оставшись один, Сергей мысленно вновь прошелся по пунктам составленного плана: «Во-первых, надо позвонить Глазанову на работу, узнать, на месте ли он». Взяв было трубку радиотелефона, Сергей после недолгих колебаний отложил ее. Звонить стоило из телефона-автомата: в «Дельте» фиксировались все звонки клиентов, а распечатку номеров абонентов мог при желании получить чуть ли не кто угодно.

Он поел плотно, как человек, не знающий, когда и где доведется ужинать, и долго сидел на кухне, глядя в окно. Наконец, тряхнув головой, решительно встал, оделся, засунул за пояс брюк ТТ и неожиданно для самого себя перекрестился.

На улице он с трудом нашел работающий телефон-автомат и с еще большим трудом дозвонился Глазанову на работу. Трубку взяла какая-то женщина:

— Валерий Петрович сейчас на заседании, а кто его спрашивает?

Сергей старался говорить низким голосом, добавляя в речь заикание:

— Из ГУ-ГУ-ГУВД беспокоят, по поводу со-со-согласования п-плана мероп-п-приятий... А к-когда его можно за-за-за-стать?

По опыту Челищев прекрасно знал, что чем более общо и уверенно прозвучит предлог, тем меньше будет вопросов у секретарши.

— Ну, я не знаю... Они до семи точно проработают, а потом Валерий Петрович сразу собирался домой.

— О-о-тлично, я п-п-по домашнему ему в-в-вечерком пе-пе-перезвоню...

К «дому еврейской бедноты» Сергей подъехал около семи вечера. До этого он покружил по городу и убедился, что «хвоста» за ним нет, а заодно постарался как можно больше забрызгать машину февральской грязью, благо ее, казалось, в городе вообще не убирали. Припарковав машину, Сергей перезвонил из автомата на квартиру Глазанова. На этот раз он разговаривал отрывисто-хамским начальственным голосом:

— Глазанова мне! Что значит «нет»?! Ах, с работы выехал уже? Ладно, я перезвоню...

Сергей вернулся к своей машине и закурил, чувствуя, как его охватывает знакомый предстартовый мандраж. На мгновение ему захотелось бросить эту затею и уехать, но он упрямо сжал губы и заставил себя спокойно ждать... Видимо, депутат заезжал с работы куда-то еще, потому что черная «Волга» привезла его к дому лишь около восьми, когда у Челищева оставалось всего три сигареты в пачке и вспухла от постоянных нервных покусываний нижняя губа.

Сергей быстро вышел из машины и направился к подъезду, чтобы перехватить Глазанова там. Народу вокруг не было. Между тем депутат отпустил «Волгу» и неспешным шагом направился к дому, помахивая кейсом. Увидев выступившего из темноты Челищева, он вздрогнул и съежился, но Сергей улыбнулся, всем своим видом показывая самые добрые намерения:

— Фу, слава Богу! Валерий Петрович, я вас уже целый час жду... Вас просил срочно Виктор Палыч подъехать: возникли кое-какие проблемы с грузом, он просил приехать сразу же. Это ненадолго...

— Позвольте, — Глазанов растерялся и нервно затеребил бородку. — Какие могут быть проблемы, все же согласовано и груз уже в Эстонии...

Сергей кивнул:

— Все так, но с таможни пришел какой-то странный факс. В общем, Виктор Палыч просил всех срочно подъехать, — Челищев взглянул на часы: — Гаспарян, наверное, уже там, так что давайте не будем терять времени...

Уверенная, напористая речь Сергея, свободное оперирование знакомыми именами рассеяли сомнения депутата, если они и были. Вздохнув, он пошел за Челищевым к автомобилю. Сергей еще раз незаметно осмотрелся — никого, только случайные прохожие. И из подъезда никто не выходил и не входил... Депутат сел рядом с Сергеем, заботливо пристегнулся и откинулся в кресле:

— Господи, ну что там еще может быть? И так уже нервов никаких нет...

Сергей развел руками — мол, я человек маленький, делаю только то, что велено, а в большие дела не лезу... Машина неторопливо тронулась. Первые признаки беспокойства Глазанов проявил, когда понял, что автомобиль едет не на Охту:

— Позвольте... Но... Мы разве не на Среднеохтинский едем?

Сергей успокаивающе кивнул, не отрываясь глазами от дороги:

— У Степаныча в ресторане сегодня мероприятие: будет очень шумно, и много людей лишних, а отменять уже поздно было, да и не нужно, — других-то мест полно... Вы на Сенной разве не были?

Депутат затряс бородкой:

— Нет, вы знаете, как-то не приходилось пока...

— Я думаю, вам там понравится, — убежденно сказал Сергей и улыбнулся. Спокойствие давалось ему тяжело — он чувствовал, как по спине стекают капли холодного пота.

На узкой темной лестнице, ведущей к единственной двери, Валерий Петрович откровенно замандражировал:

— Все это странно... Куда мы идем? Молодой человек, что вы затеяли?

У Сергея уже не было сил притворяться. Он достал «ствол», больно ткнул им Глазанова в грудь и тихо, но очень страшно сказал:

— Давай, козел, шевели копытами... Ты арестован!

Депутат впал в транс. Он механически переставлял ноги, с ужасом смотрел на Челищева и постоянно, как заведенный, повторял слово «позвольте». Сергей быстро открыл дверь и запихнул Валерия Петровича в квартиру, потом зашел сам, шумно выдохнул и запер замки.

— На каком, собственно, основании?.. — очнулся Глазанов и повысил голос: — Вы ответите за это, молодой человей! Я — депутат Петросовета, лицо неприкосновенное!

— Ух ты, — ответил Сергей, снимая куртку. — Основания? А ты, урод, считаешь, что оснований никаких нет? Неприкосновенный ты наш... Что же, если ты депутат, так и делать можешь все что угодно?

У Глазанова мелко затряслись губы. Потом он оглянулся, увидел телефон и бросился к нему. Набрать он успел только первую цифру номера — ударом ноги Сергей отшвырнул его от аппарата. Валерий Петрович упал на пол, поправил чудом удержавшиеся на носу очки и тоненько заскулил. Челищев посмотрел на него сверху вниз, потом взял в руки телефонный аппарат и протянул трубку Глазанову:

— Ну что, будешь еще звонить? А?! Не хочешь больше... Ну, ладно, будем считать, что с этим вопросом мы разобрались, — он поставил телефон на место и повесил трубку.

Глазанов прервал скулеж и, ощерившись, бросил:

— Вы плохо кончите, молодой человек...

Сергей огорченно развел руками:

— Ну, какой ты, право слово... То звонить куда-то собирался, теперь пугать меня вздумал...

Он подошел к стоящему на четвереньках депутату и коротко пнул его ногой в живот. Валерий Петрович взвизгнул, икнул и часто-часто задышал.

— Ты смотри, не наблюй мне тут, а то заставлю языком вылизывать, — предупредил его Челищев, доставая из пачки предпоследнюю сигарету. — Ну что, еще пугать меня будешь?

Глазанов затряс головой и разрыдался.

— Ну и отлично, — Сергей затянулся, но вкуса табака не почувствовал. У него уже скулы сводило от выкуренных за этот день сигарет. — Будем считать, что с двумя вопросами мы разобрались: звонить ты уже никуда не хочешь и пугать меня больше не будешь...

— Кто вы и что... вы... от меня хотите? — с трудом выговорил сквозь плач Валерий Петрович.

— Я? Я — следователь. А насчет того, кто чего хочет, — это ты хочешь мне много чего рассказать... А я согласен тебя выслушать... Ты ведь хочешь мне откровенно покаяться? Хочешь?!

Челищев снова шагнул к депутату, но тот, не дожидаясь удара, кивнул головой.

— Ну, вот и молодец.

Сергей взял Глазанова за лацканы, поднял с пола, как мешок с картошкой, и резко усадил на стул, стоявший посреди комнаты. Потом снял с себя ремень и хитрыми петлями намертво прикрутил кисти рук Валерия Петровича к спинке. Этой вязке научил Челищева в свое время следователь СУ ГУВД* Витька Рубинштейн, который до того, как стал следователем, проработал несколько лет в ГЗ** и там приобрел просто уникальный опыт (мог, например, пописать на ходу из задней дверцы «москвича», что однажды и продемонстрировал Сергею).

— Если это допрос... — сказал Глазанов и замер.

— Ну-ну, — поощрил его Сергей. — То что?

_____

* СУ ГУВД — Следственное управление Главного управления внутренних дел.
** ГЗ — группа захвата.

— То у меня должен быть... адвокат.

Сергей долго и внимательно смотрел на депутата, потом вздохнул и спросил:

— Ты что, совсем дурак или притворяешься? Впрочем, тебе со мной повезло — я по совместительству еще и адвокат. Так что можешь через меня подавать жалобы... Ладно, хватит время терять... Я думаю, ты очень хочешь рассказать мне две вещи: когда и как тебя завербовал Антибиотик и какое поручение он тебе давал в августе прошлого года, когда ты заходил в горпрокуратуру...

Глазанов с ужасом, как на опасного сумасшедшего, вытаращился на Челищева и закричал:

— Это какая-то ошибка, я не знаю никакого Антибиотика, вы меня с кем-то путаете!

Челищев приложил палец к губам:

— Тихо-тихо, душевный ты мой, что ж ты так орешь-то, надорвешься... Антибиотика ты не знаешь, а Виктор Палыч тебе знаком?

Валерий Петрович кивнул.

— Ну и славно, а это, кстати, один и тот же человек... Видишь, сколько ты сегодня узнал нового, интересного. Теперь — быстро: что ты делал в прокуратуре двадцать третьего августа? Ну, живо, живо!

Глазанов всхлипнул и затрясся на стуле:

— Я... Я... Я не помню... Я там очень часто бываю... По работе...

Сергей вздохнул и прошелся по комнате, потом кивнул головой и ушел на кухню. Глазанов услышал, как он выдвинул там какой-то ящик и звякнул чем-то. Из кухни Челищев вернулся, держа в одной руке большие ножницы, а в другой — крохотный кипятильничек.

— Значит, не помнишь? — Сергей вздохнул и щелкнул ножницами. — Ты все вспомнишь, это я тебе обещаю... Как юрист юристу. Знаешь, что это? Это ножницы — два кольца, два конца, а посередине — гвоздик. Так вот этими ножницами я отрежу тебе сначала одно яйцо, а если это не освежит твою память, то другое... Ну, а если и это не поможет, в запасе у нас есть электрический вспоминатель, — Челищев с милой улыбкой коммивояжера, расхваливающего свой товар, встряхнул кипятильник: — Знаешь, как действует? Втыкается в жопу и включается в розетку — до полного просветления памяти...

Похоже, что с «электрическим вспоминателем» Сергей немного переборщил, потому что Глазанов икнул и отключился. Челищев выругался и пошел на кухню за водой.

Возвращение Валерия Петровича из забытья было безрадостным: страшный небритый человек, похитивший его, никуда не исчез, не растаял, как кошмарный мираж. Он смотрел не мигая на Глазанова, щелкал ножницами и жутко улыбался...

Депутат действительно вспомнил все. Он говорил и говорил, и никак не мог остановиться — его разобрал «словесный понос», ему казалось, что чем больше он расскажет каких-то подробностей, тем больше появится шансов выпутаться из этой ужасной истории...

Валерий Петрович когда-то был обычным инженером, а потом случайно, «по разнарядке», попал в народные заседатели городского суда. «Кивалой»* он пробыл года два и многому

_____
* Кивала — народный заседатель (жарг.).

полезному нахватался в суде, особенно внимательно прислушиваясь к речам адвокатов на процессах... Когда началась повальная «демократизация» общества, Валерий Петрович решил баллотироваться в Ленсовет, и приобретенные в горсуде навыки очень пригодились ему во время пламенных выступлений перед избирателями...

В демократическом горсовете народ подобрался пестрый, и поэтому не было ничего удивительного в том, что «опытный юрист» Глазанов попал в комиссию, «курировавшую» правоохранительные органы. У Валерия Петровича хватило ума не претендовать на первые роли, и своим положением он был очень доволен — вскоре он стал известной и значительной фигурой с большими возможностями и маленькой ответственностью... Политика оказалась очень интересной игрой, да и чисто материальные моменты радовали сердце... И все бы было совсем хорошо, если бы не одно обстоятельство: Валерий Петрович был тайным гомосексуалистом. Эту слабость, к которой приобщил его в свое время один народный судья, Глазанов тщательно скрывал, имея дела только с хорошо знакомыми партнерами, приличными людьми. Даже его жена и дочь не подозревали о страсти, которая захватывала Валерия Петровича все сильнее и сильнее...

На ней он и погорел: на одной из пресс-конференций к Глазанову подошел молодой красивый журналист из известной городской газеты. Журналист предложил встретиться для того, чтобы сделать большое и интересное интервью о положении в правоохранительной системе. Он так сладко улыбался, будто невзначай показывая розовый язычок, что у Валерия Петровича заныло в паху... В большой квартире, куда пригласил Глазанова журналист, все, естественно, закончилось койкой... Но плотские радости быстро сменились горьким похмельем — в разгар нежных утех неожиданно в комнату зашли два человека, у одного из которых в руках была видеокамера. Тот, что был постарше (позже он представился Виктором Палычем, дядей журналиста), устроил настоящую бурю, стыдил плачущего корреспондента, а с «развратившим» его депутатом обещал разобраться по «всей строгости закона» да еще передать отснятую пленку Шуре Невзорову в «600 секунд». Валерий Петрович чуть не умер от инфаркта, но все устроилось, Виктор Палыч оказался отходчивым и деловым человеком, махнувшим в конце концов рукой на сексуальную ориентацию «племянника».

Так Глазанов начал выполнять сначала мелкие, а потом все более ответственные поручения Антибиотика. Виктор Палыч щедро платил депутату за услуги, и спрятавшееся было за черную тучу солнце засияло для Валерия Петровича снова... В суть просьб своих новых друзей Глазанов старался особо не вникать, он «работал» в основном курьером — передавал просьбы, поручения, зондировал почву, несколько раз перевозил какие-то «посылки»...

В августе 1992 года он действительно приходил в прокуратуру к Ярославу Сергеевичу Никодимову — Виктор Палыч просил отослать в командировку какого-то следователя на пару дней... Ярослав Сергеевич страшно разволновался, начал объяснять, что это просто невозможно, но Валерий Петрович еще раз, слово в слово, передал настойчивое пожелание Антибиотика: «По крайней мере, его гарантированно не должно быть дома в течение суток, он может помешать важным переговорам...»

...Депутат говорил и говорил, угодливо улыбаясь страшному человеку с ножницами в руках, а лицо у того все больше каменело и внушало уже не просто страх, а какой-то парализующий ужас...

— Следователя этого, которого услать надо было, как фамилия? — задавая вопрос, Сергей опустил глаза, чтобы Глазанов не увидел в них того, что испугало бы его еще больше, хотя больше, наверное, и так было некуда...

— Простите, что? Ах, фамилия? Позволь те... Я не помню уже точно, по-моему, как-то на «Ч» начиналась...

— Челищев?

— Что? А, да-да, по-моему, Челищев...

Сергей долго сидел молча, не обращая внимания на трясущегося депутата. Он услышал то, к чему подсознательно был уже готов, но эта страшная информация просто не укладывалась в его сознании: «Антибиотик убирает меня из дома через первого заместителя прокурора города... А тот спешит исполнить его поручение и фактически становится соучастником убийства... На чем же Палыч так зацепил Ярослава — совесть нашей прокуратуры, — что тот спокойно вписывается в мокрые дела? Положим, Никодимов мог и не знать, что готовится убийство, но потом-то, потом он не мог не срастить концы с концами: он же прокурор, а не девочка-второклассница...» Челищев вдруг вспомнил телефонный звонок, разбудивший их с Юлей Ворониной после «ночи любви». Звонил как раз Никодимов. Сергей тогда не придал этому обстоятельству значения, а теперь все вставало на свои места... Как просто и незатейливо его нейтрализовали — подложили смазливую шлюху, и он клюнул, как глупый карась.

«И все-таки... Слишком много людей при таком раскладе знают заказчика — Палыча... Он не мог этого не понимать... Может быть, хотел этим как раз крепче привязать к себе... Крепче, чем мокрым, не привяжешь... Кстати, Прохоренко-то тоже, получается, в курсе. Воронина его человек, да и Никодимов после ухода Глазанова сразу к Николаю Степанычу пошел: они что-то обсуждали и пили, а потом Воронину вызвали — на инструктаж... Странная какая-то история... Неужели все действительно прогнило до такой степени, что прокуроры помогают ворам мокрухи делать?»

Депутат пискнул, напомнив о себе. Челищев поднял на него тяжелый немигающий взгляд, потом вынул диктофон и сказал:

— Сейчас ты все ясно, внятно и связно расскажешь в эту машинку. Не волнуйся, педрило, это как обычное интервью, ты ведь их любишь?.. Только вопросов я задавать не буду, ты их и так, наверное, не забыл...

Глазанов кивнул и еле выговорил дрожащими губами главный, мучивший его вопрос:

— А... А потом? Вы... Вы меня застрелите?

Сергей медленно покачал головой:

— Нет. Не застрелю.

Валерий Петрович удовлетворенно, с пристоном выдохнул и начал устраиваться на стуле поудобнее, готовясь к записи...

Он наговорил на целую сторону микрокассеты, и когда закончил, снова спросил угрюмого интервьюера:

— Вы... Вы меня под суд отдадите?

— Нет, — ответил Челищев. — Не отдам. Помолчи, не чирикай, мне подумать надо...

Он ушел на кухню, чтобы не видеть умоляюще-искательных глаз депутата, достал из пачки последнюю сигарету, затянулся ею так глубоко, как только мог, и присел на табуретку, глядя в темноту за окном. После всего, что депутат Глазанов рассказал, оставлять его в живых было нельзя. Эта мысль и раньше, еще до похищения, приходила Челищеву в голову, но он гнал ее от себя, прятался от нее... Но теперь нужно было что-то решать. Передать его в руки ментовки или комитета? Но в этом случае Сергея самого сразу же расшифруют, а это повлечет за собой немедленную смерть... Даже уголовного дела завести не успеют, если его вообще захотят заводить. Значит...

Он вновь затянулся во все легкие, и огонек сигареты обжег ему губы. Челищев вернулся в комнату, достал стакан и бутылку джина, налил до краев и протянул Валерию Петровичу:

— Пей!

Тот непонимающими глазами уставился на Сергея и залепетал:

— Но зачем? И тут так много... И потом, у меня же привязаны руки.

Руки депутата Челищев освободил и вновь протянул стакан.

— Пей!

Давясь, тот выпил примерно половину, закашлялся до слез и умоляюще проговорил:

— Я... Я не могу так, мне нужно запить...

Сергей принес ему бутылку пепси, и Глазанов допил джин. Подумав и посмотрев на депутата, Челищев налил еще полстакана.

— Пей!

— Но... зачем? Я никогда... не пью столько... Это вредно... — язык у Валерия Петровича уже начал заплетаться.

— Для моего спокойствия — если ты вдруг начнешь кричать на улице — ну, пьяный и пьяный... Стрелять тогда в тебя не придется.

Услышав страшное слово «стрелять», Глазанов быстро схватил стакан и выпил его залпом. Переведя дух, он, запинаясь, спросил:

— А к-к-куда мы п-п-п-поедем?

Челищев уже надевал куртку:

— Так... По городу немного прокатимся... Ляжешь в машине на заднее сиденье и будешь вести себя хорошо. Иначе последним, что ты в этой жизни увидишь, будет пуля...

Глазанов судорожно закивал и начал торопливо натягивать дубленку, от страха не попадая в рукава...

# Часть II
# ПАЛАЧ

Сергей гнал машину по Шоссе Революции. Депутат Глазанов постанывал на заднем сиденье от выпитого алкоголя и страха. Челищев молчал, готовясь к тому, что предстояло сделать. Его начала пробирать дрожь, руль норовил выскользнуть из вспотевших ладоней, но правая нога упрямо давила на педаль газа. С Шоссе Революции Сергей свернул на улицу Тухачевского, проехал еще немного и остановился. Здесь, в небольшом парке, располагался завод, выпускавший бутылки с минеральной водой «Полюстрово»; говорили, что источник этих минеральных вод обнаружил чуть ли не сам Петр I. Рядом с заводом парили три небольших искусственных водоема, обложенные бетонными плитами. Вода в этих озерцах не замерзала никогда, даже зимой, может быть, потому, что в них сливали горячие технические воды, а может, просто зимы стали такими теплыми...

К самому большому из трех прудов Челищев и вез Глазанова.

Парк был пуст, смельчаков гулять в нем после полуночи давно не было. Сергей по сводкам помнил, что даже раньше, в относительно спокойное время, в этом местечке часто находили трупы.

— Выходи! — Сергей распахнул заднюю дверь «вольво» и пнул депутата. Валерий Петрович «задним ходом» выбрался из машины: он был абсолютно пьян, его губы, казалось, хотели расползтись по всему лицу.

— Мы что, уже п-п-приехали? А г-г-где мы?

Сергей, не отвечая, закрыл машину, взял Глазанова за рукав дубленки и повел к пруду. На холодке Валерий Петрович начал быстро трезветь, видимо заподозрив неладное. По крайней мере его речь стала более связной:

— Зачем мы сюда приехали? Прошу вас, не молчите, скажите что-нибудь!

Его пропитанный отчаянием голос растворялся, пропадал в угрюмой тишине ночного парка. Челищев остановился на бетонных плитах, которыми был обложен берег озерца, и повернулся лицом к депутату:

— Слышь, ты, пидор неприкосновенный, а ты знаешь о том, что через два дня после твоего визита в прокуратуру, когда ты просил услать в командировку следователя Челищева, были убиты его родители? Его услать нужно было для того, чтобы никто не помешал убийству!

Глазанов страшно побледнел, это было заметно даже в темноте. Зубы его отчетливо застучали:

— Нет! Я ничего не знал! Я не просил! Я только передал! Я ничего не знал!!!

Внезапная догадка судорогой перекосила его лицо:

— Вы... Вы Челищев?!

Сергей медленно кивнул и вынул из-за пояса пистолет. Валерий Петрович упал на колени и завыл:

— Я ничего не знал, Боже, я ничего... Не убивайте, не убивайте меня, вы же обещали! Что угодно, я прошу вас, что угодно, но не убивайте, я ничего не знал. У меня есть деньги, большие деньги... Я все отдам, я могу быть полезным! Вы будете богатым!

Глазанов попытался было припасть к ногам Челищева, но Сергей сделал шаг назад.

— Снимай дубленку! — Челищеву казалось, что это говорит не он, а какой-то незнакомый человек, а сам он лишь с ужасом наблюдает за происходящим со стороны.

Не переставая выть и не вставая с колен, Глазанов снял дубленку и положил рядом с собой.

— Я обещал не стрелять в тебя и слово свое сдержу: такая мразь, как ты, пули не заслуживает... Ты у нас моржом станешь, а не захочешь — ну что же, придется и мне слово нарушить... Плыви на тот берег! — Сергей стволом показал на озерцо. Вой Глазанова перешел в икоту, а потом он с шумом обделался прямо в штаны. Челищев поднял пистолет.

— Нет, не надо! Я поплыву! — Содрогаясь от рыданий, депутат вошел в черную воду, взвизгнув от холода, обернулся было, но, наткнувшись на немигающий взгляд Сергея, пошатнулся и упал.

Вода накрыла его с головой, но он вынырнул и поплыл, не переставая выть. Самым страшным было то, что по мере его удаления от берега вой не становился тише. За несколько метров до центра пруда Глазанов, видимо, поняв, что не доплывет, повернул обратно, и Сергей, которого колотило так, как будто он сам плыл в ледяном пруду, чуть было не бросился к депутату на помощь. Но в этот момент Валерий Петрович смолк, отчаянно взмахнул сведенными судорогой руками и ушел на дно. Черная вода, на которой лопались и исчезали пузыри, понемногу успокаивалась, вновь превращая ночной пруд в зеркало для выглянувшей из-за туч луны.

Сергей не помнил, сколько он простоял, вглядываясь в воду, не в силах пошевелиться. Наконец он очнулся, походкой пьяного дошел до машины, надев перчатки, достал начатую бутылку джина (в квартире он стер с нее свои отпечатки, а потом дал подержать Глазанову) и вернулся к пруду. Стараясь не смотреть на воду, он положил бутылку рядом с дубленкой депутата и отошел от воды. Челищев еще раз внимательно все осмотрел — никаких следов он не оставил, а даже если и забыл что-то, то начинающаяся поземка быстро все заметет. Он повернулся и пошел к машине, все время убыстряя шаги, — Сергею вдруг стало страшно, казалось, депутат всплывет, длинной рукой схватит его за горло и утащит на темное дно... К машине он почти подбежал, судорожно повернул ключ в замке зажигания и рванул с проклятого места...

У Финляндского вокзала он остановился, купил пачку «Кэмэла» в ночном ларьке и выкурил подряд три сигареты. Челищева бил озноб. Он пытался спрятаться от собственных мыслей, но они настигали его.

«Зачем ты убил его?»

«Он, пусть и неосознанно, участвовал в убийстве родителей. Он — пидор и негодяй, он работал на мафию, он помогал нелюдям, обманывая своих избирателей, то есть народ...»

«Пидор — не преступление, а, скорее, несчастье... К убийству родителей он имел отношение косвенное, его использовали „втемную". На мафию его работать заставили, сломали и запугали... А что касается обманутого народа — если „мочить" всех, кто его обманывал и обманывает, то и народу-то в России не станет. Наш народ обманывает себя сам, ему, наверное, не нужна правда... Ты убил, потому что он мог тебя раскрыть... Ты просто зачистил концы...»

Сергей вновь вспомнил плывущего в ледяной воде депутата и еле успел открыть дверцу машины, чтобы не заблевать салон. Продавщица коммерческого ларька, в котором он купил сигареты, что-то, смеясь, сказала своему охраннику и укоризненно покачала головой. Охранник вышел из ларька, подозрительно оглядел машину, но подойти не решился. Сергей вытер рот тыльной стороной ладони и запустил двигатель...

Некоторое время он бесцельно кружил по городу. Хвоста за ним не было и не могло быть, просто Челищев не хотел признаться себе в том, что боится возвращаться в пустую квартиру, откуда увез к черному пруду депутата. Ему казалось, что стоит лишь лечь спать и закрыть глаза, как явится с того света Глазанов, будет протягивать к горлу скрюченные руки... Решение пришло внезапно, когда Сергей посмотрел на часы.

Воронина! Это дело надо тоже успеть сделать сегодня. Челищев напрягся, вспоминая ее адрес: «Улица... Как я тогда в прокуратуру-то возвращался... Мориса Тореза! Так, теперь дом... Дом рядом с булочной, подъезд крайний... Хорошо, этаж... Вроде, пятый... Дверь обита вишневым дерматином, медные заклепки и латунная табличка с номером квартиры».

Была уже глубокая ночь, когда Сергей подъехал к Юлиному дому. Ее квартиру он нашел сразу, словно гончая, взявшая «верхний» след. Воронина, видимо, уже спала, потому что на звонки в дверь долго никто не отвечал. Наконец послышались шаркающие шаги, и знакомый голос, преодолевая зевоту, недовольно спросил:

— Господи, ну кто там еще?

— Записка вам, Юля, срочная, от Николая Степановича, его в Москву вызывают, — ответил Сергей, изменив голос. Юля открыла дверь, забыв, видимо, спросонок золотое правило: на незнакомый голос, и тем более ночью, лучше дверь вообще не открывать, а если открывать, то только с цепочкой... Челищев оттолкнул ее, скользнул в прихожую и быстро запер дверь.

— Привет! Нежданный гость — лучше татарина. Ты одна?

— Одна, — машинально кивнула Юля, и только после этого ее брови поползли вверх от удивления: — Челищев?! Ты что тут делаешь? Ночь уже, мне на работу рано вставать...

Воронина куталась в тонкий халатик и говорила приглушенным голосом.

— Ничего, — ответил Сергей, — встанешь. На крайний — опоздаешь, тебе не впервой. Я думаю, Прохоренко тебя простит.

Сергей подталкивал Юлю в кухню, не давая сказать даже слова, лишая ее возможности соображать, собраться с мыслями:

— У меня всего один маленький вопрос: кто тебя заставил тогда переспать со мной и какая была мотивировка?

Юля ойкнула, всплеснула руками, распахнув халатик, под которым ничего не было, и инстинктивно дернулась к телефону, но Сергей левой рукой поймал ее за волосы, заставив выгнуться всем телом, а правой поднес к горлу ствол.

— Быстро, сука, отвечай! Мне терять нечего, я и так уже все знаю, будешь врать и дергаться — ебну на месте!

Юля засучила ногами, забилась, но, встретившись взглядом с глазами Челищева, видимо, что-то поняла или, скорее, почувствовала, потому что вдруг обмякла и прохрипела:

— Прохоренко... Это Прохоренко...

Сергей отвел от ее шеи пистолет и толкнул Воронину на табурет.

— Будем считать, что начало у нас хорошее. А теперь давай выкладывай все — спокойно и подробно.

Юля заторможенно кивнула, не сводя завороженного взгляда с ТТ, открыла было рот, но сказать ничего не смогла — у нее началась истерика.

Челищев набрал в чашку воды из-под крана и выплеснул ей в лицо. Воронина ойкнула, всхлипнула еще раз, но постепенно стала приходить в себя.

— Я жду, — Сергей отвернулся, чтобы не смотреть на Юлины груди, вывалившиеся из халатика. Эти груди он гладил и целовал, когда убивали отца и мать...

— На тебя как раз приказ из Москвы пришел подписанный... Прохоренко вызвал меня в кабинет, сказал, что есть задание, которое мне наверняка понравится... Что надо тебя поближе узнать и прощупать, чем ты дышишь... Я удивилась, потому что его не интересовало ничего конкретно... Просто — побыть с тобой, понаблюдать... Сказал, что на работу можно не торопиться, даже лучше задержаться... И никуда тебя от себя не отпускать. А потом уже, когда все узнали, — Юля искоса взглянула на Сергея, — Прохоренко страшно испугался, меня тоже напугал... Сказал, чтоб я все забыла, что произошло трагическое совпадение, к которому никто отношения не имеет... А сам трясся и коньяк хлестал... Сказал, что если я кому-нибудь хоть слово, то меня уже ничто не спасет... Я ничего понять не могла, но очень испугалась...

Челищев закурил и закашлялся — за эти сутки он выкурил столько сигарет, что еще немного, и можно было бы подавать заявку в Книгу рекордов Гиннесса.

— Прохоренко тебя один «инструктировал» или вместе с Никодимовым?

— Один... Они с Ярославом Сергеевичем никогда вдвоем не говорили со мной по делам... Один раз только было — когда на охоту ездили, они сильно напились и сразу вдвоем на меня...

Воронина закрыла лицо руками и заплакала. Сергей выругался.

— А так, значит, они тебя по очереди приходуют?

Юля кивнула, не отрывая рук от лица.

— На чем же тебя прихватили-то?

Воронина взглядом попросила сигарету, по-мужски затянулась, ссутулила плечи:

— Я с англичанином одним познакомилась, фирмачом... Хороший был парень, я даже... — Юлька махнула рукой. — Он немолодой уже был, но, видно, упущенное хотел наверстать... Я с ним совсем голову потеряла, «отрывались» мы по полной... А потом однажды ночью он умер — сердце не выдержало... В номере наркота оставалась, я с перепугу совсем соображение потеряла — опер меня с ходу, дуру, на понт взял... Прохоренко отмазал... Ну, а потом — пошло-поехало...

Сергей достал из кармана диктофон, перевернул кассету:

— Рассказывай. Давай, рассказывай все сюда.

Воронина испуганно замотала головой, но Челищев молча поднял пистолет, и она, опустив голову, начала говорить...

Когда Сергей нажал на «стоп», она, как побитая зверюшка, съежившись, смотрела на него, ее губы непроизвольно дергались.

— Что... Что ты теперь?..

Видимо, в его глазах она прочитала ответ, потому что тяжело повалилась на пол, обхватила руками колени Челищева и закричала отчаянным шепотом:

— Нет! Не надо, не надо, Сереженька, умоляю тебя! Пожалуйста, я все делать для тебя буду, не надо, я не хотела, я не знала ничего!!!

Челищев молча стоял над ней, опустив пистолет, и смотрел в окно. Воронина тыкалась лицом ему в ботинки. Сергей грубо высвободился и сел на табурет. Он не помнил, сколько времени прошло, прежде чем смог выговорить:

— Ладно... Живи пока... Помни только, что твоя смерть теперь у меня храниться будет... Не дай Бог... Будешь делать, что я скажу, а там — посмотрим...

Сначала Сергей не собирался оставлять ее в живых, но страшная смерть депутата, видно, забрала у него все силы... Да и жалко было эту вконец запутавшуюся красивую девку с напрочь перекошенной судьбой... Юля благодарно зарыдала и попыталась доступным ей способом закрепить успех — подползла к Челищеву и начала гладить его ноги, пытаясь подняться выше. Сергей наотмашь ударил ее по лицу тыльной стороной ладони, встал и пошел к выходу.

Юля осталась лежать на холодном кухонном полу.

Всю ночь Челищев катался по городу, а под утро вернулся к переулку Гривцова, зашел в квартиру и сел на кухне не раздеваясь. Его тянуло в сон, но Сергей не мог заставить себя лечь в кровать. Он боялся снов, которые должны были прийти к нему, как только он закроет глаза. Лишь когда за окном начало светать, Челищев уронил голову на руки и тяжело забылся...

Его разбудил звонок радиотелефона. Ощущая усталость и разбитость во всем теле, Сергей прошел в комнату, взял трубку, нажал кнопку приема:

— Слушаю.

— Сережа, Сереженька, ты живой! Как ты себя чувствуешь, хороший мой... Мне Виктор

124

Палыч сказал, что у тебя... проблемы со здоровьем... случились... Что ты молчишь, Сереженька? — Катин голос дрожал и срывался в трубке. — Где ты, я приеду, где ты?!

— Я... — у Сергея закружилась голова, потому что не ел он почти сутки. Чтобы не упасть, он был вынужден резко сесть. — Катя... Приезжать ко мне не надо. Я лучше сам приеду. Подъезжай к нашему скверу — на набережной, помнишь?

— Конечно, помню... Прямо сейчас выеду, скажи...

Сергей перебил ее:

— Катенька, все разговоры потом. Сейчас нет ни сил, ни времени... Проверь, как поедешь, чтобы за тобой никто не увязался...

Челищеву и впрямь было нехорошо. На общую усталость и нервную вымотанность наложилось что-то вроде простуды. Ножевой порез на груди воспалился и болел, голова была тяжелой, словно с похмелья, и каждый шаг отдавался в ней оранжевыми сполохами боли. С трудом подавляя тошноту и головокружение, Сергей доплелся до машины и, поминутно вытирая испарину со лба, поехал к скверу на Университетской набережной. Почти одиннадцать лет назад именно в этом сквере Катя объявила Олегу с Сергеем, что выходит замуж... Неужели одиннадцать лет прошло, ребята?..

Катя уже ждала, нервно расхаживая вдоль толстозадого «мерседеса», в котором сидели Танцор с Доктором. Сергей припарковался рядом и с трудом выбрался из автомобиля. Катя рванулась было к нему, но сдержалась, вспомнив, что они не одни. Она обняла Сергея глазами, и он растаял в идущей от нее волне нежности и тревоги.

— Ну, ты и выдал шуточку, босс! — заорал Доктор, вылезая из машины. — Я же говорил, нужно было тебя до дома, а ты: «Нет, нет, не надо...» Палыч меня за тебя чуть на ноль не умножил... Короче, больше я тебя одного никуда не отпущу...

Доктор присмотрелся к Челищеву, обернулся к Катерине:

— Что-то он, по-моему, не в себе... Эй, ты что, Адвокат?!

Толик с Катей еле успели подхватить Сергея: у него закружилась голова, и, если бы не они, на ногах бы он не устоял.

— Ты что, Сережа? — Челищев почувствовал у себя на лбу холодные Катины руки. — Господи, да у него жар! Саша, что ты сидишь, как прикрученный, помоги скорее!..

Танцор с Доктором осторожно уложили Челищева на заднее сиденье «мерседеса». Толик все время обеспокоенно-укоризненно качал головой. Катя суетилась рядом, и лишь Танцор был абсолютно невозмутим. Расстегнув рубашку на Челищеве, он внимательно осмотрел порез и даже осторожно его пощупал:

— Было бы хорошо это дело врачу показать... Воспалилось, может нагноение начаться...

Сергей начал куда-то уплывать, радуясь, что ему не надо больше напрягаться, что он в руках, которые сами знают, что нужно делать... Он то ли задремал, то ли потерял сознание и очнулся только, когда «мерседес» уже ехал по Тучкову мосту. Сергей попытался сесть на заднем сиденье.

— А «вольво» где оставили?

Катя обернулась к нему, движением руки укладывая обратно:

— Не вставай, сзади твоя машина едет. Толик ведет, не волнуйся. Еле кулак твой разжали, не хотел ключи отдавать... Сейчас приедем, лечить тебя начнем, все будет хорошо, Сережа...

— Куда мы едем? — собственный голос казался Челищеву слабым и писклявым, как у ребенка.

— Ко мне едем, куда же еще... Сейчас покормим тебя, врачей вызовем. Не напрягайся, ни о чем не думай, все теперь будет хорошо...

Челищев не помнил, как переносили его в Катину квартиру Танцор с Доктором. Вновь очнулся он, когда кто-то уверенными руками накладывал ему на грудь какую-то мазь и одновременно говорил спокойным, уверенным баритоном:

— Ничего особенно опасного я пока не вижу, Екатерина Дмитриевна. Конечно, лучше, если бы молодой человек обратился к врачу сразу после получения э-э-э... травмы, имело бы смысл наложить несколько швов. Сейчас этого делать уже не стоит — рана затягивается, не нужно тревожить ее лишний раз... Температура, я полагаю, вызвана простудой и, видимо, перенесенными нервными нагрузками... Препараты, которые я оставил, надлежит давать больному по схеме — листочек оставляю... Конечно, прежде всего покой и сон, хорошее питание, побольше питья, но не этих новомодных лимонадов: в них, кроме химии, ничего нет. Хорошо бы клюквенным морсом его попоить, чайком с малиной...

Голос уплыл, Сергей хотел было что-то сказать, но мягкие прохладные руки стали гладить его по лицу, и пришел сон. Челищеву снился стройотряд. Вот он, Олег и Катя после работы бегут на карьер купаться. Смеются все трое, солнце светит. Сергей с размаху бросается в теплую желтоватую воду и выныривает уже на середине пруда... Только пруд становится другим, вода — холодная и черная, солнца нет, звезды сквозь тучи мигают... А на берегу на бетонных плитах Катя с Олегом стоят, смотрят внимательно — доплывет он или нет. Обернулся Челищев назад — на другом берегу Антибиотик стоит, улыбается, пистолет поднимает.

— Нет! Что же вы, ребята!

В раскрытый криком рот льется вода, но не холодная, а горячая и вкусная...

— Попей, попей, мой родной, Сереженька, горюшко ты мое...

Катя поила его с ложечки теплым клюквенным морсом, придерживая голову одной рукой. Сергей посмотрел в ее покрасневшие глаза и попытался сесть на кровати.

— Катя, почему ты плачешь?

Рука Катерины, держащая ложечку, задрожала так, что чуть было не расплескала морс.

— Сережка... Видел бы ты себя в зеркале. Ты же поседел наполовину. Ну, может, не наполовину, но на треть — это точно. Раньше только челка спереди седоватая была, а теперь — вся голова засеребрилась...

Катя, радуясь тому, что Сергей очнулся, убежала на кухню за бульоном. Челищев и сам очень хотел есть. Он съел все, что принесла Катерина, и не отказался бы от добавки, если бы не сытый сон, мгновенно сморивший его...

Он пролежал так почти двое суток, просыпаясь только для того, чтобы поесть. Катерина была при нем неотлучно, по крайней мере Сергей, каждый раз просыпаясь, видел ее. Позже, когда у него появились силы напрягать память, ему показалось, что временами она ложилась с ним рядом, прижимаясь сильным теплым телом...

Через два дня пришел врач, голос которого показался Сергею знакомым:

— Ну вот, как я и ожидал, наш больной пошел на поправку. Аппетит нормальный?

Сергей кивнул, а Катя махнула рукой и улыбнулась:

— Больше чем нормальный. Иногда я боюсь, что он и меня съест, если не наестся...

Доктор засмеялся, осмотрел заживающий порез, удовлетворенно покивал:

— Затягивается прекрасно, еще пару дней поделаем перевязочки — и все, можно будет гарцевать дальше... Что-нибудь еще вас беспокоит, молодой человек?

Сергей подумал и медленно кивнул:

— Сердце...

Врач покачал головой:

— Пока вы э-э-э... спали, мы сделали вам кардиограмму. Вы бывший спортсмен, и ваш мотор работает прекрасно. Ну, а ран сердечных я, простите, не лечу. — Доктор обернулся к Кате и по очереди подмигнул сначала ей, потом Сергею. Катя покраснела.

Врач оставил набор каких-то новых лекарств и витаминов, порекомендовал еще несколько дней постельного режима и откланялся. Катя проводила его до дверей, где они о чем-то вполголоса переговорили, а потом Катерина зашуршала бумажками...

Вернувшись в комнату, Катя долго смотрела на Сергея, потом улыбнулась и сказала:

— Пойдем-ка в душ, тебя помыть надо. Раненые герои должны быть чистыми...

Сергей начал было отнекиваться от помощи Катерины, но она, не обращая на его протесты внимания, с неожиданной силой приобняв Челищева, повела его в ванную. Сергей хотел вырваться, но не смог, а, наоборот, крепче приник к Катерине и почувствовал, как напряглись от возбуждения ее груди... В ванной она долго поливала его теплой водой, как маленького, и Челищев действительно, закрыв глаза, вспомнил, как купал его когда-то отец. Отец... Сергей хотел было оттолкнуть Катины руки, но она уже осторожно вела язычком по его груди вдоль пореза. Челищев схватил Катерину за плечи, содрал халатик, развернул к себе задом и вошел в нее, наполнив ладони тяжелыми грудями... Катя стонала от невыразимо-мучительного наслаждения, и Сергей со все большей силой втискивал себя в нее.

— Сережа... Сереженька, еще... Любимый мой, солнышко...

— Катенька моя... Катенок...

После того как оба содрогнулись в финальной истоме и часть Челищева навсегда ушла в Катю, Сергей, почувствовав головокружение, чуть не упал прямо в ванной, а Катерина, наоборот, ожившая и приободрившаяся, подхватила его и, шепча разные нежные слова, доволокла до кровати. Сергей блаженно лег на спину и закрыл глаза, чтобы не смотреть на голую Катерину. Но она легла рядом, уткнулась Челищеву в подмышку и стала гладить его по плечам.

Они долго лежали так молча, пока Катя не сказала еле слышно:

— Счастье ты мое... А я уж не знала, что и думать... Думала, разлюбил меня, не угодила чем-то. Раньше-то я от тебя отбиться не могла, а потом, после ночи нашей — пропал, я всюду за тобой бегаю... Ты не разлюбил меня, Сереженька?

— Нет, не разлюбил, — каменными губами выговорил Челищев, не открывая глаз.

— Черт черноглазый! — Катя с досадой ударила по подушке кулаком. — Ох, ведь не хотела я, как чувствовала, что все так обернется... Ненаглядный ты мой, если бы ты знал, как все сложно...

Катя замолчала, молчал и Сергей. Он не торопил ее, чувствуя, что она готовится рассказать ему что-то очень важное.

— Помнишь, в ту нашу ночь ты уехать предлагал, все бросить и спрятаться... Я об этом все чаще думать начала... Только ты обо мне, Сережа, не все знаешь...

Катя встала и, не стесняясь наготы, ушла за сигаретами. Раскурив для Сергея «Кэмэл», а для себя, как всегда, «More», она присела на край кровати, поставив пепельницу на колени.

— Есть одна история, которую, наверное, кроме меня, целиком никто и не знает... У меня есть сын. В прошлом году он пошел в первый класс. О нем знает только бабушка в Приморско-Ахтарске.

Чего-чего, а этого Сергей услышать никак не ожидал. Он приподнялся на локте, недоуменно глядя на Катю, потом спросил:

— Это от первого мужа? Ты Олегу сказать побоялась?

— Да нет, Сереженька... Вадим про Андрюшу сам не знал ничего... Это Олега сын... Так уж получилось.

Челищев потряс головой и непонимающе переспросил:

— Постой, постой... То есть как это... У Олега есть сын от тебя, а он об этом не знает?! «Санта-Барбара» какая-то...

— Не смейся, Сережа... Это совсем невеселая история, — сказала Катя, вынимая из пачки новую сигарету.

Она рассказывала долго, временами замолкая, словно уходя в прошлое, пытаясь лучше разглядеть события тех дней...

— Вот так все и получилось, — закончила Катерина свой рассказ. — Сначала не решилась Олегу рассказать — не до того было, потом не говорила, потому что он бы спросил: почему раньше молчала?.. Да и безопаснее Андрюше подальше от нас. Правда, бабушка Лиза совсем старенькая стала, боюсь, недолго ей жить осталось, надо что-то решать...

Сергей был лишь третьим мужчиной в жизни Кати, и, может быть, поэтому она, жалуясь Челищеву и ища его сочувствия, сама не поняла, что совершила ошибку. Говорить любящему мужчине о ребенке его соперника, да еще появившемся на свет так экзотично, — только будить черную ревность (а эта ревность, кстати, и сама-то по себе никогда не засыпала в душе Сергея). К тому же Катя не знала, что время для своей исповеди она выбрала самое недоброе — Челищев не отошел еще от последних нервных потрясений, а все рассказанное Катериной воспринимал сквозь выстроенную им версию убийства Александра Владимировича и Марины Ильиничны. В этом свете история рождения и жизни Катиного сына лишь подтверждала Сергею ее лживость, коварство и удивительную изворотливость — это какой же надо быть актрисой, чтобы столько лет утаивать от собственного мужа его же сына?! Стоит ли тогда удивляться «искренним» соболезнованиям Катерины по поводу смерти Челищевых-старших?!

Поэтому Сергей молчал, выслушав долгий рассказ Катерины. Она же расценила его молчание по-своему: что тут скажешь, вот и молчит Сережа, чтобы неосторожным словом боли не добавить. Из тактичной нежности молчит. Влюбленные женщины рады обманываться ничуть не менее влюбленных мужчин...

А потом Катя снова начала касаться своими жадно-нежными губами груди Челищева, и он, ненавидя и любя эту женщину с одинаковой силой, снова не смог помешать своим рукам гладить и мять ее податливое тело... Бог ее знает, может быть, экстрасенсорикой Катерина владела, секрет какой знала?..

Только ничего не мог с собой Челищев поделать — разум и совесть протестовали, а тело любило, любило неистово и страстно, заглушая доводы рассудка, который отыгрывался после, когда тела обессиливали, насытившись друг другом... В эти мгновения Сергей люто ненавидел и Катю, и себя, и, пожалуй, себя даже больше, чем ее...

Но вот что интересно — заснув в эту ночь с Катериной в объятиях, он впервые за долгое время спал спокойно и глубоко, без измучивших его кошмарных сновидений...

На следующий день Катя умчалась по делам, когда он еще спал, заботливо оставив на кухне прикрытый полотенцем завтрак. Сергей с удовольствием поел, оделся и начал с любопытством осматривать огромную квартиру, в которой он впервые остался один. Незаметно осмотр перешел в обыск. Челищев не чувствовал стыда или неловкости. Он обыскивал квартиру по наитию, движимый ревностью, болью, обидой и, может быть, неосознанным желанием понять, чтобы простить... Так или иначе, он методично и профессионально шмонал комнату за комнатой, но, дойдя до спальни, ничего интересного, кроме нескольких довольно крупных долларовых и рублевых заначек, не обнаружил. Сергей пересчитал деньги и, положив их обратно, невольно присвистнул: если даже в не очень надежных тайниках квартиры лежат около двухсот тысяч долларов, то сколько же всего у Кати с Олегом? Деньги... Огромные деньги... Челищеву не приходилось раньше реально распоряжаться большими суммами, поэтому об истинной власти денег он мог только догадываться. Но неужели деньги действительно могут необратимо менять человеческую сущность?..

Спальня оказалась более «урожайной». В разных углах Челищев обнаружил два мастерски выполненных тайника под паркетом. В первом он нашел никелированный девятимиллиметровый «кольт» с двумя запасными обоймами к нему и никелированный же крошечный дамский браунинг. Оружие было прекрасно вычищено и смазано, хоть сейчас бери да стреляй. Во втором тайнике хранились документы — советский паспорт с фотографией Олега на имя Кирилла Ивановича Приходько и загранпаспорт Виолетты Максимовны Добрыниной, по странному капризу судьбы абсолютно похожей на Катерину. Кроме паспортов, нашлось удостоверение офицера милиции Зотова Валентина Михайловича — опять же с фотографией Олега, причем в форме, и водительские права Кати, выданные на фамилию Гончаровой.

Сергей аккуратно положил свои находки на место, стараясь, чтобы они выглядели так, будто никто их не трогал, и продолжил осмотр. В шкафу с видеокассетами он рыться не стал, потому что кассет этих было несколько десятков, в основном на них записаны известные американские и русские фильмы. Но в постельном белье он нашел между пододеяльниками кассету, на которой ничего не было написано, кроме трех знаков «О + К». Челищев немного поколебался, но потом все-таки воткнул кассету в видеомагнитофон.

Первые полчаса пленка воспроизводила на экране свадьбу Кати и Олега. В их свите Челищев увидел много уже знакомых ему лиц — конечно, был Антибиотик (он неплохо смотрелся в смокинге). Валерию Ледогорову, похоже, выпала роль свидетеля, и он был серьезен и подтянут. Дурачился, как всегда изображая из себя «ваньку», Слава Поленников... Сергей с обостренным, почти нездоровым любопытством вглядывался в экран, испытывая при этом ощущение, что он, взрослый мужик, подглядывает в замочную скважину. Он хотел было уже остановить кассету, перемотать на начало и положить туда, где взял, но кадр сменился, заставив его замереть с протянутой рукой. На экране появилась спальня, в которой он сейчас находился, точнее, не вся спальня, а взятая крупным планом кровать, та самая, на которой он сегодня спал с Катей.

На кровати лицом друг к другу на коленях стояли Катя и Олег. Олег был абсолютно голым, на Катерине же из одежды была лишь легкая и прозрачная фата невесты. Они целовались взасос, постанывая от наслаждения. Олег крепко мял шикарные груди Катерины, а она, двигаясь в его руках, со все убыстряющимся темпом гладила его большой напрягшийся член. Потом Катя застонала протяжно, наклонилась и начала целовать пенис Олега, умудряясь заглатывать его чуть ли не целиком. Олег зарычал, задвигал задом очень быстро, а потом опрокинул Катю на спину, раскинул ей ноги и так резко вошел в нее, что она вскрикнула: «Олеженька! О-о-о... Еще, еще, сильнее, еще!!!»

Челищев, конечно, много видел всякой порнухи, но, за исключением самого первого раза, она не производила на него особого впечатления. Но то, что происходило на экране сейчас, чуть не довело его самого до оргазма. Он досмотрел кассету до конца и с трудом подавил в себе желание, перемотав, устроить еще один просмотр.

Засунув кассету обратно в пододеяльники, Сергей выкурил подряд две сигареты и забегал по квартире, сотрясаемый ударами осатаневшего сердца.

— Вот оно, значит, как, вот оно как, значит! — приговаривал Челищев себе под носом, сам этого не замечая. Его душило возбуждение, смешанное в чудовищной пропорции с ревностью, обидой и злобой. Сергей, казалось, забыл, что Катя была законной женой Олега и что кассета явно не предназначалась для посторонних глаз. Он вообще первый раз столкнулся с довольно распространенной на Западе практикой, когда супруги, начиная сексуальные игры, устанавливают видеокамеры на автоматический режим, чтобы потом посмотреть, что они такое проделывали. Больше всего Челищева взбесило то явное физическое удовольствие, которое Катерина, оказывается, получала с Олегом... Сергей, как и многие эгоцентричные мужики, считал, что он один может дать женщине то, что она никогда не испытывала... Его самолюбию был нанесен жестокий удар.

В этом состоянии его и застала вернувшаяся Катерина. Сняв шубку и повесив ее на вешалку, она устало опустилась на диванчик в прихожей, вытянув ноги.

— Ну, как поживает раненый? — успела спросить она. Сергей не по-человечески заурчал, разом содрал с нее сапоги, расшвыряв их по прихожей, и потащил Катю в спальню, на ходу задирая юбку.

Катерина сначала не поняла ничего, растерялась, заохала, даже поупиралась было немного, но потом засмеялась низким грудным смехом, быстро перешедшим в так возбуждавшее Челищева постанывание, и позволила его рукам делать с ее телом все, что эти руки хотели. А Сергей, затащив Катю на кровать, неосознанно повторил сцену, увиденную им на видеокассете, только фаты на Катерине не было, а вместо Олега был он... Когда все кончилось, Катя, смеясь, стала собирать разбросанную по всей спальне одежду:

— Похоже, ты и впрямь выздоравливаешь! Пора тебя на работу выпускать, а то ты меня нетрудоспособной сделаешь...

Челищев, пряча глаза, помог Катерине — подобрал раскиданные по прихожей мягкие зимние сапоги. У правого сапога каблук был свернут на сторону, и Сергей с виноватым видом показал его Кате. Она развеселилась еще больше и начала буквально покатываться от хохота:

— Ой, не могу! Оставил бедную девушку без обуви. Придется теперь, ой, мамочка... «по морозцу босиком». — И она повалилась на кровать, держа в одной руке сапог, а другой вытирая выступившие слезы. Челищев угрюмо смотрел на нее, не понимая причины веселья. Вдруг Катя повернула каблук, он щелкнул и встал на место. Вид у Сергея был довольно глупый, и Катерина опять рассмеялась:

— Это особые сапоги, рабочие, с секретом. Мало ли что в нашей жизни случиться может... Смотри, я — раз! — каблучок поворачиваю, потом пластинку сдвигаю, а там тайничок. Можно деньги спрятать, еще кое-какую мелочь. Только открывать часто нельзя, а то пружина разболтается...

Сергей внимательно смотрел на «хитрые» сапожки и о чем-то напряженно думал.

— Ты что невеселый такой, Сережа? — спросила Катя. — Правду, видно, сказал то ли

Платон, то ли Аристотель: «Всякая тварь после совокупления грустна бывает...»

Челищев неопределенно пожал плечами.

— А у меня, между прочим, хорошие новости: пришли деньги за алюминий, и Виктор Палыч звонил, интересовался твоим здоровьем, спрашивал, можешь ли ты завтра к нему в Комарове приехать — у него там дача, он решил передохнуть пару дней. Он хочет, помимо того, чтобы долю твою в торжественной обстановке вручить, еще о каких-то делах переговорить. Говорит, что появились новости по твоей проблеме.

— По какой проблеме? — насторожился Сергей.

— Как по какой? — удивилась Катя — По нападению на тебя... А у тебя что, еще какие-то проблемы появились?

— Да нет, — вымученно улыбнулся Сергей. — Я просто еще не очень быстро включаюсь.

— Ну, кое-что у тебя включается очень даже быстро, — Катя снова засмеялась и взъерошила Сергею волосы.

Они ужинали вдвоем, по-семейному, и не торопились встать из-за стола, попивая легкое мозельское вино. Катя немного захмелела и вдруг начала рассказывать Челищеву те страницы из своей жизни, которые помог ей написать Вадим Гончаров. Она рассказывала об известных людях — актерах, режиссерах, художниках, журналистах, писателях, эстрадных звездах и политиках. Катя была хорошей рассказчицей, и слушать ее было захватывающе интересно, потому что то, что она рассказывала, невозможно было прочитать ни в одной газете, даже самой бульварной. Челищева особенно поразила история одной известной журналистки и телеведущей. Она всегда ему очень нравилась: у нее были интересные, необычные передачи, в глазах пряталось живое лукавство, и вообще внешне она немного напоминала Катерину... Оказывается, эта тележурналистка уже много лет была любовницей старого «лаврушника»* — вора с Кавказа Михо-Немого, «державшего» Сытный рынок. Заметив, какую реакцию вызвала у Сергея эта история, Катя с чисто женским злорадством тут же рассказала, как одна очень нравящаяся Челищеву певица плясала на столе, задрав юбку, под которой ничего не было, перед двумя серьезными дельцами за гонорар в виде соболиной шубки...

— Не может быть! — не поверил Сергей.

— Сама видела! — отрезала Катерина и снисходительно посмотрела на Челищева. — Эх, Сереженька, ты все думаешь, что они — святые? Господь с тобой, приличные личики им с трудом средства массовой информации рисуют, журналисты проплаченные... А настоящих святых мало...

Сергей закурил и вдруг неожиданно сказал:

— А я тоже знаю одного известного журналиста — Андрея Серегина, слышала про такого?

— Это который про бандитов все пишет?.. Слышала, конечно, читала даже... А откуда ты его знаешь? Он появился-то вроде недавно,

---

* Л а в р у ш н и к — как правило, вор кавказского происхождения *(жарг.)*.

никто даже толком не знает, кто он такой и откуда...

Сергей засмеялся:

— Мы с Андрюхой в одной сборной были, в университетской... Ты, мне кажется, слышала давным-давно про него от меня или даже видела — он заходил иногда к нам на юрфак. Только тогда его еще Обнорским звали, он на восточном факультете учился, на арабском отделении. Потом его забрали в какое-то управление Генштаба или еще куда-то. Ну, ты же знаешь этих восточников, в их «колледже» всегда много было разных тайн мадридских, и ребятишки там непростые учились...

Катя внимательно слушала Челищева, будто запоминала или прикидывала что-то в уме:

— Обнорский, значит... Очень интересно. Палыч, кстати, спрашивал как-то раз про него...

Сергей осекся, будто на стену с разбега налетел.

— Катя... При чем здесь Палыч? Андрюху не трогайте, он — хороший парень.

Катерина усмехнулась и пригубила вина из своего бокала:

— Конечно, хороший, кто же спорит... Он много сил приложил, чтобы про Олега с ребятами все как про гангстеров-душегубов думали... А судьи у нас, между прочим, тоже грамотные, газеты читают... И если про кого-то написали, что он просто ужас какой жуткий бандит, то знаешь, как потом тяжело вопросы решить, чтобы его из тюрьмы вытащить? Даже если на нем на самом деле ничего реального нет... И потом, с чего ты решил, что твоему хорошему парню Серегину кто-то будет что-то плохое делать? Ты же сам читал его статьи, видел, сколько он всякой ерунды пишет. Кое-что, конечно, правда, но есть вещи, которые вообще ни в какие ворота не лезут... Может быть, он сам был бы рад, если бы ему что-то объяснили, подсказали...

Челищев покачал головой и очень твердо сказал:

— Нет! Не трогайте его, я помню Андрюхин характер... Он сам должен до всего дойти, а давить на него бесполезно: он в таких случаях просто бешеным становится... Может быть, я сам с ним потом когда-нибудь поговорю, а сейчас — забудь о нем, обещай мне. Катя!

Катерина раздраженно пожала плечами, но все-таки кивнула, правда, неохотно и как-то неубедительно:

— Ну хорошо, хорошо... У нас что — других тем для разговора нет? Полчаса уже про этого твоего Серегина слышу...

У обоих испортилось настроение, как будто каждый открыл в другом незнакомую и не очень приятную черту характера. Катя попыталась исправить вечер чисто женскими способами чуть позже — в спальне, но секс получился каким-то вялым: то ли слаб еще все-таки был Челищев, то ли думал о чем-то невеселом, но распалился он только в самом конце, когда она уже просто физически устала его «зажигать»...

Что-то настораживало Катю в поведении Сергея после его возвращения из запойного загула. По-кошачьи, нутром, она чуяла, что тот Сережа, с которым она легла в постель в первую их ночь, и нынешний — два разных человека, но понять причины этого не могла, ответ не формулировался. Челищев словно блокировал, экранировал все ее попытки проникнуть в его душу. Это бесило Катю — женщину красивую, умную, властную и уверенную в себе. Бесило и заставляло постоянно думать о Сергее... Да она о Вадиме столько не думала никогда, и об Олеге, наконец! По крайней мере ей так казалось. Ах, Пушкин, Пушкин, неоцененный современниками гениальный диагност женской души: «Чем меньше женщину мы любим...»

Чтобы заполнить напряженную тишину, повисшую в спальне, Сергей включил дистанционным пультом телевизор, стоявший напротив кровати. Шли городские новости. Сытый мэр в хорошем пиджаке снисходительно объяснял какому-то угрюмому трудовому коллективу необходимость не сидеть сложа руки, а действовать в новых экономических условиях, дающих простор для инициативы в предпринимательстве и производстве. Мэру вяло хлопали. Оваций и приветственных возгласов не было. Следующим сюжетом были похороны депутата Глазанова. В почетном карауле у его гроба постоял почти весь Петросовет и мэрия. Мэр, уже в другом пиджаке, но тоже хорошем, говорил какие-то слова вдове и дочери. Сергей вздрогнул и впился глазами в фигуру вдовы. К своему облегчению, следов страшного неизбывного горя на лице этой еще не старой женщины он не обнаружил. Когда камера наехала на лицо ребенка, Челищев не выдержал и закрыл глаза.

— Вон, еще один «святой», — недобро усмехнулась Катя, кивнув головой в сторону телевизора. — Знал бы ты, сколько он из нас денег высосал, гомик несчастный, пока вот не утонул по пьянке... А теперь его хоронят, как национального героя... Хорошо еще, что с ним, — Катя снова кивнула на экран, — стопроцентная пьяная бытовуха. А представь, если бы хоть царапину на теле нашли — все газеты бы захлебывались: «Мафия убирает тех, кто пытается с ней бороться...»

Между тем на экране появился седой, мужественный и элегантный начальник ГУВД в генеральском мундире. Он с мудрой усталой обреченностью смотрел на журналистку, пытавшуюся ткнуть огромным микрофоном ему в лицо, и говорил: «Нет, на сегодняшний момент у нас нет оснований предполагать, что смерть депутата Глазанова наступила насильственным путем. Хотя, конечно, для окончательных выводов стоит подождать официального заключения экспертов, а они работают по своим... — генерал запнулся на мгновение, — технологическим срокам. Но предварительно, я подчеркиваю — предварительно, — мы имеем дело с э-э-э... несчастным случаем».

Журналистка мотнула микрофон к себе: «Но вы считаете, что смерть депутата Глазанова — это большая потеря для правоохранительных органов и всех тех, кто борется с преступностью?»

Генерал дернул было подбородком, но потом собрался, спрятал усмешку в морщинках вокруг глаз и скорбно наклонил голову: «Безусловно, но мы, оставшиеся, приложим еще больше усилий для защиты горожан от преступного беспредела...»

— О Господи, Сережа, да переключи ты ради Бога эту ахинею, смотреть тошно!

Сергей непослушным пальцем нажал на кнопку первого канала и осторожно перевел дыхание.

— У-у, слабенький ты у меня еще, — сказала Катерина, вытирая ладонью выступившую у него на лбу испарину. — Как тебя в пот-то бросает... Надо сегодня тебе, Сереженька, выспаться как следует. Завтра рано Доктор заедет. Хоть и приятная это будет поездка, а все равно — к Виктору Палычу лучше приезжать в полном порядке, он слабых и больных не переносит... Решил уже, что с деньгами делать будешь?

Сергей вздохнул:

— Не знаю, я не думал еще... Памятник хороший нужно родителям на могилу заказать, а то я как-то забросил это: то денег не было, то времени...

— Да, да, — Катя виновато опустила глаза, как будто специально спровоцировала Челищева на мрачные воспоминания. — Какая все-таки нелепая, жуткая и дикая история... Из-за какого-то магнитофона... Хочешь, я тебе хорошего скульптора порекомендую?

Челищев посмотрел ей прямо в глаза и медленно покачал головой:

— Не надо. У меня уже есть хороший скульптор...

Не ко времени случился этот разговор, совсем не ко времени... Катя смотрела Сергею в глаза с таким нежным сочувствием, с такой искренней болью, что именно в этот момент он принял окончательное решение...

Ночью Челищеву опять снился кладбищенский котлован, поэтому проснулся он хмурым и вялым. Они торопливо позавтракали, а потом, пока Сергей одевался, Катерина быстро постелила на диване в гостиной, помяла белье руками и оставила открытой дверь в прихожую. Челищев догадался, что это делалось специально для Доктора, чтобы тот увидел, что они якобы спали в разных комнатах. Сергей усмехнулся, а Катя, опустив глаза, сделала вид, что не заметила этой усмешки.

— Слушай, Катюха, а где мой ствол? — вспомнил Сергей о своем ТТ.

— Доктор забрал... Зачем он тебе? Рисковать лишний раз...

Челищев с досадой вздохнул:

— Для меня риск не такой уж большой. Кто меня обыскивать будет, с ксивой-то адвокатской? А вот без оружия ходить, пока не выяснилось, кто меня на тот свет отправить желает, — это действительно стремно...

Катя поколебалась немного, потом ушла в спальню, закрыв за собой дверь, и через пару минут вынесла уже знакомый Сергею «кольт» с двумя обоймами.

— Держи. Оружие абсолютно чистое, подарок из Америки... Хорошо бы, чтоб оно таким же чистым и осталось... Подожди, я сейчас, — она снова скрылась в спальне и вскоре вышла оттуда с замечательной кожаной наплечной кобурой.

Катерина довольно улыбнулась, увидев, как загорелись у Сергея глаза, все-таки мужики как дети, радуются оружию, словно игрушкам...

Они успели выкурить по сигарете, когда раздался звонок в дверь. Приехавший Доктор был шумен и весел, засосы на его шее продолжали цвести, приветствуя наступавшую весну. Он с удовольствием согласился выпить чашечку кофе, предложенную Катериной, а чтобы бодрящему напитку было не скучно в его животе, ухомякал заодно три бутерброда, оставшиеся от завтрака. Толик был в прекрасном настроении, жмурился и потягивался, как настоящий мартовский кот, не замечая улыбок, которыми Сергей с Катериной обменялись за его спиной. Катя, вдруг вспомнив что-то, быстро вышла из кухни и позвала Сергея в гостиную, пока Доктор заглатывал последний бутерброд. В руках у нее была маленькая иконка-образок на скромной серебряной цепочке.

— Это освященный, из Сергиева Посада, я специально туда ездила, — шепотом сказала Катерина, пытаясь повесить образок Челищеву на шею. Сергей скривился было и мотнул головой, но Катя крепко схватила его за руку и строго взглянула прямо в глаза:

— Ну, пожалуйста, ради меня! Тебе что, трудно? А мне спокойнее будет...

Надев образок на покорно подставленную Челищевым шею, Катерина быстро поцеловала его в щеку и убежала на кухню — подлить Доктору кофе.

— Когда вас ждать, мальчики? — спросила она, составляя грязную посуду в раковину.

— Да к вечеру уж всяко управимся, — солидно сказал Толик, вставая из-за стола и деликатно рыгая в сторону. — Куда мы денемся...

Катя вышла проводить их на лестницу, потом посмотрела из окна, как Сергей сел в свою «вольво» на пассажирское сиденье, уступив руль Доктору. Машина неслышно и легко выехала со двора, а Катерина не могла понять, почему в ее сердце вдруг проснулась смутная тревога...

Доктор сразу же сообщил Сергею, что у него с Татьяной все в порядке, что они даже собираются съездить на недельку в Арабские Эмираты, кой-чего закупить и развеяться, поэтому он, Толик, очень рассчитывает на Челищева в плане ходатайства перед Виктором Палычем:

— Палыч на меня страшно злой за тебя был, ну, из-за этой истории, — Доктор кивком показал на левый бок Сергея. — Как, зажило уже?

— Почти, уже ничего практически незаметно.

— Ну вот, а мы же с пацанами, считай, почти трое суток у твоей квартиры паслись, но там «голяк», никого подозрительного не срисовали... Может, ты просто на случайный «гоп-стоп» нарвался?

— Ага, — усмехнулся Сергей, — случайный «гоп-стоп» в подъезде в два часа ночи...

— Да, — подумав, согласился Доктор. — Действительно, поздновато...

Толик вел машину уверенно и плавно, и Челищев начал подремывать в удобном кресле, но на выезде из города предчувствие опасности сняло сон как рукой.

— Не гони так, дороги скользкие, занесет, не дай Бог. — Сергей заметил, что Доктор очень удивился, но скорость все же сбросил.

— Это же «вольво», а не «жигуль», на ней заносов не бывает...

— Ничего, — нахмурился Челищев. — Береженого Бог бережет.

Они миновали ресторан «Горка», когда предчувствие беды стало почти физически давить на Сергея. Он вжался в кресло и, прищурившись, молча смотрел на дорогу.

— Слушай, Адвокат, этот парень, ну, который на тебя с ножом прыгал... У меня мысль одна возникла... — начал было Доктор, плавно входя в поворот, но договорить уже не успел. На них прямо в лоб на большой скорости шел «КамАЗ», вовсе не собирающийся отворачивать.

— Тормози, Толян, вправо уходи! — закричал Челищев, упираясь ногами в пол. Реакция у Доктора была очень хорошей. Он вильнул вправо, увернувшись от грузовика, одновременно вдавив в пол педаль тормоза. Машину выкинуло через кювет в придорожные кусты. «Вольво» не подвела — автомобиль опустился на четыре колеса, как кошка, подумал было — переворачиваться или нет — и, раздумав, остановился.

Доктор посмотрел вперед, потом перевел взгляд на Челищева и ударил кулаком по рулю:

— Блядь какая! Ну, все, ему пиздец... нет, ну это — полная хуйня!!

Толик заворочался в кресле и взялся за ручку двери, собираясь вылезти из машины, но в этот момент из остановившейся чуть впереди на шоссе серой «девятки» ударила автоматная очередь. «Вольво» развернуло так, что она встала к «девятке» левым боком, поэтому все пули Доктор взял в себя, заслонив Челищева. Потом на Толике насчитают семь огнестрельных ран, но Сергей тогда смог увидеть только одну — из огромной выходной дыры чуть выше правого уха Доктора ему в лицо брызнула

красно-серая слизь, и Челищев понял, что Толик кончился еще до того, как упал головой на
руль...

Много раз позже Сергей пытался вспомнить,
как он открывал дверь машины, как выкатывал-
ся из нее за придорожные кусты, как выхваты-
вал пистолет из кобуры — но память ничего
этого не сохранила. От мгновения смерти Доктора до того момента, как Челищев ощутил себя
стоящим на карачках за деревьями с «кольтом»
в руке, был черный провал.

«Девятка» с тонированными стеклами медленно поравнялась с неподвижной машиной.
Сергей прицелился, но вовремя сообразил не
нажимать на курок — с расстояния метров в
двадцать, которые отделяли его от «девятки»,
он мог бы и промазать, выдав себя вспышками
выстрелов, и тогда его просто расстреляли бы
из автомата. Или автоматов? Челищев не знал,
сколько стрелков сидело в «девятке», поэтому затаился, решив стрелять только наверняка,
если нападавшие решат прочесывать лес.

Из «девятки» раздалась короткая очередь по
«вольво» (пули с противным жестяным звоном
уродовали красивую машину) и длинная — по
лесу. Сергей пригнулся и услышал, как недалеко от него пуля со сладострастным чмоканьем
вошла в дерево. «Девятка» постояла еще немного, словно прислушиваясь к наступившей
тишине, а потом резко рванула с места, взвизгнув покрышками.

Было тихо, лишь где-то в лесу галдели
взволнованные громкими звуками птицы. Челищев встал с начинающего подтаивать снега
и подошел к расстрелянной машине. Доктор
сидел неподвижно, уткнувшись головой в руль.

На пол натекло уже много крови, и она продолжала капать, словно веселая весенняя капель.

Челищев неожиданно всхлипнул и вытер глаза рукой, продолжающей сжимать пистолет. Нужно было быстро уходить, потому что уже через полчаса сюда могла нагрянуть милиция.

Сергей вдруг понял, почему сидевшие в «девятке» не стали искать его в лесу: за рулем «вольво» он всегда сидел сам. Доктор же подменил его только в этот раз. Задание у киллеров было определенное — убрать того, кто будет за рулем, то есть его, Челищева...

Он в последний раз посмотрел на мертвого Доктора и выбежал на шоссе. На ходу он зачерпнул ладонью мокрый снег и стер им кровь Толика со своего лица. Он бежал изо всех сил и умолял Господа послать ему машину, которая остановится на голосование одинокого человека на пустой трассе. Ему повезло. Он увидел идущую на Питер старую «копейку» и отчаянно замахал руками. Машина медленно затормозила. Не веря своей удаче, Сергей побежал к ней, спотыкаясь и размахивая руками.

За рулем сидел благообразный старичок, спокойно ждавший Челищева.

— Что случилось, молодой человек?

Старик смотрел на Сергея со спокойствием человека, который уже свое в жизни отбоялся.

— У меня... машина... сломалась... Мне... в Комарове надо, — Челищев, задыхаясь, умоляюще смотрел на хозяина «копейки».

Старик улыбнулся и развел руками:

— Рад бы помочь, но я в Питер еду. Вы лучше попробуйте попутки половить.

Сергей мотнул головой и достал из кармана сотню долларов.

— Мне очень надо... Пожалуйста...

У старика округлились глаза. Он недоверчиво взял купюру в руки и стал ее разглядывать.

— Это что, сто долларов? Я их и не держал-то в руках никогда. Ну ладно, садитесь...

Челищев быстро сел на пассажирское сиденье, «копейка» развернулась и неспешно пошла в сторону Комарове.

Сергей выдохнул и опустил лицо в ладони. К нему пришел страх, которого он до этого не чувствовал. Несмотря на хорошо работавшую в салоне печку, его бил нервный озноб.

Старик ни о чем не спрашивал Сергея всю дорогу, лишь подъезжая к поселку и останавливаясь, сказал:

— Ты бы стер кровь с куртки, сынок. В глаза бросается.

Челищев очнулся от невеселых мыслей, глянул на свое плечо, потом на хозяина машины, опустил глаза и сказал хрипло:

— Спасибо вам. Вы меня... спасли.

Старик усмехнулся:

— Тебе спасибо: у меня старуха с ума сойдет от радости, она таких денег отродясь не видела.

Уже выйдя из машины, Сергей наклонился к водительскому окну:

— Почему вы не испугались меня подвезти?

Хозяин «копейки» хмыкнул:

— Поживи с мое, научишься людей от зверей по глазам различать. Удачи тебе, парень...

Челищев пошел искать дачу Антибиотика. На душе было пусто и холодно, перед глазами стояла неподвижная фигура Доктора в «воль-во». «Кто, кроме Антибиотика, мог знать, что я должен к нему сегодня приехать? Неужели все-таки Палыч? Надо кончать с этим упырем. Застрелю его, а там будь что будет...» У Сергея уже не было сил на осмысление ситуации, на разработку реального плана. Он просто хотел убить Антибиотика.

Дачу Виктора Палыча он нашел без труда — этот трехэтажный дом выделялся даже в «крутом» поселке Комарове, где пролетарии просто не встречались. Вокруг особняка был двухметровый бетонный забор с колючей проволокой наверху. Челищев пошел вдоль забора искать подходящее место, чтобы проникнуть на дачу. Он успел сделать всего шагов пятнадцать, как почувствовал, что ему в спину уперся ствол.

— Чего надо? Чего ходишь тут? — спросил грубый голос.

Сергей сделал попытку повернуться, но ствол стукнул его по затылку.

— Не балуй! Кто такой? Быстро!

— Адвокат я. Виктор Палыч меня должен ждать.

Челищев вздохнул — так глупо дать себя обнаружить... Он должен был догадаться, что периметр забора просматривается видеокамерами. Стоявший сзади подтолкнул Сергея стволом к наглухо закрытым воротам. Челищев почувствовал, что его внимательно разглядывают изнутри.

— Говорит, что к Палычу приехал, — буркнул в железные створки человек, стоявший сзади. За воротами что-то глухо сказали, щелкнул замок, и открылась дверь небольшой калитки. Во дворе дома Сергей сразу попал в руки двухметрового верзилы в безукоризненно отутюженном темном костюме, белоснежной рубашке и модном узком галстуке. Верзила профессионально быстрым движением вытащил у Челищева «кольт», легко провел ладонью по его телу и, поправив пальцем темные очки на носу, сделал рукой приглашающий жест:

— Вас уже ждут.

Отобранный ствол лишил Сергея последнего шанса, но отступать было уже некуда. Сопровождаемый верзилой, Челищев вошел в дом. Длинный коридор вывел его к огромной комнате, даже, пожалуй, залу с высоким потолком, только вместо потолка и крыши были рамы с толстым, но прозрачным стеклом, через которое синело мартовское небо.

Антибиотик сидел в кресле у огромного окна и жмурился на солнце. Красный с золотом шелковый халат был приспущен с его плеч, которые разминала аппетитная блондинка в бирюзовом кимоно. Босые ноги Виктора Палыча покоились в тазу, наполненном какой-то горячей ароматизированной жидкостью.

— Опаздываете, молодой человек, — промурлыкал Антибиотик, не открывая глаз. — Какие сегодня причины?

Сергей вспомнил свою изрешеченную машину в заснеженных кустах, мертвую фигуру Доктора за рулем.

— А вы, Виктор Палыч, конечно, не знаете?

Антибиотик от удивления даже привстал в кресле и открыл глаза:

— Что такое? Что за тон обиженной мадемуазели?

— Я не мадемуазель, — Челищев переступил с ноги на ногу и оглянулся. Кроме него, Виктора Палыча и блондинки-массажистки, в зале никого не было. — Проверки на дорогах закончились очень печально: Доктор — покойник. Сейчас там уже, наверное, парни из «убойного цеха» осмотр производят.

Антибиотик разбрызгал ногами воду в тазу и резко обернулся к Сергею, вырываясь из рук массажистки:

— Какой осмотр?! Что с Доктором?! Ты можешь без истерик говорить?

— Убит Доктор. За рестораном «Горка» нашу машину просто расстреляли в упор.

Виктор Палыч крякнул, выскочил из кресла и пробежался по комнате, оставляя мокрые следы на подогреваемом мраморном полу. Он кивком показал Сергею на диванчик у журнального столика и махнул кистью правой руки, отсылая этим жестом блондинку в кимоно, которая тут же вышла. Челищев, ссутулившись, сел. Антибиотик остановился перед ним, заглянул в глаза:

— Рассказывай спокойно и подробно, не надо интриговать старика...

Сергей пожал плечами и, стараясь, чтобы его голос звучал спокойно и ровно, начал говорить.

Виктор Палыч слушал молча, расхаживая по комнате и потирая виски.

— Я уверен, что тот «акробат» из подъезда и эти ребята из «девятки» — одна веселая компания. Скоро, наверное, выяснится — какая именно. Сейчас менты начнут всю цепочку раскручивать...

Антибиотик выругался и остановился:

— Все выяснится и без твоих ментов! Эх, не успел я! Думал, время еще есть... Видать, Толика они пропасли, царствие ему небесное...

— Кто «они»? — Сергей в упор посмотрел на Антибиотика, но тот не счел нужным отвечать, подскочил к телефону, стоявшему на большом длинном столе, и быстро набрал номер:

— Аллу дай! Кто-то — дед Пихто! Приеду — разорву! Аллу мне, живо!

Виктор Палыч постоял немного молча, нервно барабаня пальцами по столу, перехватил трубку поудобнее:

— Алла?.. Ну, что там у вас? Так... Так... Так... — с каждым новым «так» Антибиотик все больше мрачнел. — Ладно, Черепу обо всем расскажешь!

Он опустил трубку и тут же набрал еще один номер:

— День добрый, извини, я краток буду. Неприятность у нас. А-а, ты слышал уже? Ну, так направь своих, чтоб там все нормально было, а мы тут сами пока разберемся... Твердолобого того попридержи, чтобы... Да, да! Ну, что тебя, учить, что ли... Хорошо... А я шашлычки готовлю, карабинчик опробуем, охота знатная получится... Чем душу-то греть будем — водочкой или конинку припасти? Что?.. Ладно, ладно — будет боржомчик твоему печеночнику. Ну, все.

Виктор Палыч бросил трубку на рычаги, выругался, снова начал растирать виски пальцами:

— Работают уже... Ах ты, блядство-то какое... Ладно, Сережа, ты не психуй — мы сами и следствие, и дознание по полной программе проведем... Ты иди пока, дорога у тебя трудной получилась — отдохни, выпей немножко, расслабься... Телку эту, — Антибиотик мотнул головой на дверь, — за секель можешь подержать, если хочешь...

Сергей встал, недоуменно покрутил головой, открыл было рот, чтобы задать вопрос, но Виктор Палыч не дал ему ничего сказать, подталкивая к дверям и мягко приговаривая:

— Иди, иди, Сережа, дай старику поразмышлять... Сейчас мы определимся, тогда и тебя позовем...

Челищев вышел в коридор и начал оглядываться.

— Вам сюда, — в конце коридора его манила рукой блондинка в бирюзовом кимоно. Там начиналась лестница, ведущая на второй этаж. Слева от лестницы, в небольшом холле, были три двери в гостевые комнаты. Блондинка распахнула крайнюю и впустила туда Сергея. Комната была небольшой, но уютной и хорошо обставленной.

Рядом с широкой тахтой, покрытой пушистым пледом, стоял журнальный столик. В небольшом стенном шкафу-серванте был смонтирован телевизор с видеомагнитофоном. Отдельная дверь вела в крошечную ванную комнату с душем, унитазом, раковиной и даже биде. Пока Сергей осматривался, снова появилась отлучившаяся на несколько минут блондинка, неся поднос с большим кофейником, чашкой и вазочкой печенья. Поставив поднос на столик, она улыбнулась Челищеву:

— Может быть, вы хотите что-нибудь еще?

Полы ее кимоно как бы невзначай разошлись, показывая полные ноги с нехарактерным для начала весны южным загаром.

— Нет, спасибо, — Сергей растянулся на тахте, предварительно повесив куртку на вешалку. Массажистка бесшумно исчезла.

Челищев достал сигарету и с наслаждением затянулся. За прошедшие с момента гибели Доктора часа два у него впервые появилась возможность попытаться спокойно все обдумать и проанализировать. «Похоже, Палыч действительно ни при чем... Но кто же тогда?.. Кто?»

Между тем Антибиотик давал указания верзиле в темном костюме:

— Вася, вызывай сюда срочно весь коллектив — Ледогорова обязательно, Иваныча, Муху, Ильдара, Сазона — короче, всех. Передай, чтобы все бросали и сюда пулями летели.

Двухметровый Вася коротко кивнул и отправился выполнять поручение. Виктор Палыч оскалился, сплюнул прямо на пол, снял рывком телефонную трубку, быстро набрал номер и заблажил:

— Мишанечка? Как сам-то? Не видел тебя давно, пропал ты куда-то? Уважил бы старика, пропарил бы в баньке, лучше тебя ведь никто веничком работать не умеет... По рюмахе бы пропустили, посидели бы, а то все работа да работа, а от работы кони — и те дохнут. А?.. Так прямо сейчас и приезжай в Комарове, ты ж бывал у меня, не заблудишься... Ну и ладушки, жду тебя.

Антибиотик бросил трубку, сплюнул еще раз на пол и улыбнулся.

Примерно через час к даче Виктора Палыча начали съезжаться автомобили, доставляя вызванных «авторитетов». Вокруг дома образовался еще один своеобразный «рубеж обороны» из запаркованных «мерседесов» и «BMW».

Все прибывшие рассаживались в большом зале, недоуменно переглядываясь и пытаясь понять, с чего вдруг старик так спешно назначил общий сбор. Между тем Антибиотик помешивал кочергой поленья в камине и никому ничего не объяснял. Пошептаться он успел лишь с подъехавшим чуть раньше остальных Иванычем — крепким мужиком лет сорока пяти, прикрывавшим лысину кепкой с большим козырьком, постоянно надвинутым на глаза. Кепку эту Иваныч не снял даже в доме, так и сидел в ней, исподтишка наблюдая за остальными.

— Кого ждем-то? — не выдержал Валера Ледогоров, самый молодой из присутствующих. Он отличался курчавившимися «мелким бесом» волосами, перебитым носом и мощной челюстью, о которую легко можно было сломать руку. Ледогоров ерзал в своем кресле и нетерпеливо посматривал на часы. Антибиотик на вопрос никак не прореагировал, продолжая ковыряться в камине. За него ответил Иваныч:

— Сейчас Стреляный подъедет — и начнем... А вот и он. Долго жить будешь, Миша.

Миша-Стреляный явился, как всегда, в светлом костюме и жизнерадостно поприветствовал всех собравшихся:

— Хо! Да тут вся честная компания! Физкульт-привет, бродяги!

Антибиотик (халат он успел сменить на теплые синие брюки и толстую фланелевую рубашку) отвернулся наконец от камина и громким радостным голосом возвестил:

— Ну, вот и Мишаня подъехал! Садись, Мишенька, садись, тебя ждем, начать не можем. Расскажи нам, как работается, как успехи?

Стреляному кресла не досталось, и он вынужден был неуклюже опуститься на низкий пуфик, обтянутый легкомысленным розовым шелком. Его хорошее настроение, похоже, начало быстро портиться.

— А в чем дело-то? — Стреляный завертел головой. — Успехи, они у комбайнеров...

Виктор Палыч прошелся по залу, оглядел всех присутствующих.

— Тут, Миша, тема одна возникла... Непонятки... Может, ты их и прояснишь?

Антибиотик неожиданно быстро подскочил к Стреляному и ударил его разведенными пальцами в глаза:

— Ты что наделал-то, пес смердячий, что наделал, спрашиваю?!

Миша взвыл и свалился с пуфика.

— За что, босс, за что?!

Виктор Палыч вместо ответа ударил его ногой в лицо:

— Я ведь говорил тебе, Мишаня, маза* всегда за мной будет!

Стреляный встал на колени, на его верхней губе выступили мелкие бисеринки пота:

— Босс, легавым буду, не знаю, о чем речь!

Все приглашенные Антибиотиком, похоже, тоже не понимали, что происходит, но сидели молча. Только Иваныч ухмылялся из-под козырька своей кепочки. Виктор Палыч сел в кресло и закинул ногу на ногу:

---

* Маза — в данном случае — власть, первенство *(жарг.)*.

160

— Не крути динаму, Миша, мы тебе не мокрощелки, чтобы ты здесь фраерил. Я ведь тебе фуфел уже чистил, чтоб ты лишний раз не халявил, да видно, не усек ты... За что ты, Миша, Доктора замочил?

Стреляный стал очень бледным, у него задергался правый глаз. Затравленно озираясь, он наталкивался на холодные взгляды бывших корешей.

— Братва, я, бля буду!..

— Ты уже блядью стал, когда честного пацана замочить решился. Не понти, тебя твои же сдали, — вступил в разговор Иваныч.

Миша замотал головой и почти провыл, обращаясь к Антибиотику:

— Босс, прости... Не хотел я, это все из-за цветного так получилось!

Виктор Палыч с брезгливым равнодушием посмотрел на Стреляного, который уже вспотел так, что темные пятна выступили на белом пиджаке.

— Я ведь говорил тебе, Миша, не трогай этого мусорка, он нужен для дела... Дурак ты, Миша... ты что же, думал, что я не узнаю про то, как ты из Альметьевска ребятишек вызванивал? Я тебе шанс давал одуматься, на просветление твое надеялся... А твои альметьевские даже нормально сработать не смогли — только Доктора и завалили...

На Стреляного было жалко смотреть, он вновь обвел всех вытаращенными глазами:

— Братва, я не хотел... Я...

— Хватить мазаться! — перебил его Ледогоров, быстро «въехавший в тему» и теперь державшийся так, будто он все знал с самого начала. — Тебе на такие дела никто прав не выписывал! Через тебя правильного пацана кончили, теперь еще мусора на хвост сядут...

Со своего кресла встал Иваныч, надвинув кепку еще глубже на глаза, подошел к Стреляному, по-прежнему стоявшему на коленях:

— Ты коллектив кинул, проблемы нам принес... Коллектив тебя за это накажет...

Иваныч неожиданно сильно ударил Стреляного ногой в ухо. Миша взвыл и покатился по полу. Брызгая слюной, он закричал:

— Братва, он всех продаст, этот мусорок! Антибиотику он подъерлыкивает, но ебло свое кумовское еще покажет! Вы еще вспомните...

— Ты хипеж* не поднимай, Миша! На Адвоката мышку** рано ставить, поработает еще... А вот тебе мы жало вырвем!

Стреляный рванул рубаху на груди:

— Из-за цветного горло рвете?!

Ледогоров не дал ему договорить:

— Не об Адвокате речь, ты на всех нас положил. Доктора завалил, должен отвечать... А пугания твои — легавый волка не возьмет...

— Хватит базара! — вмешался Антибиотик. — Я думаю, всем все ясно? Что решать будем? Иваныч?..

— Должен отвечать! — Иваныч посмотрел на Муху, передавая эстафету ему. Муха, огромный стотридцатикилограммовый амбал, не проронивший до этого ни слова, жестко усмехнулся:

— Пенки пускает, фуфел, пусть ответит...

---

* Хипеж — шум *(жарг.)*.
** Мышку ставить — в данном случае выражение, аналогичное словосочетанию «ставить крест на ком-то» *(жарг.)*.

Ильдар, молчаливый угрюмый татарин, кивком подтвердил свою солидарность с Мухой. Сазон махнул рукой:

— Борзой стал, работать не хочет... Мочить!

Очередь дошла до Ледогорова. Тот пожал плечами:

— Нельзя себя над коллективом ставить... Выход только один...

Виктор Палыч удовлетворенно кивнул и повернулся к Стреляному:

— Ну, ты понял, Мишаня.

Стреляный поднялся на ноги и ощерился:

— Я зону держал, а вы меня из-за...

Сазон презрительно улыбнулся и тоже встал:

— Мы честный базар ведем, а ты даже стойку держать не можешь!

Миша сник, словно выдохся, вытер мокрое от пота лицо:

— Ладно, братва, вы меня еще вспомните!

Виктор Палыч укоризненно покачал головой:

— Мы, Мишаня, всегда тебя помнить будем, о маме твоей позаботимся, не переживай...

Антибиотик обвел всех присутствующих взглядом и предложил:

— Ну что, давайте сюда комсомольца нашего дернем: его это напрямую коснулось, пусть крещеньице примет...

Никто не возразил. Виктор Палыч подошел к двери и гаркнул в коридор:

— Вася! Давай Адвоката сюда!

Когда двухметровый верзила пришел за Челищевым, Сергей почувствовал, что в доме происходит что-то важное, касающееся его лично. Спустившись в большой зал и увидев собравшихся авторитетов, он все понял — на Стреляном уже лежал отпечаток обреченности его словно не замечали. Атмосфера в зале была накалена до предела. Ледогоров без лишних слов протянул Челищеву выкидной нож.

— На, распиши его, — он кивнул на Стреляного, который озирался и скалился, словно затравленный волк. — Это он Доктора замочил.

Сергей вспомнил, с какой ненавистью при редких встречах смотрел на него Стреляный. Все вставало на свои места. Времени удивляться тому, как оперативно и быстро провел Антибиотик свое «дознание», не было. Сергей посмотрел на нож, который ему протягивал Ледогоров, и качнул головой:

— Нет! Я не мясник, чтоб забивать козла на привязи...

Ледогоров опустил протянутую руку. Сазон удивленно приподнял плечи:

— Тебе, Адвокат, коллектив поручает...

— Виктор Палыч, — обернулся к Антибиотику Челищев. — Мне впадло так, слишком дешево получается... Я за себя и Доктора почестному сквитаться хочу, один на один...

Авторитеты переглянулись. Такого ответа они, видимо, не ожидали.

— Нормальный ход, — одобрительно хмыкнул Ледогоров.

Сазон откинулся в кресле и тоже кивнул:

— Рисковый пацан, молоток!

Только Антибиотик как-то странно скривился, но в конце концов махнул рукой:

— Что ж, Сережа, ты сам выбрал...

Все задвигали креслами, освобождая середину зала, Муха, улыбаясь, зашептал что-то на ухо Ильдару, тот молча кивнул и незаметно показал два пальца: похоже, они заключали пари.

Сергей коротко глянул на Стреляного, крутанул плечами, разминая их, и, выдернув ремень из джинсов, отбросил его в сторону, чтобы не давил, не сбивал дыхание. Затем он резко выдохнул одновременно ртом и носом и поднял голову. Он не чувствовал злобы или страха. К нему пришли спокойствие и холодная уверенность в себе. Стреляный же, наоборот, дергался, потел и непрерывно скалился. Наклонив по-бычьи голову и выставив руки, он заревел:

— Я тебя сейчас пялить буду, мусор гнойный!

Сергей молча ждал в расслабленной позе. Он чуть прикрыл глаза и вспомнил лицо Федосеича. Сергей почувствовал, что он не один, и улыбнулся.

Стреляный с завывом бросился на Челищева. Сергей поймал его движение и как бы присоединился к нему. Миша даже не заметил, как нога Челищева пошла вверх. Подхват буквально подкинул Стреляного в воздух, и он тяжело упал на спину, застонал, но нашел в себе силы быстро перевернуться и на четвереньках броситься к камину, где лежала оставленная Антибиотиком кочерга. Но добраться до нее уже не успел — Челищев прыгнул ему на спину, подхватил правой рукой у горла Стреляного левый лацкан его пиджака и резко потянул к себе, одновременно левой рукой упираясь в толстую шею противника. Стреляный завалился набок, захрипел, задергал ногами, но Сергей словно приклеился к его спине и все крепче сдавливал лацканом пиджака Мишино горло.

Это был классический удушающий прием, который Челищев много лет назад часто применял на соревнованиях, только там следовало остановиться по знаку судьи или хлопку сдающегося противника, а здесь Сергей давил и давил, не разжимая рук, еще долго после того, как Миша перестал биться и вырываться.

Наконец Сергей встал, стараясь не смотреть на страшное лицо Стреляного. Все молчали. Челищев подобрал свой ремень и начал вставлять его в петли джинсов.

— Грамотно! — улыбнулся Сергею Ледогоров. Муха досадливо сморщился, а Ильдар, усмехнувшись, потер большой палец об указательный. Муха кивнул. Похоже, он проиграл спор.

— Ладно, — встал Иваныч. — Спектакль окончен, опускаем занавес. Этот дятел по ушам хотел проехать, за это и наказан. Но ты. Серый, если в коллектив вошел — тоже дурью не страдай.

— Не надо его фалавать*, — заступился за Челищева Антибиотик. — Он сам все понимает: вошел в коллектив — работай, гулять начнешь — ответишь... Прибрать бы здесь надо, да и делами дальше заниматься...

В соседней комнате убитого наспех помянули (Сергей отметил, что Иваныч и Ильдар рюмки подняли, но водку пить не стали, выплеснули в цветочные горшки), и все заторопились разъезжаться. С Сергеем прощались подчеркнуто тепло и уважительно. Когда все приглашенные уехали, Антибиотик повернулся к Челищеву и усмехнулся:

_____
* Фалавать — учить, дергать, агитировать *(жарг.).*

— Все это, конечно, очень бла-ародно выглядело, но глупо. Миша все равно был уже не жилец, незачем было гладиаторские бои устраивать, вдруг бы он тебя зацепил... Ну, да ладно, хорошо, что так кончилось...

Виктор Палыч пригласил Сергея к себе в кабинет и подал довольно большую картонную коробку:

— Держи, это твоя доля, ты ее заработал честно...

В коробке лежали пачки стодолларовых купюр, но радоваться деньгам Сергей не мог — не было сил. Он равнодушно держал в руках целое состояние и переминался с ноги на ногу.

Антибиотик вздохнул:

— Понимаю, что ты устал, досталось, но — молодец, держишься... Надо уж до конца дело доделать: ближе к вечеру свезешь Мишаню к Вальтеру — не сам, я пацанов дам, ты в другой машине следом поедешь, посмотришь, чтобы все в порядке было... Ну и отдохни пару деньков, а мы пока Доктором займемся, надо же похороны нормальные организовать, проблемы всякие решить...

Сергей кивнул и ушел к себе в комнату. Больше всего ему сейчас хотелось в душ, а после этого — выпить водки и забыться.

Хозяин Смоленского кладбища Николай Трофимович Богомолов, в более узком кругу известный как Вальтер, встретил Сергея радушно, как старого знакомого:

— Кого на этот раз привезли? — весело спросил он, делая знак двум «быкам», тащившим тюк со Стреляным, опустить его на землю. Вальтер открыл лицо покойника и присвистнул:

— Ух ты, Мишаня! — Он присмотрелся и, крякнув, снял золотую цепь с шеи Стреляного. — Молодые еще, все наспех, все абы как, добро пропало бы...

Вальтер деловито засунул золотую цепь в карман, справедливо считая ее своей добычей.

Челищев отвернулся, чтобы Вальтер не видел выражения его лица.

— А ты езжай, Адвокат, мы уж тут сами разберемся... — Похоже, Николай Трофимович счел, что со Стреляного можно снять еще много чего хорошего, и хотел заняться этим спокойно и без лишних глаз.

Челищев кивнул и не прощаясь пошел прочь...

К Катерине он приехал уже поздней ночью. Сергей не раздеваясь прошел на кухню, сел, закурил сигарету и коротко пересказал онемевшей Кате события прошедшего дня. Потом Челищев встал и, не глядя Катерине в глаза, глухо попросил:

— Ты меня не спрашивай больше ни о чем и ничего не говори. Я поеду сейчас, мне нужно одному немного побыть...

Заметив тревогу в глазах Кати, Сергей усмехнулся:

— Не бойся, не пропаду, как в тот раз. Послезавтра позвоню. Доктора нужно по-человечески похоронить... Слушай, Катя, а какая у него фамилия была? Мне же, наверное, в милиции объясняться придется — его ведь в моей машине нашли...

Катя закрыла глаза и смахнула рукой скатившуюся по щеке слезу:

— Решетов была его фамилия... Анатолий Георгиевич Решетов...

Челищев поймал такси на Кировском проспекте и неожиданно для себя попросил отвезти его к Александро-Невской лавре. Сергей хотел зайти в храм, но было уже слишком поздно и тяжелые двери оказались закрытыми. Челищев с досады стукнул по ним кулаком и пошел обратно через темный парк...

К себе домой он вернулся как после долгого многомесячного путешествия, а ведь с тех пор, как он последний раз здесь был, прошло меньше недели... Есть дома было нечего, но Сергею все равно бы кусок в горло не полез. Он позвонил Саше Выдрину, договорился о встрече на следующее утро, потом порылся в аптечке, оставшейся от матери, обожавшей всякие лекарства. Найдя упаковку элениума, он выпил сразу две таблетки, запил их целой бутылкой воды и заснул на диване не раздеваясь...

Приехавший на следующее утро к Челищеву Сашок опешил, увидев волосы Сергея. Челищев только махнул рукой:

— Не обращай внимания, у меня просто пигментация нарушена.

Выдрин кивнул, но по выражению его лица было видно, что он не очень поверил этому объяснению. Сергей отсчитал Сашку восемь тысяч долларов и, улыбаясь, спросил:

— У тебя права есть? Ну и отлично. Езжай в магазин на Энергетиков, возьми новую «девятку», оформи ее на себя, номера получи и все такое... Только бери с длинным крылом, лучше смотрится... Можешь заодно навороты на нее всякие поставить и стекла затонировать... Короче, через пару дней «лошадка» должна быть полностью готова к работе, ее у нас много будет...

Сашок буквально ошалел от радости, схватил доллары и убежал, забыв от волнения шапку. Сергей тоже через полчаса вышел из дому, позавтракал в кафе на Невском и отправился на Миллионную, бывшую улицу Халтурина. Там располагался офис фирмы «Позитком». Эта фирма не занималась торговлей продуктами и не выдавала кредиты. «Позитком» был организован журналистами-телевизионщиками, которые еще в 1991 году смекнули, что хорошо снятые кадры эксклюзивных российских новостей можно по хорошим ценам продавать западным телекомпаниям.

Никакой Америки они, кстати, не открыли — еще в конце восьмидесятых пленки со своими передачами (тогда еще принадлежащие государству, потому что были отсняты на государственной технике в рабочее время) начала гнать во Францию очень известная и очень «демократичная» журналистка Стелла Крючкова. Так что ребята из «Позиткома» были во многом честнее своих коллег с государственного телевидения, которые втюхивали западным телекомпаниям материалы, попросту украденные из своих редакций, если уж называть вещи своими именами.

Челищев неплохо знал продюсера «Позиткома», «русского корейца» Игоря Цоя — они познакомились, когда ребята готовили для «Би-би-си» репортаж об антикварном бизнесе в новой России и приехали в прокуратуру, чтобы выяснить, часто ли убивают в Питере известных коллекционеров... Беседовать с журналистами тогда поручили Андрюхе Румянцеву, который вел когда-то дело об убийстве антикварщика Варфоломеева, но Андрюха, как всегда, спешил куда-то и упросил Сергея побеседовать с телевизионщиками вместо него. Челищев с Цоем сразу нашли общий язык, и потом они встречались еще не раз, иногда по инициативе Игоря, а иногда и Сергея — прокуратуре ведь тоже иногда бывает нужно деликатно «слить» в журналистские круги кое-какую информацию... Летом девяносто второго Цой как-то похвастался Челищеву, что теперь у них в «Позиткоме» есть даже своя скрытая камера, объектив которой свободно умещается на галстучном зажиме. Именно эта камера и интересовала сейчас Сергея.

Цой встретил Чалищева радушно, хотя они не виделись и не созванивались больше полугода. Помня, что Игорь — хоть и русский, но по генам все же кореец, Челищев не сразу перешел к цели своего визита, а попил сначала чайку и потрепался на общие темы, расспросив, как дела, какие планы...

— Дела у нас так себе, если честно, — ответил Цой, прихлебывая чай. — Эти засранцы с пятого канала нам всю малину портят. Мы ведь, в принципе, по одним дорожкам бегаем: где что случилось — там и встречаемся, как говорится... Ну, а они сначала у себя отснятые кадры покажут, а потом по демпинговым ценам их же — на Запад... Причем ладно, просто продавали бы, а то ведь цены сбивают... Только и вылезаем пока за счет того, что у нас техника лучше... Нужен какой-то большой проект, тогда бы мы штаны подтянули... Намечается тут у нас кое-что со шведами... Об организованной преступности фильм. Кстати, с нами предварительно Андрей Серегин поработать согласился, знаешь его?

— Слышал, — уклончиво ответил Сергей.

— Мы в этом проекте, если он, конечно, пойдет, и на твою помощь рассчитываем: естественно, не за бесплатно, фирмачи бюджет большой закладывают...

Челищев вежливо улыбнулся и покачал головой:

— Я, Игорюша, больше в прокуратуре не работаю. Я теперь частным сыском занимаюсь, зарплата больше и начальства меньше...

Цой от удивления поперхнулся чаем:

— Ну?! А я-то думаю, куда ты пропал... Ну и правильно, не фига на государство горбатиться, оно никогда не оценит... Слушай, так честный сыск — это тоже то, что нужно. Мы бы и этот аспект в фильме затронули, заодно твоей конторе рекламу на Западе бы сделали...

Челищеву с трудом удалось направить разговор в нужное ему русло.

— Я, собственно, что зашел-то... У тебя, помнится, скрытая камера была, а у меня сейчас как раз один заказ выгодный появился — клиентка мужа в изменах подозревает. Она — актриса, на гастроли, на съемки уедет, а ее благоверный якобы времени даром не теряет. Она бы давно с ним развелась, но он прописан в ее квартире и выписываться не собирается, поэтому ей и нужны зримые, так сказать, доказательства гнусности его натуры...

Игорь хитро прищурился и спросил:

— Это ты, хватая неверных мужей за жопы, столько седины заработал?

— Именно! — рассмеялся Челищев. — Знаешь, каково — наблюдать и облизываться?

Цой встал и открыл большой металлический шкаф, в котором хранилась аппаратура:

— Насчет скрытой камеры — никаких проблем! Она у нас, если честно, лежит без дела, раза три ее всего использовали, и то — для понта.

Игорь подробно объяснил Сергею, как пользоваться аппаратурой, потом они провели пробную запись, и Челищев засобирался домой.

— Игорь, сколько я тебе должен за аренду техники?

Цой замахал руками:

— Мы же свои люди, должны выручать друг друга, какие там деньги... Ты, Серега, лучше вот что мне скажи: сейчас на все фирмы наезжают, «крыши» предлагают... Если что, на твою контору можно рассчитывать? Мы, если надо, можем вам за это рекламу на телевидении пропихнуть — по бартеру...

— Вопросов нет, — Челищев усмехнулся. — Будут беспокоить, сразу звони мне. А реклама нам, пожалуй, пока не нужна...

Дома Сергей обнаружил в почтовом ящике повестку, в которой ему предлагалось явиться в областную прокуратуру;

«Быстро работают, однако», — хмыкнул про себя Челищев и хотел было сначала просто выбросить бумажку со штампом, потому что не расписывался в ее получении, но потом решил все-таки навестить бывших коллег — все равно не отвяжутся...

Разговор со следователем-областником у него много времени не отнял — оба были профессионалами, прекрасно разбирающимися в юридических тонкостях и формальностях. Челищев «по существу заданных ему вопросов» пояснил, что четыре дня назад отдал ключи от своего автомобиля гражданину Решетову Анатолию Георгиевичу, потому что тот разбирался в иномарках, а в машине барахлило зажигание... Сам Челищев в эти дни болел, отлеживался на квартире у своей любовницы, в Пушкине (девушка была предупреждена и все показания Сергея в случае необходимости подтвердила бы), поэтому не знает, каким образом «вольво» оказалась на шоссе у ресторана «Горка» с трупом Решетова в салоне...

— Сергей Александрович, а вы хорошо знали Решетова, его род занятий, знакомых? — Следователь явно не верил Сергею, но записывал все аккуратно.

— Нет, — пожал плечами Челищев. — Шапочное знакомство, коллега.

— Что же вы, ключи даете людям малознакомым?

Челищев вздохнул и развел руками:

— Вот жизнь меня за это и наказала... Автомобиль-то, как я понимаю, теперь для эксплуатации непригоден?

Следователь вздохнул, задал еще несколько вопросов, потом оформил протокол, дал Челищеву его прочитать и расписаться, а затем пожелал всего доброго.

Во дворе областной прокуратуры Челищева окликнул знакомый голос. Сергей обернулся и увидел подходившего к нему Степу Маркова в неизменных джинсах и потертой холодной кожаной куртке.

— Здорово, Челищев.

— Здравствуй, Степа, коли не шутишь... — Оба закурили и долго смотрели друг на друга — молча, испытующе.

Наконец Марков спросил:

— Вторым человеком в машине был ты? Там следы остались...

Челищев покачал головой:

— Мне все вопросы уже следователь задавал, ответы можешь в протоколе прочитать, если он тебе его даст.

Степа сморщился:

— Да я не для протокола... Зря ты, Серега, не хочешь со мной по-человечески поговорить... Однажды вот так и тебя найдем где-нибудь... Если на зону раньше не уйдешь.

Челищев разозлился:

— Не пугай, Степа, не надо... А про человеческие разговоры... — Ты забыл, наверное, как сам говорить со мной отказался... А теперь — у меня времени нет. Да и место ты выбрал неудачное. Шутник ты, Степа, кто же человеческие разговоры в прокуратуре ведет...

Марков неопределенно пожал плечами:

— Место найти нетрудно, было бы желание...

Сергей хотел было сказать что-то резкое, но передумал. Он посмотрел Маркову прямо в глаза и произнес только одно слово:

— Посмотрим...

И Челищев быстро зашагал прочь. А Степа смотрел ему вслед, курил свою болгарскую сигарету и шепотом матерился...

Из телефона-автомата Сергей позвонил Ворониной на работу и предложил вечером встретиться. Предложением это, впрочем, можно было назвать лишь формально: оба понимали, что на самом деле это приказ.

Юля пришла на встречу вовремя. Выглядела она плохо — вся как-то съёжилась, глаз не поднимала, шла словно побитая собачонка, какой-то семенящей походкой, на которую мужчины не оборачивались. Челищеву было её не жаль: во-первых, Юля сама распорядилась своей судьбой, а во-вторых... Во-вторых — что-то случилось с самим Сергеем. Чувство жалости и сострадания словно умерло в его душе. Или по крайней мере глубоко уснуло.

— Как часто Никодимов трахает тебя в своём кабинете? — начал Челищев без увертюр.

Юля съёжилась ещё больше, оглянулась и тихо ответила:

— Раз в неделю, иногда — два... Он говорит, что так стресс снимает...

Сергей кивнул и задал новый вопрос:

— Последний раз давно было?

— Дней восемь назад, потом у меня «женские дела» начались...

Челищев снова кивнул:

— Обычно это когда происходит — после работы?

— Иногда после работы, но чаще — в обеденный перерыв. Он мне заранее звонит, говорит: «Зайдите, Юля, у меня тут бумаженции поднакопились кое-какие...»

Сергей помолчал, потом взял Воронину за подбородок, заставил взглянуть себе в глаза:

— Когда он в следующий раз тебя дернет, ты должна будешь оставить у себя на столе какой-нибудь условный знак.

— Зачем? — Юля испуганно глядела на Сергея.

176

— Это, милая, уж не твоя забота — зачем. Ты делай, что сказано, а об остальном пусть твоя голова не болит.

У Ворониной затряслись губы, но она взяла себя в руки:

— А какой условный знак?

— Ну, не знаю, пачку «Мальборо» оставишь на столе, что ли, — раздраженно бросил Сергей.

— Ой, «Мальборо» нельзя — утащат сразу же... — впервые робко улыбнулась Юля.

Челищев тоже хмыкнул, его лицо немного разгладилось и подобрело:

— Ну, я не знаю — расческу на стол положишь... Расческа у тебя есть?

— Да, вот, розовенькая, — Воронина порылась в сумке и показала Сергею небольшую щетку для волос.

— Вот ее и оставишь... Смотри, не забудь.

Юля кивнула.

Челищев хотел было повернуться и уйти, но поникшие плечи Ворониной, которую он помнил сексапильной и знающей себе цену женщиной, заставили его выдавить из себя пару дежурных «вежливых» вопросов:

— Как ты сама-то? Как жизнь?

— Это — не жизнь, — сказала Воронина и заплакала тихо, без всхлипов. Сергей помолчал, хотел сказать что-то, но, передумав, ушел, не оглядываясь.

Скрытую камеру Челищев отвез к бабе Дусе. Евдокия Андреевна согласилась помочь Сергею сразу, не задавая никаких вопросов. Только после того, как Челищев научил старую уборщицу пользоваться аппаратурой, она сказала ему:

— Смотри, Сережа... Не слишком ли ты крутую кашу завариваешь? Мне-то что, я старая уже, свое пожила...

— Кашу заварил не я, — коротко ответил Сергей, и больше они к этой теме не возвращались...

Челищев и сам еще до конца не знал, для чего ему может понадобиться видеокассета с заснятыми забавами заместителя прокурора города, но то, что она понадобится, он знал точно. В его голове только начинала складываться некая комбинация. Ночью Сергей долго не мог уснуть, ворочался, наконец не выдержал, сел на кухне с авторучкой и листком бумаги и начал рисовать пока пустые квадратики какого-то только ему понятного плана.

Толю-Доктора отпевали в Спасо-Преображенском соборе. Колонна примерно из тридцати пяти иномарок скорбно проследовала от «Пятнашки» (больницы № 15, где в морге лежало тело Доктора) через весь Литейный. Гаишники движению не препятствовали, а один даже отдал честь похоронному кортежу. На отпевание съехались представители всех наиболее крупных городских группировок, за исключением, естественно, «черных». Во дворе собора было тесно от братков, которые негромко переговаривались между собой, ожидая начала службы.

Сергея подвез к церкви Сашок — уже на новой, абсолютно бандитского вида затонированной «девятке» цвета «мокрый асфальт». Сашка на отпевание Челищев не взял, решив, что тому не стоит пока светиться среди братвы. Во дворе к Сергею подошел Танцор и уже не отходил никуда, выполняя функции то ли почетной охраны, то ли наблюдателя... Ждали Антибиотика. Пока его не было — курили, здоровались между собой, обменивались последними новостями. Челищева многие узнавали, подходили пожать руку, сочувственно хлопали по плечу.

Из обрывков услышанных Сергеем разговоров вырисовывались две версии гибели Толика, циркулировавшие среди городской братвы. По первой — его завалили кавказцы, якобы за то, что Доктор участвовал в свое время в знаменитом погроме на Кировском рынке, закончившемся жертвами со стороны «черных». Милиция задержала тогда около сорока человек, но вынуждена была отпустить всех, даже тех, кто был взят с дубинами в руках — торговцы упорно никого не опознавали, а братки уверенно отвечали, что дубины похватали прямо на рынке, исключительно для самозащиты, увидев заварушку... Вторая версия была еще романтичнее — по ней Толика грохнули менты, которые не могли справиться с его растущим влиянием и авторитетом. Сергей ни одну из версий не опровергал и не подтверждал, впрочем, на него не особенно и наседали.

Наконец подъехал Антибиотик. В сопровождении трех телохранителей он подошел к родным Доктора — матери и, видимо, еще каким-то родственникам, резко контрастировавшим своей небогатой одеждой с большинством присутствовавших. Все потянулись в собор, ступени которого были облеплены нищими. Нищих было в три раза больше, чем обычно, они по-деловому собирали дань, а у некоторых братки меняли крупные купюры на мелочь, чтобы потом бросить ее в могилу. На отпевании Сергей со свечой в руке стоял рядом с Антибиотиком, остальная братва разбилась на кучки, по принадлежности к группировкам. У лежащего в гробу Доктора было незнакомое, сильно загримированное лицо. Дыры в голове были практически незаметны, если специально не присматриваться, конечно.

— В том месяце мусорка кокнули, теперь вот нашего хороним, — услышал Сергей позади себя чей-то шепот.

— Перед Богом все равны...

Горячий воск капал Челищеву на руки, но боли он не чувствовал. У него в душе было пусто и холодно.

Перед отъездом на Южное кладбище все снова столпились во дворе собора на перекур. Некто Паутиныч — из «пермских» — серьезно рассказывал, что в Москве менты учредили секретную организацию под названием «Белые стрелы»:

— Пацаны говорили, что эти «стрелы» самых крутых мочат, а расследование потом не проводят...

Потом все деловито зашуршали купюрами — кто-то сказал, что с каждой бригады решено собрать по тысяче долларов, а деньги надо отдать дяде Доктора...

С зажженными фарами колонна проследовала на Южное кладбище. У ворот Сергей профессиональным взглядом «срисовал» две машины, из которых явно осуществлялась съемка похорон. Челищев поглубже надвинул на глаза капюшон и усмехнулся. Над могилой Антибиотик сказал речь:

— Сегодня мы хороним нашего товарища. Он всегда стремился быть первым — и в спорте, и на войне, и в жизни. Он никогда не был «нулевкой», никогда не жаловался, и всегда на него можно было положиться. Спасибо матери, воспитавшей такого сына: мы никогда его не забудем и сделаем все, чтобы его семья ни в чем не нуждалась. Спи спокойно, Анатолий. Ты будешь отомщен сполна. Земля тебе пухом. Мы будем помнить тебя...

Рядом с матерью Доктора Сергей вдруг заметил заплаканную женщину в черном и с трудом узнал в ней Татьяну — пышную директрису «ночника» на Шаумяна...

Бросив горсть земли и несколько монет в могилу Толика, Челищев отпустил Танцора и незаметно ушел с кладбища...

Вечером Сергей позвонил из автомата бабе Дусе и спросил:

— Евдокия Андреевна, это из собеса беспокоят. Вы пенсию уже получили?

— Да, спасибо, все на этот раз вовремя...

Вряд ли телефон старой уборщицы прослушивался, но на мерах предосторожности настояла она сама. Утвердительный ответ на вопрос Челищева означал, что торжественное совокупление Никодимова с Ворониной прошло успешно, и Сергей может забрать аппаратуру... Челищев тут же перезвонил Цою и предупредил, что скоро завезет камеру.

Игорь посадил его в отдельном кабинетике осмотреть отснятые кадры на мониторе. Ярослав Сергеевич Никодимов получился отлично, он мог бы с успехом сниматься в дешевой западногерманской порнухе. Развалившись в кресле, отодвинутом от рабочего стола, зампрокурора города наслаждался минетом, даже не потрудившись спустить теплые зимние кальсоны.

Воронина работала языком молча, а Никодимов, не стесняясь, «выдавливал из себя стресс»:

— О-о!.. У-а!.. Еще давай!.. А-а!.. Мальвиночка моя, сильнее язычком понизу — вот так, у-у-а!..

Юля как чувствовала, что их забавы фиксируются, — она ни разу не оглянулась на объектив камеры.

— Ну как, порнушка записалась? — заглянул к Сергею в кабинет Цой.

— То, что надо, — улыбнулся Челищев, торопливо выключая монитор. — Мне бы еще теперь эту запись в двух копиях на обычные кассеты перегнать.

— Нет проблем, дело минутное...

Через час у Сергея были на руках две хорошие копии на обычных кассетах. Оригинал пленки Цой при Челищеве затер, слегка обидевшись на то, что Сергей не дал посмотреть ему «эксклюзивные кадры супружеской измены».

— Не могу, — развел руками Челищев. — Этика работы с клиентами...

Прямо из «Позиткома» Сергей позвонил Сашку, предупредив его, что предстоит срочная, но очень короткая командировка в Москву. Они встретились на Московском вокзале, когда до отхода «Красной стрелы» оставалось полчаса. Челищев дал Выдрину билет на поезд и запечатанный конверт с кассетой. На конверте было написано: «Ивану Сигизмундовичу Пузанкову».

— Значит, слушай, Саня, внимательно, этот пакет ты оставишь в гостинице «Украина» у администратора — сунешь, если надо, десятку баксов, скажешь, что Иван Сигизмундович приедет через пару-тройку дней, а ты ждать не можешь, у тебя уже билеты в Харьков... Конверт голыми руками не трогай, чтобы пальцы свои на нем не оставлять. Как отдашь — сразу бери билет на дневной поезд — и обратно, в Питер.

Выдрин осторожно положил конверт в пластиковый пакет и внимательно посмотрел на Сергея:

— Здесь не наркота?

— Нет, — без улыбки ответил Челищев. — Вези спокойно. Для тебя там никакого криминала нет, но когда будешь отдавать кассету в гостинице, сунь за обе щеки по упаковке жвачки и говори с хохляцким акцентом, чтобы тебя опознать не смогли. Но это так — на всякий случай...

Проводив Сашу до вагона, Сергей вернулся домой, достал старую печатную машинку и начал выстукивать письмо в Генеральную прокуратуру:

«Уважаемый товарищ Генеральный прокурор!

В то время как по всей России правоохранительные органы задыхаются в борьбе с преступностью, в прокуратуре Петербурга происходят негативные процессы, затронувшие ее высших руководителей. Махровым цветом расцвела коррупция, уголовные дела «разваливаются» еще до их судебного разбирательства. Вместе с тем странную пораженческую позицию занимает руководство нашей прокуратуры, которое, можно сказать, полностью нравственно переродилось. Заместитель прокурора города Ярослав Сергеевич Никодимов дошел до того, что в рабочее время вызывает прямо к себе в кабинет проституток по газетным объявлениям. Мне, ветерану МВД, полковнику в отставке, бесконечно больно видеть, как порочится и пачкается имя нашей правоохранительной системы, поэтому я прошу Вас организовать проверку подчиненной вам структуры. Чтобы Вы не посчитали мое письмо обычным пасквилем пенсионера, сообщаю, что видеокассету с записанными на ней развлечениями так называемого прокурора Никодимова Вы можете обнаружить в запечатанном конверте на имя Ивана Сигизмундовича Пузанкова у администратора гостиницы «Украина».

Надеюсь, отфиксированный на этой кассете материал заставит Вас всерьез отнестись ко всему, написанному выше.

С уважением — полковник милиции Р.

P.S. Никогда в своей жизни не писал анонимок, но в данной ситуации сообщить свое истинное имя пока не могу, потому что имею серьезные основания опасаться мести со стороны Никодимова и связанных с ним мафиозных структур».

Челищев еще раз перечитал письмо; надев перчатки, тщательно протер бумагу сухой замшевой тряпочкой, сложил, опустил в конверт и, напечатав адрес, аккуратно заклеил.

Утром, дождавшись звонка от Выдрина из Москвы (Сашок отрапортовал, что все выполнено в лучшем виде), Челищев опустил письмо в почтовый ящик. Теперь оставалось только надеяться на то, что письмо дойдет до Генпрокуратуры и там его прочитают. Конечно, Сергей не рассчитывал на то, что эта писулька попадет на стол к Генеральному. И уж тем более он не надеялся на то, что в Москве будут принимать какие-то меры. Просто ему нужно было на несколько дней «расшевелить муравейник», заставить Никодимова испугаться и понервничать. Это было необходимой частью задуманной Сергеем комбинации, а конечной целью плана Челищева было «слить» в «Кресты» группировку Адвоката — не больше и не меньше. Именно для этого ему нужно было хотя бы на время лишить Антибиотика активной поддержки городской прокуратуры. Анонимка с видеокассетой должна была сыграть роль световой гранаты — ослепить и деморализовать противника, лишить его подвижности и маневра...

Челищев отработал в правоохранительной системе семь лет (злые языки называли эту систему «правозаменительной», но на то они и злые языки) и хорошо знал, что нужно сделать для того, чтобы привести в движение шестеренки этой системы. С другой стороны, Сергей понимал, что сам Антибиотик, систематически подкармливая своих друзей из Большого дома, создал вокруг себя и своей элиты ауру неприкасаемости. Нет, конечно, время от времени проколы случались — как с Олегом, например, но, как правило, на «съедение» отдавались лишь «быки» низшего звена, что позволяло сохранять и безболезненно развивать структуру организации. И вспомнилось, как однажды Виктор Палыч с удовольствием, с бокалом вина в руке, посмотрел телепередачу о разгроме группировки некоего Бура, а потом позвонил «друзьям» и долго поздравлял их, смеясь, с очередными служебными достижениями в борьбе с рэкетом и бандитизмом.

Кроме ментовского прикрытия, была у Антибиотика и служба своей личной контрразведки, возглавляемая неким Черепом — человеком с мертвыми глазами, про которого ходили какие-то совсем уж страшные слухи. Сергей видел Черепа всего раз, но этого хватило, чтобы представить, что может стать с «изменником», попавшим в его руки...

Все это заставило Сергея разработать план, базировавшийся на так называемых «мотивированных случайностях». Идея была в том, что правоохранительная система должна была запуститься сама собой, без первоначального прицела, на людей из ближайшего окружения Виктора Палыча. Предотвратить, как известно, всегда намного легче, чем остановить, особенно если останавливать нужно громоздкую бюрократическую государственную машину — каждому винтику в ней ведь не объяснишь всего, а уж о том, чтобы купить ее целиком, со всеми потрохами, никто и никогда из серьезных людей даже не думал: денег не напасешься. Сергей рассчитывал и на тех, кто, оставаясь в этой самой правоохранительной системе, пытается честно бороться с преступностью, в том числе и с ее «крестными отцами». Такие люди были, они работали, ориентируясь на собственную совесть, невзирая на получаемые от начальства шишки и кривые ухмылки «образцовых» офицеров, а по совместительству — друзей Виктора Палыча. Одним из таких милицейских романтиков был Степа Марков и его друзья из пятнадцатого отдела, и именно через него Челищев надеялся слить в ОРБ информацию, на которую не прореагировать было нельзя. Но сам Степа не должен был догадаться, что его используют как фильтр...

Через три дня после возвращения Выдрина из Москвы, когда по расчетам Челищева его письмо уже должны были прочесть в Генеральной прокуратуре, он назначил встречу Сашку, уже подстригшемуся и побрившемуся под «нормального бандита», и Ворониной.

— Вот что, друзья, слушайте меня внимательно. Вы должны будете сыграть один интересный спектакль. Завтра вечером вы пойдете ужинать и отдыхать в кабачок «Форт» — знаете такой на Петроградской стороне? Вы должны изобразить влюбленную парочку — тупого «быка» с блядовитой подружкой...

Сашок хмыкнул и с интересом уставился на Юлины ноги. Воронина зарделась.

— Я попрошу не отвлекаться! — серьезно сказал Челищев. — Дело серьезное. В этом кабачке есть бар, барменом там будет стоять такой плотный мужик с заячьей губой, Юра. Мне нужно, чтобы этот Юра невзначай услышал ваш разговор... А в этом разговоре, помимо разных глупых нежностей, должна промелькнуть информация о том, что через день в местечке «кричи-не-кричи» у ЦПКиО вечером пройдет разборка между приезжими сванами* и местной братвой по поводу одного кавказского барыги... Потом вы расплачиваетесь и уходите. В кабак идете с измененной

_____
* С в а н ы — народность, проживающая на Кавказе.

187

внешностью — ты, Коля (так в присутствии Юли Сергей называл Сашка), не бреешься и наденешь темные очки, а ты, — Челищев обернулся к Ворониной, — сможешь парик найти где-нибудь?

Юля кивнула.

— Отлично, плюс намажешься как следует... Имейте в виду, голуби, это дело серьезное и рисковое. Коля, говорить тебе придется...

Выдрин улыбнулся и махнул рукой, показывая, что все будет о'кей:

— А обниматься можно для убедительности?

— Можно, — угрюмо сказал Челищев. Ему очень не нравился игривый настрой Сашка, но отступать было поздно. Потом Сергей очень пожалеет о том, что инструктировал Сашка и Юлю вместе, а не по отдельности, и не свел их сам лишь внутри «Форта», используя каждого втемную. Он вообще пожалеет о том, что затеял всю эту комбинацию, но все это будет потом. А сейчас он действовал как запрограммированный робот. Вранье, что роботы никогда не ошибаются, вранье... Челищев знал о бармене Юре, стучавшем в ОРБ, от Антибиотика, который предупредил однажды Сергея, хотевшего назначить серьезную встречу в «Форте».

— Мы знаем, что Юра «барабанит», — и это хорошо. Дурак убрал бы его, удавил бы суку кумовскую... Ну и что? Новый бы нашелся. Лучше уж знать — кто, так спокойнее жить, — объяснил Виктор Палыч, и Челищев похолодел тогда, потому что, если возможности Антибиотика доходили даже до расшифровки агентуры — святая святых любой службы, то...

Сейчас предупреждение о Юре с заячьей губой обернулось против самого же Виктора Палыча, потому что в местечке «кричи-не-кричи» на самом деле должны были встретиться люди Адвоката и казанца Ноиля. Разговор намечался серьезный — о невозвращении кредита, взятого из банка «Отечество». Банк этот как раз курировала группировка Адвоката. На этой, возможно, конфликтной стрелке должна была присутствовать и Катерина — как специалист по банковской сфере. Катя не раз, кстати, ездила и на стрелки, и на разборки, но из машины, как правило, не выходила — в мужских разговорах баба была вовсе не по понятиям, даже если эта баба и умнее трех мужиков, вместе взятых...

Сергей знал, что информация от Юры, уйдя в ОРБ, скорее всего попадет в пятнадцатый отдел, к майору Кудасову — «черными» занимались именно они. На сванов, якобы приезжающих в город, Кудасов должен был клюнуть обязательно: говорили, что за горцами уже числится труп некоего Шоты Колаладзе, который однажды не захотел делиться... Сергей точно знал, что, получив информацию, которая поможет раскрыть преступление, Кудасов и сам будет работать сутками, и оперов своих озадачит. А сейчас в городе поговаривали, что вор Авто похитил и держит в своей пригородной тюрьме бизнесмена Гиви Окрапиридзе, который, работая на сванов, задолжал Авто сущие пустяки — двести пятьдесят тонн бакинских. Авто включил счетчик, и, говорят, дотикало уже до полумиллиона... Об этом знали многие, значит, мог знать и Кудасов. Времени проверить информацию детально у него не будет.

Он будет брать тех, кто приедет на стрелку в «кричи-не-кричи». Только вот рыбка в сети попадется другая...

У Челищева уже просто не было сил продолжать играть роль «своего среди чужих, чужого среди своих». Тем более что для своих он уже навсегда стал чужим, а вот своим для чужих... Нет. Он просто стал чужим для всех. Человек не может жить один, такая жизнь невыносима, вот и гнал Сергей к развязке, и даже вопросы собственной безопасности его уже не очень волновали. Слишком часто за последнее время рядом с ним умирали люди. Единственное, что хотел успеть бывший следователь Сергей Челищев, — это рассчитаться. Воздать. И начать он хотел с Катерины — до Олега в «Крестах» не дотянуться. Антибиотик... Он тоже должен получить свое, но он, в конце концов, — чужой человек, совсем другое дело — предавшие друзья. Чужие предать не могут — они ведь чужие. Предать могут только близкие друзья.

Посещение Сашком и Ворониной «Форта» прошло как задумывалось. Так, по крайней мере, доложил Выдрин. Утаил Сашок от своего нового патрона только одно — то, что после кабака он посетил еще и Юлину постель... Даже гений не может предусмотреть всех... нюансов.

Между тем странные события начали происходить в прокуратуре. Незадолго до окончания рабочего дня в кабинете Ярослава Сергеевича Никодимова раздался телефонный звонок из Москвы. Это был заместитель Генерального, и Никодимов, как всегда, когда звонило высокое начальство, искательно привстал со своего стула. Привстал, а потом рухнул на него, потому что начальство говорило то, чего Ярослав Сергеевич никак не ожидал услышать:

— Что же это вы, Никодимов, вытворяете? — рокотала трубка. — Постыдились бы, в вашем-то возрасте... Бордель устраиваете в служебном кабинете? Мы эту пленку посмотрели — чуть со стыда не сгорели сами... Вы бы хоть кальсоны снимали, Буратино вы наш...

Никодимов разом взмок и оцепенел.

— Я... — бормотал он в ответ. — Я не понимаю...

— И понимать тут нечего! — рявкнула трубка. — Совсем с ума посходили... От кого-кого, но от вас, Ярослав Сергеевич, мы никак этого не ожидали... Готовьтесь, у вас впереди будут серьезные и неприятные разговоры... Это не единственный сигнал о вас.

Заместитель Генерального, не прощаясь, повесил трубку, а Ярослав Сергеевич еще долго слушал короткие безжалостные гудки. Потом он рванул душивший галстук и отшвырнул его в сторону.

— Сопляки, — шептал Никодимов, — щенки, мальчишки... Я столько лет, верой и правдой... Я...

Если бы Ярослав Сергеевич увидел себя в зеркале, то, наверное, сам бы испугался, какого цвета у него стало лицо. Всклокоченный и потный, он выбежал на улицу мимо постового, проводившего его удивленным взглядом. Никодимов еле открыл свою «семерку» трясущимися руками.

— Я вам еще устрою, вы у меня еще попляшете, — бормотал он, сам не понимая, кого имеет в виду. Его машина вырулила на набережную и понеслась по мокрому асфальту. На спидометре было километров восемьдесят, когда сердце Ярослава Сергеевича стукнуло и словно расползлось в груди. Никодимов попытался схватить ртом воздух и затормозить, но нога вместо тормоза нажала на газ, а руль выскочил из непослушных потных рук... Водитель ехавшего по встречной полосе экскурсионного «Икаруса» даже не успел затормозить...

Когда прибывшие на место аварии гаишники нашли на обезображенном трупе удостоверение заместителя прокурора города, то разом закурили и с сочувствием взглянули на бледного водителя «Икаруса»:

— Да, брат, кажется, ты попал...

— Но я же не виноват! — закричал шофер, еле державшийся на ногах после удара. — Я же не виноват!

Гаишники молча курили и отводили глаза...

В эту ночь Сергей ночевал у Катерины, но она напрасно пыталась разжечь его, расшевелить. Ночь любви не получилась, Челищев словно закаменел, и Катя еле сдержалась, чтобы не наговорить ему разных обидных слов. Когда она заснула, Челищев осторожно вышел в прихожую, ощупью нашел Катины «рабочие» сапоги, открыл тайник в каблуке и всыпал туда под завязку купленный у азеров-талышей* кокаин. Потом он вернулся в спальню и долго смотрел на спящую голую женщину. Бог его знает, о чем он в этот момент думал и что вспоминал... Сергей осторожно прилег рядом с Катериной, но заснуть сумел лишь под утро...

---

* Талыши — народность, проживающая в Азербайджане.

На следующий день, пока Катя мылась в душе, Челищев достал из бельевого шкафа ее загранпаспорт на имя Виолетты Добрыниной. После недолгих колебаний он засунул липовый документ в один из бесчисленных карманчиков модной кожаной сумки, с которой Катерина не расставалась.

За завтраком Сергей с трудом заставлял себя есть, абсолютно не чувствуя вкуса пищи. Катя же, наоборот, была весела и щебетала без умолку.

— Так, все, Сереженька, я бегу — мне еще в салон к Балахнову надо успеть. Ты двери сам закроешь — ключи в прихожей, на трюмо.

В знаменитый парикмахерский салон Балахнова на Литейном Катя ходила дважды в неделю и не пропускала ни одного дня. Прическу ей делал сам маэстро, про которого говорили, что он причесывал даже Аллу Пугачеву перед концертом.

— Сережа, точное время встречи Ноиль сообщит где-то в час, ты трубку держи включенной. Ориентировочно договорились в семь, но сам знаешь...

Сергей открыл свой ежедневник, сделал задумчивое лицо и сказал:

— Я подъеду обязательно, но если немного задержусь — начинайте с Танцором без меня, а я подтянусь, у меня сегодня тоже дел невпроворот.

Катерина послала ему воздушный поцелуй, Челищев вымученно улыбнулся ей в ответ. Когда она ушла, он ничком упал на кровать в спальне и не шевелясь пролежал так несколько часов...

Антибиотик узнал о гибели Никодимова в полдень. Его источники сообщили, что Ярослав Сергеевич, похоже, умер от инфаркта еще до того, как «семерка» и «Икарус» столкнулись. Виктор Палыч верил в случайности, но в последнее время их стало слишком много, что давало неприятное ощущение утраты контроля над ситуацией. Интуиция подсказывала, что плохие новости только начинаются, но она ничего не говорила о том, с какой стороны их ждать. Что-то происходило, было некое осознанно-враждебное движение рядом, но Антибиотик не мог определить, откуда направлена опасность. Он отменил все назначенные на этот день встречи и сидел один в кабинете Степаныча. Он ждал.

Сергей тоже ждал вечера, и никогда еще время, проведенное в ожидании, не летело так быстро. Челищев кружил по городу (теперь его машиной стал темно-синий «мерседес», выделенный Антибиотиком из общака) и курил одну сигарету за другой. Уставая от езды, он пытался припарковаться и закрыть глаза, но долго просидеть неподвижно не мог и продолжал бесцельно прожигать бензин. Бегущая лента асфальта чуть снимала дикое нервное напряжение, но лишь стоило остановиться — Сергея начинало корежить снова.

Перезвонил Танцор, подтвердил, что время встречи — прежнее. До стрелки оставалось пять часов. Они пролетели, как в бреду. За полчаса до назначенного срока Челищев вдруг очнулся от состояния полупрострации, в котором находился, закричал что-то матерное, круто развернул машину и на бешеной скорости рванул к ЦПКиО, но остановить колесо судьбы еще никому не удавалось. Сергей успел проскочить два поста ГАИ, не замечая судорожно махавших полосатыми жезлами милиционеров, третий пост — на Каменноостровском проспекте — видимо, уже предупрежденный коллегами по рации, — встретил Челищева стрельбой по колесам.

«Мерседес» развернуло и занесло толстым задом на тротуар. Сергей выскочил из машины, отшвырнул, как куклу, что-то матерно кричавшего офицера и побежал было прямо по проспекту, движимый одной только мыслью — успеть к месту стрелки до семи... На него прыгнули сразу двое, Челищев упал лицом на асфальт и встать уже не смог, потому что осатаневшие гаишники начали бить его ногами, обутыми в тяжелые яловые сапоги на толстой зимней подошве. Их оказалось как-то сразу очень много, места всем не хватало, а один, самый маленький, бегал вокруг с автоматом и верещал:

— Саня, Мишка!.. Меня пустите — дайте я ему прикладом ебну!

Прохожие с ужасом смотрели на эту сцену, а какой-то старичок уже взял на себя функции общественного экскурсовода: он подробно и уверенно объяснял любопытным, что берут бандита, задавившего двух милиционеров за Кировским мостом... Наконец гаишники устали, заковали Сергея «ласточкой» и бросили в подъехавшую «канарейку». Говорить к этому моменту Челищев уже не мог, потому что маленький автоматчик все-таки достал его своим прикладом...

Судьба сыграла с Сергеем очень странную и злую штуку: разрабатывая план «слива» своей группы в ОРБ, он прекрасно отдавал себе отчет в том, что Антибиотик обязательно будет анализировать причины засветки стрелки, и отсутствие Челищева на встрече сразу бросит на него подозрение... Поэтому Сергей предполагал устроить небольшое ДТП, которое должно было бы стать для него неким алиби... Первоначальный план претворился в жизнь с удивительной точностью, несмотря на то что сам разработчик в последнюю минуту попытался от него отказаться...

* * *

К главному входу в ЦПКиО в девятнадцать ноль-ноль съехались шесть солидных иномарок. Сидевший за рулем BMW Танцор недоуменно пожал плечами и глянул на Катерину. Ждать Сергея больше было нельзя, пять минут задержки считались «продинамленной стрелкой» и по понятиям все сразу вешалось на опоздавших.

— Начинай сам, Саня, Сергей подъедет — включится, — махнула рукой Катерина, плотнее укутываясь в шубку.

Танцор вылез из машины и пошел навстречу уже пританцовывавшему на холодном ветру Ноилю. Они успели лишь обменяться суховатыми приветствиями, когда из выехавшей прямо из парка пожарной машины стали вдруг выпрыгивать здоровенные парни в камуфляже, бронежилетах и масках, с автоматами в руках. Благородные «мерседесы», «форды» и «ауди» были за пару секунд блокированы непонятно откуда взявшимися замызганными «девятками» и «шестерками».

— Легавым сдал, сучара?!! — крикнул Танцор в лицо открывшему от удивления рот

Ноилю. «Казанец» ничего ответить не успел, потому что Танцор, присев, дважды выстрелил ему в грудь. Тупые «пээмовские» пули отшвырнули Ноиля на снег, а Танцор побежал к Малой Невке, надеясь вырваться из кольца, а может, и не надеясь, а так — в горячке... В конце концов про Сашу-Танцора всегда говорили, что он парень с большими странностями.

— Стой, стрелять буду! Стой! — закричали несколько голосов, и Танцор обернулся, по-звериному оскалив зубы. Поскольку в руке у него был пистолет, автоматные очереди ударили сразу, а дистанция была слишком короткой, чтобы пули пролетели мимо...

Танцора словно перерубило в поясе, он согнулся, упал на колени, непослушной рукой вскинул пистолет и успел еще выстрелить и попасть в бежавшего к нему омоновца... Других выстрелов Танцор уже не услышал, одна из пуль попала ему в рот и на выходе разворотила затылок...

Сидевшей в «BMW» Катерине все происходившее за окном казалось какими-то дикими кадрами из дурацкой детективной ленты. Все произошло слишком быстро и неожиданно. Она видела, как упал сначала Ноиль, потом Танцор, как помогали встать сбитому пулей омоновцу, который, сняв бронежилет, начал щупать ребра, видимо, не веря, что остался жив... Все прикрывавшие стрелку с обеих сторон братки уже лежали на снегу, лицами вниз, с наручниками на руках. Их по одному поднимали за уши (слишком короткие прически не позволяли схватить за волосы) и волокли к подъехавшим автобусам. Кате казалось, что она видит какой-то дикий сон. К «BMW» направился какой-то парень в кожаной куртке и джинсах. Катерина узнала того самого опера, который забрал Олега из «Венеции» во время банкета. Она открыла дверь и вышла из машины.

— Знакомая фигура, — присвистнул Степа Марков (а это был именно он), окидывая взглядом Катю. Она казалась совершенно лишней и неуместной в таком скоплении здоровых и грубых мужчин. — Вечерние прогулки на свежем воздухе?

Катя, конечно, уловила иронию в вопросе Маркова, но сделала вид, что все происходящее вокруг ее никак не касается.

— Добрый вечер, — Катерина старалась, чтобы ее голос звучал уверенно и не дрожал. — Как я понимаю, вы тут всем командуете? Я прошу вас разобраться объективно, произошло какое-то недоразумение.

— Разберемся, — кивнул Степа. — А как же. В сроки, установленные законом. Мадам, позвольте вашу сумочку...

— Вы!.. — вспыхнула Катя. — Вы бы лучше бандитов ловили!

Но сумочку все-таки отдала.

Марков хмыкнул, но ответил достаточно вежливо:

— За нас начальство решает, кого ловить. Скажут бандитов — будем бандитов хватать, а пока вот — приходится юных птицеводов беспокоить... — Степа кивнул на братков, которых продолжали грузить в автобусы. — Вы-то что здесь делаете, Екатерина Дмитриевна?

— Я оказалась здесь совершенно случайно, — сухо ответила Катя и зябко передернула плечами.

Степа механически кивнул и начал выкладывать содержимое сумки на капот «мерседеса». Какой-то документ его живо заинтересовал, Марков даже повернулся, чтобы внимательнее рассмотреть его в холодном резком свете фар. Несколько раз он быстро перевел взгляд с документа на Катерину и обратно, а потом удивленно присвистнул.

— Екатерина Дмитриевна, скажите, пожалуйста, как вы объясните тот факт, что в вашей сумочке находится загранпаспорт на имя Добрыниной Виолетты Максимовны с вашей, между прочим, фотографией? Готовитесь к международному конкурсу двойников?

Кате показалось, что земля качнулась у нее под ногами. Марков держал в руках ее липовый загранпаспорт, который должен был лежать дома, в тайнике под паркетом... Этот документ она держала на всякий случай, никогда им не пользовалась и даже не брала в руки уже несколько месяцев...

— Я... — хрипло выдавила из себя Катерина. — Я... никак не объясню... Это провокация... Я в первый раз в жизни вижу этот документ... Я отказываюсь отвечать на ваши вопросы без адвоката!

Степа пожал плечами и усмехнулся:

— Адвокат вам, Екатерина Дмитриевна, не поможет... — фраза получилась двусмысленной, и оба поняли это.

— Посмотрим, — с вызовом ответила Катя, пытаясь собраться и понять, что происходит. Это ей никак не удавалось, она с трудом балансировала на грани истерики.

Между тем кинолог со странного вида спаниелем на поводке обходил машины задержанных братков. Катя механически отметила про себя, что, видимо, этот спаниель натаскан на наркотики: ходили слухи, что такие собаки сами были законченными наркоманами и держались на «службе» всего несколько лет, а потом умирали. Трясущийся пес деловито обшастал все машины и вдруг резко бросился к Катерине, начал лаять, беситься и хватать зубами ее правый сапог.

От предчувствия чего-то непоправимого Кате стало холодно. Марков с кинологом обменялись несколькими тихими фразами, а потом Степа обернулся и внимательно посмотрел Катерине в глаза.

— Я прошу вас, Екатерина Дмитриевна, сесть в машину и снять сапоги — ненадолго...

— Может быть, вы прикажете мне вообще раздеться перед вами?! — Катя попыталась вложить в свой ответ максимальное количество яда и презрения, но фраза все равно прозвучала жалко и испуганно.

— Нет, — покачал головой Степа, — приказывать раздеваться я вам не буду, это не в моей компетенции, к сожалению, а вот, сапожки вам снять все-таки придется...

Катерина тяжело опустилась на заднее сиденье «мерседеса» и трясущимися руками начала стаскивать сапоги.

Как только сапоги оказались в руках Маркова, спаниель утратил к Кате всякий интерес и начал бросаться на Степу.

Катерина поджала зябнущие ноги в тонких колготках и непослушными пальцами достала сигареты. Степа вежливо поднес ей огонек зажигалки, а потом начал мять и прощупывать каждый шов на сапогах. Когда щелкнула секретная пружинка и на правом сапоге сдвинулся каблук, Катя даже не удивилась тому, что из тайничка вдруг хлынула тонкая струйка белого порошка — подсознательно она уже ждала чего-то подобного. Марков быстро перевернул сапог, не давая порошку полностью просыпаться на снег, спаниель совсем обезумел, хрипел и трясся, пытаясь достать крупицы порошка...

— Да, — сказал Степа с какой-то даже растерянностью в голосе, — интересная картина вырисовывается... Сапоги вы, очевидно, тоже сегодня в первый раз видите, Екатерина Дмитриевна? Наверное, вам их дали поносить?

Катерина закрыла глаза и молчала.

— Так, — подвел итог Степа. — Придется все-таки проехать к нам на Литейный, там и разберемся, откуда что взялось.

Минут через пятнадцать местечко «кричи-не кричи» опустело. Автобусы увезли задержанных, «скорая» — умирающего Ноиля, остались лишь постовые да двое омоновцев, стрелявших из автоматов, — им нужно было дождаться дежурного следователя. Милиционеры поворачивались спиной к ветру, перекуривали и возбужденно обменивались впечатлениями, стараясь пореже смотреть в сторону Малой Невки, где в глубоком снегу лежал на спине мертвый Танцор. Казалось, он смотрел неподвижными глазами в черное небо и улыбался...

Антибиотик узнал о задержании группы и стрельбе на «стрелке» в тот самый момент, когда Катю вели по угрюмому коридору третьего этажа дома номер четыре на Литейном проспекте.

Виктор Палыч отреагировал на плохие новости удивительно спокойно: видимо, интуитивно ждал их, предчувствовал...

Доклад своего подручного Васи Антибиотик выслушал, ни разу не перебив. Потом долго молчал, закрыв глаза и массируя пальцами виски. Он казался старым и усталым, но когда веки Антибиотика снова поднялись, плеснуло из-под них на Васю холодным волчьим блеском.

— Челищев где? Его что, на стрелке не было?

Двухметровый Вася молча покачал головой. Виктор Палыч вскочил с кресла и забегал по кабинету:

— Сыскать... Найди мне его, Васенька... Черепу позвони, он людьми поможет. Из-под земли мне его найдите!

Следующие сорок минут Виктор Палыч провел в кресле. Его лицо казалось абсолютно спокойным, глаза закрыты, и если бы не нервный тик, время от времени пробегавший по векам, можно было бы подумать, что он спит. На самом же деле в душе Антибиотика творилось черт знает что. Виктор Палыч не понимал, что происходит, и это унижало его. Такого чувства он не испытывал давно, поэтому нервы его буквально вибрировали от бешенства. Челищева не было на стрелке. Неужели он?

Зябко стало Антибиотику, неуютно, но тут ход его размышлений нарушил Вася:

— Челищев в мусорне валяется еле живой, говорят, уделали его, как Бог черепаху... А «мерс» его на Кировском стоит, простреленный, сейчас на штрафстоянку поволокут...

202

Виктор Палыч, не отдавая себе в этом отчета, вздохнул с облегчением:

— Во сколько его повязали?

— В восемнадцать тридцать пять, — Вася для убедительности сверился со своим ежедневником. — Создавал аварийную обстановку, сопротивлялся при задержании, хулиганил...

— Опаздывал, видать, — Антибиотик покачал головой и досадливо скривился: — Как все не ко времени, ну просто — одно на второе... Так ты, Васенька, езжай, забери Сережу, я позвоню, решу вопрос, там сложностей быть не должно... Если что — с Бельсоном связывайся... И ко мне сразу...

Когда Вася привез Челищева к Степанычу, а потом внес его на руках в кабинет, удивился даже видавший всякое Антибиотик. Сергея избили до такой степени, что его было не узнать: ноги его подгибались, и Васе приходилось держать Челищева на своем плече, чтобы он не упал на пол.

Виктор Палыч подскочил к Сергею и попытался заглянуть ему в щелки глаз:

— Сережа, что стряслось-то? Как же это, сынок?!

Глаза Челищева слезились и не выражали никаких мыслей. С трудом Антибиотик разобрал какой-то полушепот-полухрип:

— Не... знаю... Стрелять... начали... Потом... все время... пиздили...

Голова Сергея поникла, и хрип прекратился.

Виктор Палыч выругался и поднял взгляд на Васю:

— Что мусора говорят?

Вася пожал свободным плечом:

— А что мусора? Говорят, несся, как сумасшедший, на команды сотрудников не реагировал, при задержании пытался скрыться... Они теперь на своем твердо стоять будут, им ведь тоже в Нижний Тагил неохота... Обоснованное применение силы...

Антибиотик задумчиво кивнул. Не нравилась ему вся эта история, совсем не нравилась. Виктору Палычу казалось, что кто-то неведомый, злой и сильный ходил рядом, пакостил, а потом наблюдал со стороны за делами рук своих...

— Ладно, Вася, отвези его в «Костюшку», а то, не дай Бог... И вот что — пацанов там оставь, пусть посмотрят... Часто что-то в последнее время в нашего Сережу стрелять стали, так ведь и попасть однажды могут...

Антибиотик заперхал, закашлял — только хорошо знающие его люди понимали, что так Виктор Палыч иногда смеется, когда ему совсем не смешно.

Вася кивнул и вынес Челищева из кабинета. Протискиваясь в дверь, он задел головой Сергея дверной косяк. Челищев застонал и пробормотал что-то, а потом снова обмяк на плече у гиганта.

— Стой! — встрепенулся Виктор Палыч. — Что он сказал?

— Вроде, «Катенька, родная...» — наморщил лоб Вася.

Антибиотик махнул рукой, позволяя ему уйти, и остался в кабинете один.

— Родная, значит! — сказал себе под нос Виктор Палыч и вдруг с чудовищной яростью запустил хрустальным фужером в стену. — Как?! Как у этой суки на стрелке могли оказаться наркотики?! Что происходит?! Кто сдал?! Почему мусора начали стрелять по Челищеву?!

Ни на один из этих вопросов Антибиотик ответа не находил. Он упал в кресло, поразмышлял еще немного и подвинул к себе телефонный аппарат:

— Алло, Слава? Узнал меня? Дело есть. С крестничком твоим красноперым надо бы повидаться, необходимость ощущается... Да я понимаю, что сегодня уже вряд ли, сегодня и не надо... А вот завтра к вечеру — очень бы хотелось... Да, да... Ну, до встречи.

Виктор Палыч повесил трубку и в который раз уже начал перетасовывать в мозгу события последних недель: смерть Габриловича, Гуся, Глазанова, Доктора, Никодимова, выход из тюрьмы и новый арест Званцева, исчезновение Челищева, потом эти нападения на него. Антибиотик верил в случайности и совпадения, но что-то в последнее время их стало слишком много. Слишком!

Тем временем на Литейном, 4 дежурный следователь допрашивал Катерину. Она уже отошла от шока, полученного при задержании, и держалась уверенно, даже с неким вызовом. Когда ее привели в небольшой кабинет, впритык заставленный столами и украшенный подлинными картинами мастеров XVIII века, а также изъятыми автопокрышками и телевизорами, Катя даже попыталась пошутить с усталым хмурым следователем:

— А у вас здесь мило... Просто филиал спецзапасника Эрмитажа.

205

Следователь не улыбнулся, достал из консервной банки недокуренную сигарету, затянулся, подслеповато щуря глаза:

— Помещений не хватает, вот и вся причина. Давайте к делу перейдем.

— Давайте, — легко согласилась Катя. — Только без своего адвоката я никаких показаний давать не буду.

Следователь пожал плечами.

— Это ваше право. Вы — не орех, а я — не молоток, чтобы вас колоть. Не хотите давать показания — как хотите.

Катерина упрямо наклонила голову и чуть поджала губы:

— Без адвоката я говорить не буду!

Следователь усмехнулся и развел руками:

— Ну и славно. Для начала мы вас задерживаем в порядке статьи сто двадцать второй УПК РФ, ну, а там видно будет. Как говорится, утро вечера мудренее.

— Как это задерживаете? Дайте мне позвонить! — Катя потянулась было к телефону, но следователь опустил руку на трубку.

— Екатерина Дмитриевна, не надо, вы ведь сами — юрист, должны все понимать.

— Это произвол! Я жаловаться буду! — Катерина вскочила со стула, на ее щеках выступили красные пятна: — Вы за это ответите.

Следователь сморщил нос и грустно покивал головой:

— Конечно, отвечу... Обязательно отвечу. А как же? А в плане пожаловаться — вы имеете полное право написать жалобу прокурору.

Катя снова села на стул и решительно потребовала:

— Дайте мне бумагу и ручку!

Следователь покачал головой:

— Без проблем. Вам принесут. Попозже. В камеру.

Катерина наклонилась вперед и очень тихо сказала сквозь зубы:

— Вы еще очень пожалеете, очень. Уверяю вас.

Следователь откинулся на неудобном казенном стуле и прищурился:

— В данной ситуации я жалею вас. Вы жизнь себе ломаете... Для чего? Вы молоды, имеете юридическое образование, а ведете себя...

Катя закинула ногу на ногу и монотонно отчеканила:

— Я с вами разговаривать не буду!

— Дело ваше...

Следователь пригласил двух женщин-понятых, вызвал из дежурки толстую заспанную женщину-сержанта и составил протокол личного осмотра Катерины. Потом он составил опись одежды и личных вещей, выписал 122-ю* и вызвал конвой для сопровождения Кати в ИВС. Выходя из кабинета, Катя остановилась на пороге и еще раз окинула взглядом картины:

— Фламандцы...

— Что? — не понял следователь.

— Школа, говорю, фламандская! — зло и презрительно процедила Катя и вышла из кабинета...

Ее привели в ИВС примерно в то самое время, когда двухметровый Вася привез Челищева в больницу. По дороге Сергей то терял сознание,

---

* Выписал 122-ю — оформил задержание по 122-й статье УПК *(жарг.)*.

то выплывал из забытья, ему казалось, что все его тело стало каким-то сгустком боли. В этой больнице Челищеву уже приходилось бывать раньше. На четвертом этаже за самыми обычными дверями находились две такие шикарные комнаты, в которых, может быть, не отказались бы полежать и некоторые западные миллионеры. Эти комнаты редко использовались как палаты, в них проходили «деловые» встречи и переговоры.

Сергей был здесь месяца полтора назад вместе с Катериной, которая решала вопрос о бартерных поставках со шведскими фирмачами. У шведов тогда возникли большие трудности с таможней из-за неуступчивости некоего Сергея Кислова. На переговоры со шведами был вызван эксперт по таможне Миша Жмых, известный контрабандист, откликавшийся также на погоняло «Тефлоновый Моня». Про Жмыха говорили, что он может протащить верблюда через игольное ушко. Моня быстро объяснил собравшимся, что Сергей Кислов — это «совсем тяжелый случай», его купить нельзя, потому что он — «больной на идее», а следовательно, единственный выход — это уволить наглого таможенника со службы. Увольнение это, по словам Жмыха, стоило пятьдесят тысяч долларов. Шведы помялись для приличия, но согласились, ударили по рукам, и все остались довольны — три фирмы Катерины получали выгодные контракты, Тефлоновый Моня делал интересную работу, а шведский бизнес глубже проникал на российский рынок. А таможенник Сережа Кислов, уволенный через несколько недель за «несоответствие занимаемой должности», так, наверное, никогда и не узнал о том, что судьба его решилась в городской больнице...

Сергея положили в люксовую палату, сразу поставили капельницу, а минут через сорок его пришел осмотреть известный профессор-нейрохирург. Профессора подняли с кровати, и он недовольно морщился, качал головой и испуганно косился на двух амбалов — «санитаров», деловито устроившихся в холле палаты. «Санитары» приволокли с собой телевизор с видеомагнитофоном, запустили мультики и мрачно смотрели их, жуя «сникерсы».

Сергея долго «изучали» — кололи иглами, переворачивали, делали уколы, а потом увезли на рентген. Перед тем как провалиться в окончательное забытье, Сергей успел услышать, как профессор объяснял Васе, что позвоночник у пациента, слава Богу, цел, но треснули два ребра и налицо сотрясение мозга...

Когда Челищев проснулся на следующий день, ушибы болели уже не так сильно, но попытка приподняться сразу же вызвала головокружение и тошноту. На шум в палату заглянул один из «санитаров», и Сергей вдруг понял, что его положение почти безнадежно. Обруч черных эмоций, сжимавший сердце и разум последние дни, распался, и с какой-то пронзительной ясностью увиделись все просчеты и ошибки, допущенные им при запуске плана по сдаче Катерины и ее группы... Она, безусловно, вычислит, кто мог подложить ей в сумочку перед стрелкой липовый паспорт и подсыпать в каблук сапога кокаин... Почему же он не подумал об этом раньше?.. Где Катя? Что случилось на стрелке? Если она все поняла, то почему он до сих пор еще жив? Может быть, Антибиотик уже обо всем знает и принял решение? Может быть, Сергея просто отравят по-тихому в этой роскошной палате, и все — шито-крыто, издержки бесплатной медицины? От сознания собственной беспомощности и уязвимости его прошиб пот.

Когда принесли завтрак и питье, Челищев отвернулся. Его преследовала мысль, что в еду может быть подсыпана отрава.

О странном поведении Челищева немедленно было доложено Антибиотику, который явился лично проведать больного в середине дня.

Виктор Палыч и сам выглядел неважно: видимо, прошедшая ночь была не из самых приятных в его жизни. После того как Сергея увезли в больницу, Антибиотик спешно покинул свой офис в кабачке «У Степаныча», быстро загасил все явки и встречи, перебрался на конспиративную квартиру на Юго-Западе и к телефону не подходил — опасался пеленгации. К Челищеву Виктор Палыч приехал с букетом роз и целой сумкой разных соков, которую еле втащил в палату Вася.

— Ну что, Сережа? — сказал Антибиотик, присаживаясь на краешек кровати Челищева. — Мне говорят, ты ведешь себя плохо, от еды отказываешься, докторов не слушаешься?.. Опять подозреваешь что-то? Я вот тебе соку принес, давай из одного пакета выпьем, небось, не отравимся...

Виктор Палыч первым отхлебнул из своего стакана, причмокнул, и Челищев с наслаждением утолил жажду.

— Успокойся, сынок, тут с тобой ничего плохого не случится. Здесь все свои.

— Где Катя? — хрипло спросил Сергей. — Почему ее здесь нет?

Антибиотик пристально посмотрел ему в глаза, кивнул, потом встал, прошелся по палате и остановился у огромного окна.

— Да, ты ведь ничего не знаешь, — Антибиотик стоял спиной к Челищеву и говорил негромко. — У нас проблемы...

Виктор Палыч коротко рассказал, что произошло на стрелке, и снова присел на кровать:

— Ты, Сережа, с Катериной Дмитриевной ближе общался... Зачем ей кокаин понадобился? Раньше любви к «благородному» за ней не замечалось...

Челищев облизнул губы и покачал головой:

— Я не знаю... Про шмыгалово у нас никогда разговора не было...

Антибиотик вздохнул и положил руку Сергею на плечо:

— Ты лежи, лежи, сынок, не волнуйся, мы во всем разберемся... Меня вот что удивляет: кокаин — это «казанских» тема, с казанцами же и стрелка была... Странное какое-то совпадение... Мысли нехорошие возникают. Не крысятничала ли наша Катенька? Как думаешь-то, Сереженька?

Сергей осторожно откашлялся и помотал головой:

— Нет, Катя... она не могла... Она... Виктор Палыч, ей помочь надо, она же не сможет в тюрьме... Я прошу вас.

Антибиотик крякнул и махнул рукой, сердито сморщив лицо:

— Могла — не могла... Запомни, Сережа: все бабы — дуры, они не головой думают, а своим сладким местом. Все — дуры, но — есть глупые дуры, а есть — умные, но тоже — дуры...

Челищев от чудовищного нервного напряжения даже перестал чувствовать боль:

— Катя — не баба. Она...

— О-о!.. — насмешливо протянул Виктор Палыч. — И ты туда же... Надо же, действительно, ты со своим корешком Олежкой похож — даже говорите одинаково. Я когда-то от него такие же слова слышал. Кстати, в тот раз Катерина Дмитриевна нам проблем не меньше устроила...

Антибиотик усмехнулся. Он и раньше подозревал, что Катя и Сергей были любовниками, а теперь утвердился в этом предположении окончательно. Старик повеселел. Он всегда радовался, когда узнавал о людях из своего близкого окружения что-то такое, что можно было бы использовать против них. С такими знаниями — оно спокойнее както... Чтобы властвовать, нужно уметь разделять... Или «разводить», что в принципе одно и то же...

— Ладно, Сережа, не будем спорить. Ты отдыхай, поправляйся, набирайся сил, нам еще работать и работать. А что там на стрелке случилось — мы узнаем. Есть кое-какие резервы. Жаль, конечно, Танцор с Ноилем уже не говоруны. Кстати, Саша ведь почему-то решил, что это Нойль под легавых лег, ссучился... Может, заметил что-то или понял — Аллах знает... Странно все это... Ноиль пацаном был вполне правильным, вот только...

Антибиотик вдруг запнулся и глубоко задумался. Ему пришло в голову, что у питерских «казанцев» всегда были прочные контакты с московскими татарами. А в Москве сидит Гурген, у которого к Виктору Палычу свои счеты... Гурген со своими связями и возможностями вполне мог провести пару интересных комбинаций в Питере... Опять же — Миша-Стреляный, покойник, как сказали его люди, с какими-то москвичами незадолго до смерти встречался.

На виске Антибиотика от напряжения запульсировала синяя жилка, но стройная логическая схема все равно не складывалась, чего-то не хватало...

— Хорошо, — очнувшись от своих мыслей, сказал, наконец, Виктор Палыч. — Ты, Сережа, главное, поправляйся и ни о чем не думай. С тобой ребята останутся, да и я время от времени буду проведывать... Отдыхай.

И Виктор Палыч стремительно вышел из палаты, оставив Челищева гадать: сколько ему осталось до разоблачения. О том, что может последовать затем, думать не хотелось вовсе. Он лежал, прислушиваясь к малейшему шороху, доносившемуся из предбанника, и ждал... Перед его глазами все время стояло лицо Катерины, и в этом ничего удивительного не было — она тоже постоянно думала о Челищеве...

Когда ее привели в камеру ИВС, где уже находились две женщины, Катя без сил опустилась на нары и только тут в полной мере осознала, что все происшедшее было не диким сном, а реальностью. До этого она воспринимала все как бы со стороны, как зритель из зала, наблюдающий за игрой актеров.

Одна из сокамерниц храпела, лежа на спине, другая — вульгарного вида девка лет двадцати пяти — подошла к умывальнику, попила прямо из-под крана и подсела к Катерине:

— Ты как здесь?..

Катерина сощурилась и ответила жестко:

— А ты что, поп, чтобы меня исповедовать?

Девка разозлилась и наклонилась к Катиному лицу:

— Ты, бля, целку-то из себя не строй!

Катя от омерзения чуть было не вспылила, но усилием воли заставила себя сдержаться:

— Не надо пугать. Я устала, хочу спать. И ты ложись.

Зэчка шмыгнула носом и возбужденно хлопнула себя по жирным ляжкам:

— Ничего, секуха ты фраерная, это ты там была начальницей, а здесь мы тебе место укажем!

Катерина тоже повысила голос:

— Хватит, я тебе сказала!

Девка заржала:

— Не нравится?! Лахудра ты фуфельная! И голос на меня не повышай! Я сама крикнуть могу!

От их перебранки проснулась храпевшая женщина. Ей было лет сорок пять, а может, и больше. Трудно было определить возраст по ее опухшему грубому лицу. Она приподнялась на локте и сердито гаркнула:

— Эй, целки! Дайте выспаться! Хватит лаяться!

Девка встала и, повернувшись к неожиданной заступнице, прошептала:

— Ты спи, бабуля, спи. У нас тут свои разговоры, тебя не касается...

Тем не менее девица отошла, устроилась на своих нарах и вскоре, видимо, заснула. Катя лежала на спине, закинув руки за голову, и пыталась сосредоточиться, чтобы найти хоть какой-то ответ на вопрос: что все-таки произошло?

Говорят, что правильно сформулированный вопрос может быть важнее ответа. Лежа на тюремных нарах, Катерина смогла в этом убедиться. Как только она, наконец, спросила себя, кто мог подложить ей наркотики и поддельный паспорт, ее сразу затрясло. Ответ напрашивался сам собой — Сергей... Она боялась этого ответа, гнала его от себя, но логика — вещь упрямая. Челищев знал секрет ее «рабочих» сапожек, и он вполне мог обнаружить в квартире тайник с паспортом... Посторонние в ее доме практически не бывали, а если и приходили какие-то люди, то Катерина никогда не оставляла их без присмотра. К тому же Сергей в последнее время вел себя как-то странно, непонятно, и Катя чувствовала, что он что-то скрывал от нее, о чем-то постоянно напряженно думал.

«Но почему, за что?! Что же ты наделал, Сереженька...»

Ей вдруг стало очень страшно, но не за себя. За себя Катерина пока еще не особо переживала, зная, что очень нужна Антибиотику именно сейчас. Без нее могли сорваться уже намеченные важные сделки, и она не сомневалась в том, что Виктор Палыч приложит максимум усилий, чтобы быстро вытащить ее на волю. Ей стало страшно за Сергея. За время работы с Антибиотиком Катя имела много возможностей понять, что это за человек. Внешне простоватый старичок имел холодный ум и интуицию сапера. Однажды ей удалось случайно (а может, и не случайно, потому что у Антибиотика все «случайности» были, как правило, хорошо спланированы) подслушать разговор Виктора Палыча с одним из тех людей с Литейного, кого он ласково называл «большими звездами». «Большая звезда» угодливо улыбалась Антибиотику и заявляла:

— Если бы вы, Виктор Палыч, в нашей системе работали, то давно бы уже генералом стали.

Антибиотик тогда польщенно хмыкнул и ответил:

— Каждый, уважаемый, должен своим делом заниматься, на своем месте пользу приносить...

Сейчас Виктор Палыч уже наверняка просчитывает различные варианты причин всего случившегося на стрелке. Поскольку Танцор мертв, то информацию начнут тянуть из Катерины — либо сам Антибиотик в случае ее быстрого освобождения, либо кто-то из его «звездных» друзей. Что будет с Сергеем в случае, если ее мысли станут известны Виктору Палычу, — догадаться несложно, скоро городская братва узнает, что Черный Адвокат уехал в командировку. В Анголу...

Катя проворочалась на жестких нарах под храп соседок почти до утра и лишь на рассвете смогла ненадолго забыться...

Утро было безрадостным. Обычно Катя по утрам бегала или делала усиленную зарядку в квартире, а потом с наслаждением залезала под душ и завтракала. Проснувшись в душной вонючей камере, она нестерпимо захотела встать под теплые ласковые струи воды. Мерзкая девка, пристававшая к ней вечером, словно прочитала Катины мысли и ухмыльнулась:

— Будет тебе и ванна, и какава с чаем! — сказала она вместо утреннего приветствия. Катя ничего не ответила, встала с нар, одернула на себе одежду, закрыла глаза, сосредотачиваясь, и начала медленно делать упражнения на растяжку ног. Вульгарная девка от удивления открыла рот, а потом почесала себе промежность и загоготала:

— Ух ты! Ну, дает! Здесь порева не будет, так что зря стараешься!

Катя молча сходила к умывальнику и сполоснула лицо. Окончив утренний туалет, она вернулась на свои нары. Девка тут же подсела к ней:

— У меня, краля, третья ходка... Я таких, как ты, — зубками перекусываю... Поняла?

— Что ты с утра-то, в самом деле? Как с цепи сорвалась, — устало ответила ей Катерина.

Девка оскалилась и закричала, брызгая слюной Кате в лицо:

— Я лямку на зоне тянула, пока ты в бассейнах трахалась! Теперь моя очередь пожировать!

Зэчка быстро стащила с себя грязный свитер с порванным воротом и вытянутыми на локтях рукавами.

— Давай меняться?

Одной рукой девка протянула Кате свитер, а другой залезла под замызганный бюстгальтер и опять почесалась. Катерину замутило:

— Отстань, тебе говорю!

— Вот ты как... — протянула девка. — Брезгуешь? Зона таких не любит... За что попала-то сюда?

От неприятной собеседницы несло, как из мусорного бака. Катя инстинктивно отодвинулась, словно боялась запачкаться, и резко сказала:

— Это мое дело!

— Ух-ты, какая! Ничего, обломаем... Давай кофту сюда, — девка вцепилась грязными пальцами в тонкую английскую шерсть, и тут Катю прорвало. Резко откинувшись назад, она ударила стопой ноги зэчку в подбородок. Девка свалилась с нар на пол и заверещала было, но Катя оборвала этот крик одновременным ударом своих расслабленных ладоней по ее ушам. Удару этому когда-то научил Катю Сергей: «Запомни, Катенок, сначала ладони должны быть вялыми, и только в самый последний момент их надо резко напрячь. Тогда образуются воздушные пробки, бьющие по барабанным перепонкам...»

Девка зашлась от боли и тихо, по-звериному, завыла. Катерина намотала ее грязные волосы на кулак и запрокинула вверх тупое опухшее лицо:

— Сиди тихо, ясно?

Зэчка прохрипела, пуская слюни:

— Сучка ебаная... Я с тобой еще сквитаюсь...

Катя отшвырнула противницу в угол камеры, брезгливо вытерла руку платком и выдохнула:

— Еще раз вякнешь — задушу!

Девка с невнятными ругательствами поползла к себе на нары. Катя постепенно успокаивалась. Оглянувшись, она вдруг поймала внимательный взгляд второй сокамерницы. Она дружелюбно улыбнулась Катерине:

— А ты молодец, девонька, в обиду себя не давай. Сидеть-то, наверное, долго придется?..

Катя молча пожала плечами и села на свою койку. Женщина немедленно присела к ней:

— А я вот через пару денечков выйду, ничего они не докажут. Кражу мне квартирную клеют — продавала у булочной вазу хрустальную, мусора задержали, привезли в ментовку, говорят — вазочка паленая... Я им объясняю — продавала, потому что кушать хотела, вазу до того сама с рук купила, откуда мне было знать, что краденая, на ней ведь печати нет... Ничего они не докажут. А ты сюда за что попала?

Катерина вздохнула:

— У меня, я думаю, тоже ошибка. Задержать-то задержали, а за что — не объяснили. Наверное, с кем-то перепутали. Ничего, разберутся...

Женщина понимающе кивнула:

— Да, бывает, что и путают... А с кем спутали-то?

Катя покачала головой:

— Я сама не знаю, тетенька.

Женщина придвинулась к Катерине ближе и перешла на доверительный шепот:

— А ты, дочка, скажи им: так, мол, и так, не моя это работа, сделал ее тот-то и тот, пусть они и отвечают.

— Если бы знала что, так бы и сказала. Ладно, разберутся. Это их проблема...

Добрая соседка сочувственно покачала головой:

— Смотри, милая, бывает, так ошибутся, что... Обидно ведь будет, когда загрузят за чужое...

— Ничего, — улыбнулась через силу Катя. — Бог терпел и нам велел.

— А ты что, верующая? — приятно удивилась сокамерница.

— И верующая, и крещеная.

— На церковь-то, поди, много денег жертвовала?

Катя прижала колени к подбородку и сказала, помолчав:

— Сколько могла — всегда давала... А много — откуда их взять, много-то?

Женщина улыбнулась:

— В банке, наверное, деньги держишь?

Катерина отрицательно мотнула головой:

— Да какие деньги, откуда... Ладно, тетенька, я, пожалуй, посплю.

— Поспи, поспи, милая, — женщина погладила Катерину по плечу и ушла на свои нары.

Катя закрыла глаза и с облегчением выдохнула. Мысли ее вновь вернулись к Челищеву. Неужели ее подставил Сергей? А ведь больше-то некому... Но почему? За что? Сергей любит ее, это видно... Или любил? Он не мог сделать это просто так, нужна была причина... Когда Челищев снова появился в жизни Катерины, она честно пыталась сопротивляться своему чувству к нему, но тщетно. Он казался ей чуть ли не единственным лучиком света в окружавшем ее все эти годы темном царстве жестокости и расчета. Сергей был другим. Катя это чувствовала, и именно поэтому ему единственному она рассказала о своем сыне, росшем в Приморско-Ахтарске... Внезапно ей пришла в голову мысль, что Сергея могли заставить сделать эту подставу. Но кто? Антибиотик? Зачем? Катя знала, что Виктор Палыч время от времени проводил «смену караулов», убирая людей, которые начинали быть слишком самостоятельными, но это касалось в основном братков до бригадирского уровня. К тому же именно сейчас у Антибиотика был дефицит людей, он не однажды жаловался, что работать стало некому, имея в виду прежде всего работу головой, потому что отмороженных-то как раз хватало... Что же все-таки случилось?

«Почему ты предал меня, Сереженька?..»

Терзаемая бесконечными вопросами, на которые не было ответов, Катя не заметила, как задремала...

Из больницы, в которой лежал Челищев, Антибиотик поехал к парку Лесотехнической академии, где должна была состояться встреча с его агентом — офицером ОРБ. Офицера этого звали Валерием Черновым, и завербовать его удалось совсем недавно, в ноябре 1992 года, когда Валера еще был обычным опером из Смольнинского розыска. Попался Валера глупо и банально. Отметив на работе с коллегами получение зарплаты, он решил продолжить праздники уже самостоятельно и в конце концов пьяный в муку оказался в кафе с ласковым названием «Аленка», где и упал лицом в тарелку с салатом «Столичный». На беду Валеры в кафе тогда оказался Слава Поленников со своими братками, опознавший в спящем пьяном опере Смольнинского угрозыска. Слава быстро ошмонал бесчувственного Чернова, сняв с него удостоверение и ствол, и тут же поехал к Антибиотику.

Остальное было делом техники. Когда Чернов проспался и обнаружил пропажу пистолета и документов, его затрясло от ужаса, но сидевший напротив какой-то ласковый дедушка вдруг сказал, что все, в принципе, можно исправить... Дед опохмелил Валеру хорошим датским пивом и долго с ним разговаривал... Часа через полтора «случайный прохожий» занес в кафе «найденные на улице» табельное оружие и удостоверение. Дедушка, которого звали Виктором Палычем, дал Валере денег на такси, на выход из «штопора» и заверил, что если Чернов будет умным, то карьера у него будет складываться очень хорошо. Валера быть глупым не хотел, и старик не обманул — уже через месяц Чернова перевели в главк, да не просто в главк, а в элиту, в ОРБ...

Антибиотик вышел из машины на Новороссийской улице и пошел дальше пешком. У ворот парка он кивнул двум своим телохранителям, и те разошлись в стороны, невзначай оглядывая подходящих к воротам людей. Виктор Палыч любил назначать встречи у институтов — в студенческой массе посторонние люди сразу бросались в глаза возрастом и одеждой, соответственно ментам труднее было бы установить наружное наблюдение...

Чернов уже ждал, приплясывая на морозце в легкой курточке.

— Когда ты, Валера, оденешься по-человечески? Тебе что, денег не хватает? — подойдя, спросил его с ласковой укоризной Антибиотик.

Чернов хмыкнул:

— Оденешься тут, как же... У нас нормальную сигарету выкурить нельзя. Вчера сдуру на работе пачку «Кэмэла» вытащил, начальник сразу: на какие деньги? Полпачки себе выгреб, а меня коррупционером назвал, вроде как в шутку...

— Понятно, — оборвал его Виктор Палыч. — Трудно тебе. Ну, ближе к телу, как говаривал старик Мопассан. У нас тут непонятки... Кто делом Званцевой занимается?

Валера поежился:

— Степа-чокнутый из пятнадцатого отдела.

— А-а, — протянул Виктор Палыч. — Кудасовцы... С этими по-людски не решишь...

— То-то и оно, — вздохнул Чернов.

— А ты-то на что? — озлился вдруг Антибиотик. — Затокал... Что хочешь делай, но Катьку прощупай: чем дышит, что говорит. Мы тебя в следующем квартале продвигать собираемся, вопрос почти решен, смотри — все в твоих руках. Старайся, а мы тебя не забудем, ты же знаешь...

Чернов кивнул и торопливо заговорил:

— Единственное, что удалось узнать: не тех они взяли, кого собирались... Кудасовцы на «черных» ехали, омоновцев еще инструктировали, чтобы те не вздумали «зверей» палками профилактировать... А потом еще начальство говорило: Марков, мол, везучий, подфартило ему, просто подарок судьбы...

— Подфартило, говоришь? Ну-ну... — взгляд у Антибиотика стал колючим и совсем не ласковым: — Ты, Валера, тему эту пробей.

Чернов досадливо сморщился:

— Да не пробиться там... Про пятнадцатый отдел не зря говорят, что там все на шпиономании головой поехали...

— Ничего, — ответил Виктор Палыч. — Недолго им осталось. Никитку этого, Кудасова, мы угомоним. И отдел его нейтрализуем. Они неактуальными задачами занимаются. Это в то время, когда страна от уличной преступности задыхается! Ничего... Короче, задача тебе ясна? Как хочешь пробивай! Нас время поджимает.

Антибиотик повернулся и, не попрощавшись, пошел к выходу из парка.

Чернов воровато огляделся, закурил сигарету и принял решение отправиться в ИВС, где сидела Званцева...

* * *

Под вечер у Катерины случилась очередная стычка с вернувшейся после допроса молодой сокамерницей, видимо решившей взять реванш за утреннюю экзекуцию. Без каких-либо видимых причин и поводов девка, сняв с себя растоптанный туфель, бросилась на Катю с истошным криком:

— Манду порву, сука. — Она метила каблуком Кате прямо в лицо, но та уклонилась, перехватила левой руку, сжимающую туфель, а правой ткнула девке в лицо. Этот удар Олег называл «кошачьей лапой» — четыре пальца били одновременно в четыре болевые точки на лице — средний в переносицу, указательный и безымянный — в подглазья, а большой — в горло, под подбородок. «Тяжело в учении — легко на работе», — шутил, бывало, Олег на тренировках, повторяя фразу из «Операции Ы», когда обессилевшая Катерина буквально падала на пол. Теперь все эти знания пригодились. Подхватив завизжавшую и ослепшую на время девку за волосы, Катя с размаху ударила ее лицом о стену. Зэчка завыла во весь голос, и дверь немедленно отозвалась лязганьем замка. В камеру вошла дежурная, из-за ее спины выглядывал Чернов.

— Что тут происходит? Званцева?! — строго спросила дежурная.

— Вы эту девку не трогайте, не виноватая она, — вступилась за Катю вторая сокамерница.

— Пойдемте-ка, Екатерина Дмитриевна, побеседуем, а то вы тут всех перебьете, — выступил вперед Чернов.

Катя перевела дыхание и покачала головой:

— Без адвоката я беседовать не буду!

Чернов кивнул и осклабился:

— Будет вам и адвокат. Не осложняйте свое положение. Пойдемте, — Чернов начал подталкивать Катерину в спину, и та, поколебавшись, вышла из камеры. Чернов привел Катерину в следственный кабинет, находившийся рядом.

— Ну-с, — сказал Чернов, усаживаясь на табурет и жестом предлагая сесть Кате. — Что мы желаем рассказать?

— Я ничего не хочу рассказывать, — сухо ответила Катерина. — Оставьте меня в покое!

— Ты мне брось тут Ваньку валять! — заорал вдруг Чернов, вставая с табурета. — Я сейчас приму заявление у гражданки, которую ты избила, и еще годика три тебе накинем!

Катя устало закрыла глаза и равнодушно пожала плечами:

— Делайте, что хотите.

Чернов пробежался по кабинету:

— Ты мне не указывай, что делать! Отсюда теперь долго не выберешься. Знаешь поговорку: «Большой дом, он потому Большой, что с него Магадан видно»...

Валера хихикнул и наклонился к Катиному лицу. Катя слегка отодвинулась:

— Вы бы, не знаю, как вас зовут, побрились, зубы почистили, в баню сходили...

— Я тебе пошучу, я так пошучу — совсем не смешно станет.

— Ладно, — устало сказала Катерина. — Задавайте ваши вопросы и отведите меня назад в камеру.

— Ну вот, — удовлетворенно кивнул Чернов. — Другое дело. Давайте-ка о ваших знакомых поговорим.

Чернов внезапно перешел на «вы» и снова сел на табурет.

— Вам известен некий Карл Фридрихович Филь?

— Кто же его не знает, — пожала плечами Катя. — Он — один из учредителей банка «Отечество»...

— Что вы можете о нем рассказать?

Катерина подумала немного и ответила:

— Очень вежливый, воспитанный человек, никогда не сядет первым, не предложив место женщине, всегда отлично выбрит, подтянут, ему примерно под шестьдесят, но он в отличной спортивной форме...

— Меня не интересует его форма, — раздраженно бросил Чернов. — Вам известно, каким фирмам он выдавал кредиты за последние два месяца?

— Откуда же мне знать, — удивилась Катя, — если это — коммерческая тайна? Такие вещи могут знать только люди из Большого дома — они высоко сидят, далеко глядят...

— Опять шутить изволите?! — Чернов грохнул кулаком по столу.

— Ну что вы, — ответила Катерина, пряча усмешку. — Как я могу шутить при таком большом начальнике?..

Чернов достал сигарету и закурил, не предложив Кате.

— Хорошо. Давайте поговорим об Антибиотике... Что вы о нем знаете?

— Антибиотик — это такой медицинский препарат, — тоном терпеливой учительницы начала Катерина. — Он используется как противобактериальное средство, в частности для лечения венерических заболеваний. Если у вас какие-то проблемы...

— Это у тебя проблемы, сука! — завопил Чернов, подскочив с табурета. — Опять смеешься?! Я тебя о Витьке-Антибиотике спрашиваю!

— Таковых не знаю, — спокойно покачала головой Катя.

— Не знаешь... У нас есть фотография, где вы запечатлены вместе.

— Ну и что? — Катя широко раскрыла глаза. — Я женщина взрослая, могу позволить себе любые контакты.

— Ну и какие же контакты у тебя были с Виктором Палычем?

— Не помню...

— Вот ваша фотография, — Чернов выхватил из кармана пиджака карточку, которую ему передал Антибиотик.

— Ах, этот... — протянула Катерина. — Мы с ним посещаем один спортивный клуб.

— И все?

— Ну, если вы такой осведомленный человек, — улыбнулась Катя, — то у вас должны быть и другие фотографии... Я устала, боль-

8*

227

ше разговаривать не буду. Отведите меня в камеру.

— Ты, сучка, об этом еще пожалеешь, это я тебе гарантирую, — негромко сказал Чернов, выводя Катю из кабинета. — Пожалеешь очень скоро.

Катерина ничего ему не ответила: она действительно страшно устала и, вернувшись в камеру, сразу легла. В тот вечер ее больше не трогали...

На следующий день Чернов, встретившись с Антибиотиком у станции метро «Елизаровская», доложил, что Званцева «молчит, как Зоя Космодемьянская». Виктор Палыч хмыкнул и, уходя, сказал жестко:

— Рой дальше... Штирлиц ты наш...

Антибиотик ничего не понимал и поэтому не торопился принимать какое-то решение. «Ничего, — думал он. — Пусть посидит девочка. Только на пользу ей будет».

Между тем Катерина, не получая никаких известий от Антибиотика, все больше склонялась к мысли, что раз Виктор Палыч не присылает ни адвоката, ни весточек, то он сам может иметь какое-то отношение к ее задержанию. Или это все-таки дело рук Сергея? Она понимала, что рано или поздно ей придется отвечать на вопрос — как у нее оказался в каблуке кокаин. Виктор Палыч найдет возможность задать его, если только он не был подложен с его ведома. Что тогда говорить? Какую версию строить, чтобы не погубить себя и... Сергея. Катя знала, что не сможет его выдать, даже если он на самом деле отправил ее в тюрьму. Челищев стал ее вторым «я», Катя растворялась в нем, теряла рассудок и силу воли... Было и еще одно обстоятельство, о котором никто не знал, кроме нее. Вот уже две недели у нее была задержка женского цикла. Такое случалось и раньше, но сейчас самочувствие было не совсем обычным. Катя со страхом думала о том, что она, потеряв голову с Сергеем, предохранялась небрежно и вполне могла забеременеть...

В середине дня ее вызвали к дежурному адвокату, который торопливо и формально выдал ей несколько убогих советов. После адвоката ее вызвали к знакомому уже подслеповатому следователю, которого, как оказалось, звали Виталием Ивановичем Мищенко.

Мищенко сообщил Кате, что в отношении ее «избрана мера пресечения — содержание под стражей». Катя перешла из разряда задержанных в категорию арестованных, и вскоре ее должны были перевести в «Кресты». Катерина продолжала теряться в догадках относительно всего, что с ней случилось. Нет, Антибиотик — человек дела, прежде всего — дела, и он не стал бы ее подставлять именно сейчас, когда она была ключевой фигурой сразу в нескольких контрактах.

Но кто тогда остается... Только Сергей.

Перед переводом в «Кресты» ее снова вызвали на допрос. На этот раз побеседовать с ней захотел тот самый опер, который ее задержал.

Когда дежурная привела Катерину в следственный кабинет, Степа Марков встал из-за стола и поздоровался:

— Присаживайтесь, Екатерина Дмитриевна. Меня зовут Степан Петрович Марков, я —

старший оперуполномоченный пятнадцатого отдела... Я бы хотел поговорить с вами предельно откровенно и, если хотите, конфиденциально.

Катя усмехнулась:

— Вчера один ваш сотрудник уже пытался это сделать... Добавить мне нечего. Никого из тех людей, что вас интересуют, я не знаю достаточно хорошо.

— Какой сотрудник? — удивился Марков.

— Не знаю, — пожала плечами Катерина. — Он забыл представиться.

— Ладно, — нахмурился Степа. — Мы с этим разберемся, а сейчас я хотел вот что спросить... Нет, ваши знакомые меня не очень интересуют, я их сам знаю, заочно, конечно... А вот вы — вы же на камикадзе не похожи, и наркотики — это что-то новое в вашей биографии... Что случилось-то, Екатерина Дмитриевна?

Катю передернуло. Этот опер сразу ударил по болевой точке.

— Если даже вам, Степан Петрович, это удивительно, зачем же тогда вы меня сюда посадили?

Марков вздохнул:

— Екатерина Дмитриевна, давайте будем точны в формулировках. Посадил вас не я. Сюда вас привел ваш образ жизни, и привел закономерно, только чуть раньше, скажем, чем я предполагал...

— Образ жизни? — возмутилась Катя. — Дай Бог всем такой! Можно подумать, вы тут все — ангелы белокрылые...

Степа мягко прервал ее:

— Давайте не будем вести абстрактные беседы... Я вот что думаю: ваш патрон Виктор

Палыч — только не надо говорить, что вы его не знаете, лучше вообще ничего не говорите, — так вот: Виктор Палыч, выжав из вас все, что можно, просто плюнет на вас. Бесплатный сыр бывает только в мышеловках... Антибиотик — умный и расчетливый человек, в его деле действует своеобразный закон сохранения энергии: если где чего-то прибывает, то в другом — должно убывать. Лишние ему не нужны...

Катя долго молчала, а потом, попросив у Степы сигарету (от вонючей «родопины» у нее сразу закружилась голова), спросила:

— Степан Петрович, позвольте и я задам вам вопрос, раз уж у нас такой разговор пошел откровенный...

— Спрашивайте, — кивнул Марков. — Если это не будет касаться интересов службы, отвечу вам честно...

— Я о вас и о вашем отделе кое-что слышала... Неужели вы всерьез верите в то, что государство сейчас действительно ведет борьбу с так называемой «мафией»? Скажу точнее — не ведет, а хочет вести?..

Степа вздохнул и загасил свой окурок в пепельнице:

— Я, Екатерина Дмитриевна, за всю Россию страдать не умею, о себе лично — скажу. Я делаю все, что могу, чтобы сломить ту систему, которую налаживает в Питере Антибиотик, и я не один такой.

Катя внимательно посмотрела Степану в глаза и покачала головой:

— Вы — симпатичный и, видимо, искренний человек... Мне просто страшно за вас...

Марков усмехнулся:

— Давайте все-таки от моей скромной особы перейдем к вашим проблемам...

Катерина решительно тряхнула головой:

— А у меня нет проблем, Степан Петрович. То, что я сюда попала, — что ж, сказано в Библии: время разбрасывать камни, время — собирать... Но при всем моем уважении к вам говорить я ничего не буду. Я ведь, в отличие от вас, в государство не верю, а с моим делом — решайте сами. Согласно существующему законодательству, если сможете, конечно.

Марков помолчал, потом кивнул, поняв бесполезность своих попыток:

— Что ж... Как хотите. Очень жаль, что разговора не получилось.

— Что поделать, — ответила Катя... — Храни вас Бог.

Утром следующего дня ее перевели в «Кресты». Адвокат принес, по ее просьбе, самоучитель испанского языка, и Катя постоянно листала его в камере, где, кроме нее, сидели еще пять женщин. Она шептала про себя испанские слова, заставляя мозг отключаться от всего остального, чтобы не скатиться в безвольное отчаяние. От Антибиотика и Сергея по-прежнему не было никаких вестей.

На третий день ее пребывания в «Крестах» кто-то бросил ей в «кормушку» короткую записку. Подписи не было, но Катя обмерла, сразу узнав твердый почерк Олега. В записке была всего пара строк: «Катенок, что случилось? Почему ты здесь? Что тебе нужно? Все будет хорошо, ничего не бойся. Люблю. Вечером напиши ответ — придет человек из библиотеки». До вечера Катерина промучилась почти физически: ее тошнило, бил озноб. Когда, наконец, пришла в камеру немолодая контролерша и строго спросила, будут ли заявки в библиотеку, Катя молча сунула ей крохотный обрывок бумаги, на котором написала: «Достоевский. Преступление и наказание. Я ничего не знаю. Нужно спросить обо всем В. П.». Контролерша ушла, а Катерина всю ночь не сомкнула глаз, задыхаясь в душной камере.

Прошел еще день, и ее пригласили в «допросный коридор» на беседу с адвокатом. Адвокат долго щелкал замками портфеля, а потом сказал, пряча глаза:

— С вами тут побеседовать хотят...

И быстро вышел из кабинета. Катя удивленно проводила его взглядом и вдруг замерла, оцепенев от удивления и страха: в камеру неспешно и вальяжно вошел Антибиотик.

— Здравствуй, Катерина, давай поговорим. Как ты тут?

— Нормально, — еле выдавила из себя Катя. Только теперь она поверила в то, что в «Крестах», как говорили, возможно все.

Виктор Палыч видел ее растерянность и был доволен произведенным эффектом. За прошедшие дни он так и не пришел к каким-то определенным выводам о причинах происшедшего, а принимать решение было необходимо. Личный разговор с Катей мог внести какую-то ясность.

— Можешь говорить спокойно, — махнул рукой Виктор Палыч. — Здесь нас никто не слушает, но времени у нас мало. Ты ответь мне, что произошло? Откуда у тебя «благородный» оказался? Давно на него подсела?

Катя собралась с духом и словно вошла в ледяную воду, начав отвечать. Она приняла решение валить все на Танцора — он мертв и ничего уже не сможет возразить.

— Бес попутал, Виктор Палыч... Это не я подсела, это Саша-Танцор... У него давно проблемы начались, он скрывал, а без порошка уже не мог... Когда мы с ним в Сибирь летали — я и узнала... Он боялся, что это выплывет, и тогда вы его из коллектива выгоните... Я его хотела к врачам свести, только времени удобного ждала, чтобы по-тихому... А пока — помогала ему, он сам покупать боялся — чтобы не засветиться, мне было проще... Виновата я, но, думала, лучше пусть он из моих рук возьмет, чем кто-то другой его снабжать начнет... После стрелки ему отдать хотела, у него ломки начинались...

Антибиотик помолчал, потом кивнул.

— Допустим. Где зелье брала?

Катя пожала плечами:

— Когда где... На Некрасовском, в «Невских мелодиях»... Кто же знал, что так все обернется. Дура я, дура...

— Как паспорт в сумке оказался? Зачем ксива с тобой была?

— Перепрятать хотела, да вот не успела... Одно на другое наложилось.

— Крутовато наложилось, — хмыкнул Антибиотик. Морщины на его лице чуть разгладились: то, что говорила Катерина, было похоже на правду. — Наркоту отбить тяжело...

Катя только вздохнула в ответ.

— Ладно, — встал Антибиотик. — Не обижают тут тебя?

Катя помотала головой.

— С продуктами помогу, — сказал Виктор Палыч, подходя к двери. — Одежонку кой-какую пришлем поудобнее, книги и журналы... С остальным — не знаю... Наломала ты дров. Всех подвела. Какие-то еще просьбы будут?

Катя вдруг неожиданно для себя прижала руки к груди и выпалила:

— Да... Я виновата, знаю... Я... Можно мне с Сережей повидаться?

Антибиотик еле заметно усмехнулся:

— Посмотрим. Он приболел сейчас. Как врачи решат — может, и устроим.

— Что с ним? — вскочила со стула Катерина.

— Да ничего особенного. Мусора немного ногами попинали — правила дорожные нарушил твой Сережа... За него — не переживай, о себе лучше волнуйся... Ладно, что говорить, не ожидал я от тебя, Катерина...

Виктор Палыч укоризненно покачал головой и вышел, но Катя шестым женским чувством успела понять, что уходит Антибиотик с улучшившимся настроением. Значит, ее версия сработала. Во всяком случае — пока.

Катерина не знала, что по приказу Антибиотика, его люди в тот же вечер перевернули все вверх дном на квартире, где жил покойный Танцор, и действительно нашли в тайнике маленький пакетик с кокаином. Это подтвердило версию Кати, и Антибиотик немного расслабился. Катя не могла этого знать, но в эту ночь она впервые заснула глубоко и спокойно и не просыпалась до самого утра. Самое интересное, что Челищев, продолжая терзаться в больничной палате, словно приговоренный к смерти, тоже вдруг почувствовал некоторое облегчение, как будто отвернулась от него подошедшая совсем близко костлявая...

У Антибиотика, конечно, еще оставались вопросы. Было непонятно, как все-таки время и место стрелки срубили мусора, но он все больше и больше склонялся к мысли о том, что эта информация ушла в ОРБ от Ноиля. Не случайно ведь и сам покойник, и его люди, как оказалось, были на стрелке без оружия...

Виктор Палыч не спал в эту ночь. Ему было о чем подумать. На одни вопросы находились ответы, но тут же возникали новые вопросы... Вечером ему передали перехваченное письмо из «Крестов», от Званцева к Челищеву. Антибиотик перечитывал его уже в который раз и нехорошо, по-волчьи скалился...

# Часть III
# БЕГЛЕЦ

Передать Сергею записку, которая лежала на столе перед Антибиотиком, Званцев уговорил ту самую контролершу, которая уже однажды поработала курьером между ним и Катей. До Олега дошла информация, что Челищев лежит в больнице: слухи в тюрьме распространяются иногда даже быстрее, чем на воле. Званцев заплатил женщине в ефрейторских погонах сорок долларов за эту услугу, поставив непременным условием, чтобы письмо было передано Сергею лично в руки. Контролерша, однако, не стала рисковать и, в свою очередь, попросила медсестру в больничной регистратуре за плитку шоколада передать записку больному Челищеву. Молоденькая сестричка легко согласилась, и контролерша сочла свою миссию выполненной. Она не могла предположить, что медсестру к Челищеву не пропустят два «санитара», круглосуточно дежурившие у его палаты. «Санитары» сказали сестричке, что Сергей спит, и заверили ее, что передадут записку сами, как только больной проснется. Они дали девушке сникерс и немножко потискали ее. Медсестра вернулась вниз и сказала контролерше, что записка передана... На самом же деле короткое письмо уже через час держал в руках Антибиотик. Содержание записки очень не понравилось Виктору Палычу. Олег писал на половине тетрадного листа:

«Серый, здравствуй! Через надежную оказию срочно дай ответ: что за тема у Кати. Я чувствую, что Витамин гнет свое. У меня остались ты и Катя. Никому больше не верю, чего и тебе желаю. Вместе мы — сила. Даст Бог, скоро выйду — поговорим подробнее. С тобой мы такое замутим — темы есть, я здесь времени зря не терял. Напиши, почему Витамин душит Катю. Как сам? Слышал, тебе досталось. Держись. Обнимаю крепко, надеюсь вскоре свидеться.

Твой братишка О.».

Конечно, Виктор Палыч сразу догадался, что под «Витамином» Олег имел в виду его, Антибиотика. Но дело было, естественно, не в том, как Званцев в тайном письме назвал своего патрона. Все было гораздо серьезнее.

В мятом обрывке бумаги Виктор Палыч усмотрел две нехорошие тенденции: явно выраженное недоверие к своей персоне и отчетливая тенденция к сепаратизму, к выходу из-под контроля. «Вместе мы — сила...» Антибиотик и сам понимал, что если Челищев и Званцев начнут «работать» вместе, то через совсем небольшой отрезок времени они смогут подняться круто. Очень круто. Оба — личности сами по себе, а если они объединят потенциалы, то... Мальчишки могут стать попросту опасны. В один прекрасный момент они возьмут и решат, что он, Антибиотик, — лишний в раскладе. Понятно, что такой момент наступит не завтра и не послезавтра, но Виктор Палыч потому и считал себя умным человеком, что предпочитал упреждать неприятности, возможные даже в отдаленном будущем. Он работал на перспективу и считал на много ходов вперед. Потому и дожил до своих лет.

Старик ходил по комнате и думал. Глупые люди... Почему они не довольствуются тем, что уже есть, почему все время хотят большего? Он внезапно поймал себя на мысли, что и сам всегда был таким. Антибиотик вспомнил старый анекдот и усмехнулся: «Есть разница: когда мы трахаем — это мы трахаем, а когда они трахают — это нас трахают». В этом-то вся логика и справедливость — не дать себя трахнуть.

— Нет, ребятки, щеглы вы еще... Боливар двоих не вынесет...

Виктор Палыч принял решение. По его расчетам, реализация этого решения сделает невозможным союз Званцева и Челищева. Более того, выжить сможет только один из них. Кто? Пусть решит судьба. У каждого свои плюсы и минусы. Белый Адвокат — Званцев — более осведомлен о делах империи Антибиотика, но этот плюс в любую минуту может обернуться минусом — перехваченное письмо это хорошо показало. Олег более прямолинеен, груб... Хотя это-то как раз, скорее, достоинство, нежели недостаток. Черный Адвокат — Челищев — парнишка совсем не простой, умница, аналитик, да и руками владеет не хуже, чем головой... Но все-таки он мент, а менты — они по масти до конца жизни менты. Даже ссученные. Доверять им нельзя. Вообще, никому доверять нельзя, но уж ментам-то... Только использовать.

Антибиотик не хотел сам ломать голову над тем, какого из двух Адвокатов убрать, какого оставить. Больше всего на свете он любил играть в «человеческие шахматы» и никогда не упускал возможности разыграть интересную комбинацию. Сейчас как раз был такой случай. Пусть ребятки сами начнут друг другу глотки рвать. Тем более что повод для этого будет шикарный. Мужики могут простить другу все, что угодно, кроме той ситуации, когда между ними встает баба. А она между ними уже стоит.

Виктор Палыч тихонько засмеялся. То, что он планировал запустить и посмотреть в ближайшие недели, было интереснее любого видеофильма, потому что ставкой в этом кино становились реальные, конкретные жизни. Пусть ребятишки сами определят, кому жить, а кому умирать. Останется сильнейший. Но он останется один.

На следующий день он навестил в больнице Сергея. Челищев поправлялся медленно, словно нехотя возвращался к жизни. Он очень постарел за прошедшие дни. Человек, не знавший Сергея раньше, на взгляд дал бы ему лет сорок. Виктор Палыч разговаривал с Челищевым ласково, спрашивал о самочувствии, интересовался, что нужно для нормального расслабления. У Сергея в палате стояли и телевизор, и «видак», и двухкассетный магнитофон, а книги и газеты врачи ему еще читать не рекомендовали.

— Виктор Палыч, как там Катя? — спросил Сергей минут через пятнадцать после начала беседы.

— Ну, как... — ответил Антибиотик, качая головой. — Не курорт ведь там, сам понимаешь... Помогаем, конечно, чем можем, но... Ничего, впредь наука будет. Сама себе все эти праздники устроила.

— Как сама? — Сергей непонимающе помотал головой. Его начало знобить.

— Да так! Она, видишь ли, шмыгалово для Танцора, царствие ему небесное, таскала... Пацан на наркоту подсел, а она его жалела. Вот и дожалелась...

Челищева бросало то в жар, то в холод, и больше всего он боялся, что Виктор Палыч заметит его состояние.

— Танцор... Почему, откуда это известно?

— Сама сказала. Слава Богу, хоть ума хватило мне не врать. Я навещал ее намедни. Кстати, Катерина Дмитриевна очень просила, чтобы и ты ее проведал. Я думаю, нужно уважить барышню. Ей сейчас несладко. Заодно и расспросишь сам обо всем. Ну и другие вопросы решишь, если захочешь...

Антибиотик засмеялся и подмигнул Сергею. Челищев натужно осклабился. За ответную улыбку эта гримаса могла сойти лишь с очень большой натяжкой.

— Где... Где проведать?

— Где-где, в «Крестах», где ж еще... Завтра в полдень нужно быть у вождя перед Финляндским, там паренек из оперчасти будет тебя ждать. Юрой его зовут. Он и проводит. Заплатишь ему по таксе двести баксов — семьдесят за вход, сто тридцать за выход. Полчасика у вас с Катериной Дмитриевной будет. Как, хватит? Успеешь?

Виктор Палыч снова подмигнул и засмеялся. Челищеву, напротив, было совсем не смешно. Кашлянув, он осторожно сказал:

— А врачи? Они же меня не выпустят...

Антибиотик махнул рукой:

— Это не проблема. За два часа Вася тебя туда-сюда-обратно доставит. Фейс у тебя уже вполне терпимый, сестрички немного подштукатурят, и хоть на свадьбу. Ксиву свою адвокатскую не забудь: ее тебе, если сам не помнишь, вернули, и Вася ее в твой бумажник положил. А сейчас — давай, отсыпайся, а то завтра небось все силы понадобятся. Дело молодое — оно такое.

Виктор Палыч еще посмеялся немного и ушел, чрезвычайно довольный собой, оставив Челищева истекать испариной, пришедшей на смену ознобу. Уходя, Антибиотик оставил амбалам-«санитарам» в «предбаннике» письмо Званцева, наказав через часок примерно передать его Челищеву, но не самим, а через дежурную сестричку, с соблюдением конфиденциальности.

А Сергей в своей палате ломал голову над тем, почему Катерина его не выдала. Может, не просчитала? Может быть, Сергей ее переоценивал? Да нет, конечно, просчитала, целую версию выдумала. Танцора, покойника, приплела... Зачем? От себя что-то отводила или его, Сергея, защищала? На какой-то момент Сергею стало очень страшно — может быть, он вообще во всем ошибался? Может быть, все совсем не так? Катя — нормальный человек и ни в чем не виновата? А он просто «поехал головой» и сдал в тюрьму ту, кого сам любит и которая любит его? Почему Катя его не выдала? Почему, Катенька?..

Но потом Сергей вспомнил забрызганные родительской кровью стены квартиры, похороны на Смоленке...

Вдруг остро закололо сердце и потемнело в глазах. Челищев чуть не закричал от боли и испуга, но тиски в груди разжались, боль ушла. «Нет, она просто ведет какую-то свою игру. Ей что-то нужно от меня, поэтому она и выпросила у Палыча это свидание... А что ей нужно, я узнаю завтра. Господи, как я устал... Вразуми, помоги... Господи...»

Через час Челищев получил записку Олега и запутался окончательно. По посланию Олега выходило, что Антибиотик зачем-то «прессовал» Катерину. Зачем? И почему он тогда корчит из себя доброго папу, свидания организовывает, как профессиональная сводня... Сергей чувствовал, что еще немного, и его мозг взорвется, не выдержав чудовищного напряжения. Ко всему прибавилось еще и чувство вины перед Олегом. Он же ничего не знает про них с Катериной, братишкой в письме назвал...

«Братишка... Где же он был, когда моих убивали?!»— одернул сам себя Сергей и попытался спрятаться от угрызений совести в лаве ненависти. Но не было никакой лавы, были пустота и боль. И было непонятное, нелогичное, изматывающее чувство вины. С ним он и уснул.

Утром Вася отвез его к памятнику Ленину перед Финляндским вокзалом, где Челищева уже ожидал Юра из оперчасти «Крестов». Юра оказался вполне симпатичным парнем с внешностью героического персонажа из советских детективов. Абсолютно положительный образ, вот только в глазах у Юры прошмыгнуло что-то крысиное, когда Сергей передал ему семьдесят долларов «входных». Челищев шел за Юрой по Арсенальной набережной как в бреду. Голова, отвыкшая от свежего воздуха, кружилась. Сергею хотелось одновременно побежать, чтобы быстрее увидеть Катерину, и уйти прочь, чтобы свидание не состоялось. Впрочем, он уже понемногу свыкся со своим раздвоенным состоянием и следовал не чувствам, а необходимости, а она заключалась в том, что Катю велел навестить Антибиотик. «Интересно, — поймал вдруг себя на мысли Сергей, — почему же Палыч, для которого даже стены «Крестов» оказались лишь декорацией, никогда не предлагал мне навестить Олега?» Интуиция подсказывала, что ответ на этот вопрос может стать ключом и к каким-то другим загадкам, но как его получить, этот ответ? Есть ли вообще на свете такой человек, который смог бы «просчитать» Антибиотика?

На проходной Сергей оставил свое адвокатское удостоверение и, получив взамен пластиковый жетон, пошел следом за Юрой. Миновав еще один пост, они вышли в допросный коридор. Челищев бывал здесь десятки, если не сотни раз, но никогда раньше посещение «Крестов» не стоило ему таких нервных затрат. Юра открыл кабинет для допросов и ушел, велев ждать. Пятнадцать минут ожидания обернулись мучительной вечностью. В коридоре, как обычно, переругивались добродушным матюшком контролеры и контролерши, лязгали двери «стаканов» и кабинетов, а Челищев прислушивался к шагам, пытаясь приготовиться к встрече с Катериной. И все же она вошла неожиданно. Вошла, посмотрела Сергею в глаза и сразу опустилась на привинченный к полу стул, будто ноги ее не держали. Удары собственного

сердца оглушали Челищева, и он с трудом рас-
слышал слова опера Юры:

— Так, ну, вы тут... беседуйте... Минут сорок у вас есть, никто беспокоить не будет. А
потом я загляну. О'кей?

Челищев механически кивнул, не отводя
взгляда от глаз Катерины. Юра вышел и запер
дверь кабинета.

Сергей хотел было встать, броситься к Кате,
обнять ее, но... Не слушались его ноги. Тело,
будто чужое, оставалось неподвижным. Не ше-
велилась и Катя. Она молча смотрела Сергею
в глаза, и столько в ее взгляде было любви и
боли, что Челищеву стало трудно дышать. А
еще в ее взгляде был немой вопрос: «За что?».
У Сергея сразу пропали все сомнения... Катя
давно его высчитала...

Челищев смотрел в ее огромные зеленые
глаза и растворялся в них. Ничего не осталось
в мире, кроме этих глаз. Исчезли все звуки,
остановилось время, остались только звезды
глаз. Сергей не помнил, сколько времени они
так просидели, ему казалось, что не больше минуты. Но вдруг щелкнул замок двери, показалось растерянное лицо Юры. Он непонимающе
оглядел Сергея и Катю, сидевших молча, в тех
же позах, что и в самом начале свидания, и
сказал:

— Я, конечно, извиняюсь... Но время поджимает. Я бы, конечно... Но — к сожалению...

Юра был растерян и путался в словах. Когда он вел Катерину в кабинет к Челищеву,
то практически не сомневался, что «клиенты»
сразу начнут трахаться... Все, как говорится,
люди-человеки. Юра даже рассчитывал раз-
влечься небольшим пип-шоу, подсматривая в

глазок. Юра любил это дело, живьем оно гораздо интереснее любой порнухи. Но «клиенты» оказались с каким-то явным прибабахом: почти час они сидели неподвижно и молча, только смотрели друг на друга, словно в гляделки играли. Ни с чем подобным раньше Юра не сталкивался, поэтому растерялся и даже почему-то испугался. А когда после его слов Сергей глянул Юре в глаза, стало оперу, насмотревшемуся всякого за годы работы в «Крестах», и вовсе жутко. Не смотрят так живые люди на живых...

Катя все так же молча встала и направилась к выходу из кабинета. И только на самом уже пороге, обернувшись, прошептала:

— Я люблю тебя, Сереженька...

А может быть, и не прошептала, а глазами сказала... И вышла.

Челищев не помнил, как Юра выводил его из «Крестов», и не слышал, что он говорил. Сергей словно оглох в звенящей тишине допросного кабинета. Очнулся он уже на улице, где Юра начал мяться, жаться, пока, наконец, блудливо хихикнув, не напомнил:

— Сергей Саныч, а насчет гонорара-то... Вы забыли, наверное... Для вас это мелочь...

Челищев молча достал деньги и сунул их незаметно в потную Юрину ладошку, а потом зашагал, покачиваясь, к Финляндскому вокзалу, где его ждал в «джипе-черроки» Вася. Сергей уже почти дошел до машины, когда безжалостные тиски сдавили вдруг сердце и перекрыли доступ воздуха к легким. Ноги стали совсем чужими и тяжелыми. Челищев подумал, что сейчас просто упадет, но в это мгновение из «джипа» выскочил Вася, заподозривший неладное из-за качающейся, как у пьяного, походки Челищева. Великан подхватил Сергея под мышки и быстро втащил на пассажирское сиденье «джипа»:

— Эй, Адвокат, что с тобой? Плохо стало, что ли?

— Сердце... — еле выговорил Челищев посеревшими губами. Вася матюгнулся и побежал в здание вокзала к аптечному киоску за валидолом. Он вернулся очень быстро и крепкими пальцами запихнул Сергею в рот сразу две таблетки, а потом рванул к больнице. Челищев закрыл глаза и стал осторожно баюкать боль в груди. Вася косился на него и время от времени приободрял:

— Ничего, Адвокат, потерпи, сейчас приедем...

Сергей вяло кивал в ответ. Ему пришло в голову, что Вася может и не успеть довезти его до врачей. Странно, но эта мысль не вызвала страха, наоборот, от нее Челищеву стало легче. Мысли о смерти несли покой, сглаживали мучительное ощущение вины и осознание непоправимости случившегося по его вине. Влетев на немыслимой скорости во двор больницы, Вася заехал прямо на крыльцо. Выскочив из «джипа» и вынув Челищева, пинком ноги открыл дверь и ввалился в приемную.

— Живо, врачей! Парню с сердцем плохо! — гаркнул Вася девочкам в регистратуре. Поднялась большая кутерьма, Сергея уложили на каталку, куда-то повезли, сделали быстро два укола. Потом в каком-то кабинете его раздели, подсоединили к телу присоски и датчики, и незнакомый хмурый врач в голубом халате и шапочке долго и внимательно наблюдал за всплесками сигналов на экране монитора. Потом пришел еще один врач, и начался тихий консилиум. Наконец врач в голубом халате пожал плечами, выключил монитор и сказал, обращаясь к Челищеву:

— Гм... С сердцем у вас почти полный порядок... По крайней мере сейчас... Возможно, у вас были судороги грудных мышц... или другие неприятные ощущения невралгического характера. Ничего опасного для сердца я сейчас не наблюдаю. Вам, молодой человек, надо немного нервишки подлечить, и этим мы, пожалуй, и займемся прямо сейчас. Вас отвезут в палату, и через часок приступим. Только у меня большая к вам просьба — если уж вы лечитесь, так лечитесь, не надо из больницы бегать, себе же хуже делаете, лечиться дольше придется. Хорошо?

Сергей медленно кивнул. Через час его так накачали транквилизаторами, что боль в груди затихла, а потом и вовсе растворилась вместе с обрывками засыпающих мыслей...

Антибиотик, получив от Васи и опера Юры информацию о том, как прошло свидание в «Крестах» и в каком состоянии Челищев вернулся в больницу, пришел в очень хорошее расположение духа. Виктор Палыч озадачил Юру тем, что попросил аккуратно довести информацию о свидании между Сергеем и Катериной до Званцева. Юра ничего не понял, но вопросов задавать не стал. Позже, поговорив с приехавшим из больницы Васей, Антибиотик приказал ему найти и доставить для разговора некоего Валдая.

Вова Крутов получил прозвище Валдай в Афганистане, откуда вернулся в 1988 году. Возвращение в Ленинград преподнесло Валдаю обычный солдатский сюрприз — девушка, которую Вова считал своей невестой, его не дождалась. Истерзанная войной и обидой психика Крутова пошла совсем наперекосяк, он начал пить, в одиночку «тряс» кооператоров, когда кончались деньги, и однажды в 1990 году нарвался на барыгу, которого прикрывала группа Адвоката.

Когда выяснилось, что Валдай — афганец, его не стали бить и калечить. Званцев долго разговаривал с ним лично, а в конце беседы предложил перейти в свой «коллектив». Вова Крутов согласился. Олегу пришлось с ним повозиться — у парня уже были серьезные проблемы с алкоголем и наркотиками. Званцев с помощью хороших врачей и дорогих препаратов буквально вытащил Валдая из ямы, «подшил» его и закодировал. Вова готов был молиться на Званцева, он был предан ему по-собачьи. В свое близкое окружение Званцев Валдая все же не пускал, поскольку Вова, не отличаясь интеллектом, проявлял еще к тому же ненормальную жестокость по отношению к женщинам, особенно симпатичным. Валдай удовлетворял свои инстинкты и вымещал обиды на проститутках, которые потом жаловались своим сутенерам, а те передавали претензии выше. Катя терпеть не могла Валдая, и Олег вынужден был держать парня, которому необъяснимо сочувствовал (может, себя самого в нем видел?), назначив бригадиром на дальних выселках — Валдай «работал» в пригороде Петербурга, Павловске, и появлялся на берегах Невы не чаще раза в месяц.

Виктор Палыч знал историю Вовы Крутова, его отношение к женщинам, которые, по мнению Валдая, все были блядями и суками. Именно на этой женоненавистнической струне и собирался сыграть Виктор Палыч особую мелодию для Олега Званцева.

Валдай был чрезвычайно польщен тем, что его пригласил для «серьезного разговора» сам Антибиотик, которого Вова за свою карьеру видел всего несколько раз, да и то, что называется, с галерки. Отмороженных мозгов Крутова не хватило на то, чтобы понять тонкую игру Виктора Палыча, долго и степенно рассуждавшего о понятиях чести, настоящей мужской дружбе и верности. Когда Антибиотик перешел, наконец, к сути вопроса и рассказал Валдаю о «подлой измене», совершенной Катей и Сергеем за спиной томящегося в тюрьме Званцева, Валдай уже пылал благородным негодованием, вскакивал, матерился, сжимал кулаки и только что не выпускал пар из ноздрей, как Конек-Горбунок из известной сказки.

— Такая вот, Вова, история за спиной нашего товарища случилась... Сам понимаешь, кто-то должен эту тему Олегу передать. Это трудно, горько, но необходимо, и сделать это должен кто-то из своих. Я и сам бы, конечно, мог, но — ты ведь знаешь Адвоката и его самолюбие... Ему будет вдвойне больно услышать такое от меня, старого. А ты афганец, фронтовик, как и Олежка, вы одной, так сказать, крови, одного закваску... От тебя услышать эту горькую правду ему будет легче. Поэтому, Володя, тебе и нужно Олегу обо всем написать... Он для тебя многое сделал, а теперь ты ему должен глаза раскрыть...

Антибиотик говорил проникновенным голосом с выражением искреннего отеческого страдания на лице, а Вова Кругов завороженно кивал. Уговаривать его не пришлось. Под присмотром Виктора Палыча он тут же накатал маляву Званцеву:

«Здорово, брат!

Ты знаешь, для меня это слово свято. Ты всегда был мне как родной старший брат, поэтому обманывать и утаивать от тебя горькую правду не могу. За твоей спиной творится блядство. Мы все прошли через это и можем друг друга понять. Твоя жена и тот, кого ты считал другом, изменили тебе и делают это постоянно, даже не стесняясь братвы. Я знаю, тебе будет больно, ты говорил мне всегда, что женщины — не все такие, но вот оказалось, что все. Мне тяжело писать тебе об этом, но пусть это лучше буду я, чем кто-то начнет смеяться. Я не лезу в твои дела, но пусть твои глаза будут раскрыты. Нам не в первый раз стреляют в спину, но мы должны выстоять. Помни, что всегда и во всем можешь на меня рассчитывать. Прости, если сделал тебе лишнюю боль. Только скажи, я этому кобелю елду вырву. Твой брат по крови,

Вова Валдай».

Антибиотик внимательно прочитал написанное и остался доволен. Валдай писал коряво и напыщенно, но искренне. Олег поверит этому письму.

После того как Вова Крутов переписал послание набело, Виктор Палыч долго и растроганно говорил ему о том, какой он реальный и правильный пацан. Валдай кивал и хавал все за чистую монету. Когда Вася наконец увёз его с аудиенции, Антибиотик еще раз прочитал маляву и ухмыльнулся:

— Вот так-то, ребятишки...

Юра из оперчасти «Крестов» довел до Званцева информацию о свидании Челищева и Катерины грамотно и аккуратно. Арестованный вместе с Олегом Ветряк, сидевший в «Крестах» безвылазно с августа 1992 года, «случайно» подслушал разговор двух цириков[*], когда его дернули на допрос. Ветряк сидел отдельно от Званцева, но пустить коня[**] в «Крестах» никогда не было проблемой.

В том, что Катя виделась с Сергеем, ничего особенного вроде не было, они могли, в конце концов, оговаривать какие-то чисто практические вопросы, но Олега эта информация «зацепила». Он ощутил внутреннее беспокойство и тоску. Самым неприятным было то, что Сергей, оказывается, мог пройти в «Кресты», но Званцеву не подал даже весточки. Молчала и Катерина, хотя канал связи у нее был. Олега начали мучить подозрения, разъедавшие и без того подточенную тюрьмой нервную систему. Званцев, всегда отличавшийся выдержкой и спокойствием, начал легко раздражаться из-за ерунды, избил из-за пустяковой шутки соседа по камере (бедолагу-шофера, случайно задавившего пьяного), потерял аппетит и сон. В таком состоянии он промаялся двое суток, а потом в «кормушку» его камеры бросили аккуратно запечатанную маляву Валдая.

Прочитав ее, Олег стал похож на буйно помешанного. Как описать все, что творилось в

---

[*] Ц и р и к — контролер в тюрьме, надзиратель *(жарг.)*.
[**] П у с т и т ь   к о н я — послать записку, письмо *(жарг.)*.

его душе? Тот, кто никогда не сидел в тюрьме, все равно не поймет, а те, кому довелось побывать «у хозяина», в лишних словах не нуждаются... Если бы тогда Званцев смог дотянуться до Сергея с Катериной, то, наверное, убил бы обоих, не задавая никаких вопросов. Яростное безумие продолжалось несколько дней, но такой накал не мог быть вечным — он либо выжигал человека дотла, либо сам угасал.

Олег захотел понять, как стало возможным то, что случилось между Катериной и Сергеем. Он слишком хорошо знал свою жену, чтобы хоть на минуту допустить мысль о том, что причиной могло быть банальное затянувшееся сексуальное воздержание. Званцев нуждался в информации. За приличную сумму в валюте он уговорил все ту же ефрейторшу-контролершу попытаться узнать, что делает, как себя ведет и «чем дышит» Катерина в камере, а также разослал нескольким своим людям на воле короткие письма. Письма эти, прежде чем они попали к адресатам, прочитал Антибиотик. Виктор Палыч остался доволен их содержанием — все развивалось именно так, как он задумал. Через два дня ефрейторша передала Олегу новость, от которой он впал в транс. По словам контролерши, Катерина была беременна, у нее начался ранний токсикоз, ее постоянно тошнило и ломало. Сокамерницы Катерины помогали ей, как могли, — беременность еще можно скрыть от мужчин, но не от женщин, которые постоянно вынуждены находиться вместе...

Званцев закаменел, и теперь все его мысли и силы были направлены на то, чтобы вырваться из «Крестов». В своих малявах на волю он указывал «коллегам» на дополнительные финансовые источники, которые можно смело использовать для того, чтобы изменить избранную ему меру пресечения. Помог и Виктор Палыч, сильнее обычного надавив на нескольких своих «звездных» друзей. В отношении дела «бизнесмена Званцева» был организован депутатский запрос в прокуратуру, в городской прессе появилось несколько «проблемных» статей... Результаты не замедлили сказаться. В конце марта Олег Андреевич Званцев вышел из «Крестов», дав следствию подписку о невыезде.

На этот раз никакой помпы вокруг выхода Белого Адвоката не было. Олега встретил подручный Антибиотика Вася и отвез к Виктору Палычу. Антибиотик, чтобы не затягивать визит, сказался больным, но принял Олега тепло и радушно. Пока они обедали и обменивались новостями, люди Виктора Палыча подогнали новенький «форд» с доверенностью, оформленной на Званцева (машина самого Олега, черный «мерседес», уже полгода стояла во внутреннем дворе ГУВД).

Олег сдержанно поблагодарил за помощь. Когда трапеза подошла к концу, Званцев с деланным равнодушием поинтересовался, как идут дела у Челищева и почему он не приехал к «Крестам». Виктор Палыч заохал, объяснил, что дела у Сергея были неважными, но сейчас уже все, слава Богу, нормализовалось, и через пару дней врачи обещали подумать о выписке. Олег кивнул И спросил о перспективах Катерины. Антибиотик долго молчал, а потом, вздохнув, ответил:

— Ты же знаешь, наркоту отбить трудно. Тем более при таких обстоятельствах... Но ты не думай, мы все силы приложим, постараемся... Срок первичного постановления через два месяца истекает, я думаю, больше в тюрьме Катю мариновать не будут. Зачем им беспредельничать? Отпустят на подписку с Богом... А там мы что-нибудь сообразим... Сейчас обстановка не очень, но через недельку-полторы можно будет свиданьице вам устроить. Сразу-то не стоит, зачем «кудасовцев» дразнить... Я понимаю, ты голодный после тюрьмы, но мужик ты видный, баб полно, в «Тройку» съезди, там новенькие появились...

Виктор Палыч прекрасно видел, что Олегу сейчас совсем не до «Тройки» и баб, но делал вид, что не замечает его состояния, балагурил, шутил... Когда Званцев попрощался и ушел, Антибиотик распорядился установить за ним аккуратное наблюдение. Чутье не подвело Виктора Палыча, и через полчаса ему доложили по телефону, что Олег, взяв двух «быков» из бригады Димы-Караула, направился в больницу к Челищеву. Антибиотик улыбнулся и велел Васе продолжать снимать информацию о дальнейших перемещениях Званцева.

— У ребяток, может, серьезный базар наметиться, в городе им не с руки будет. Значит, две дороги Олежке нашему — либо по мурманской трассе на свою «конюшню», но далековато туда ехать, да и постов мусорских полно, либо в «свинарник». Я лично думаю, что они в «свинарник» поедут. Но ты, Вася, все же проконтролируй... Может, и мы с тобой потом съездим проветриться, глянем, до чего наши Адвокаты добазарятся... Разговор у них будет интересный, им есть что рассказать друг дружке.

Виктор Палыч вроде бы говорил все это Васе, а на самом деле просто размышлял вслух. Впрочем, Вася давно уже привык к манере общения своего босса и никогда не задавал лишних вопросов...

Челищев и в самом деле уже почти поправился. Голова перестала кружиться при каждой попытке встать с кровати, но осталась слабость, которая наваливалась неожиданно. Сергей гулял по больнице шаркающей стариковской походкой, пил все таблетки, которые давали ему врачи, и от них пребывал постоянно в заторможенном состоянии. Он много спал, ел и вел почти растительный образ жизни, сознательно заставляя себя не думать о проблемах. Видимо, сработал некий предохранитель, инстинкт самосохранения — если бы Челищев продолжил свои внутренние терзания, его мозг и тело могли бы просто не выдержать. Нет, конечно, Сергей не мог окончательно выкинуть из головы все, что его тревожило и мучило. Просто он взял своеобразный тайм-аут. Ему надо было поправиться, чтобы попытаться разобраться во всех свалившихся на него непонятках. А силы возвращались медленно. Сергей как будто сам не очень хотел поскорее выздороветь, не помогал организму. Его воля и интерес к жизни резко ослабли. Он мог часами сидеть в кресле, смотреть в телевизор, не вникая в то, что там происходит, и то ли дремать, то ли о чем-то грезить...

Именно в таком состоянии его и нашел Олег. (Его братки аккуратно нейтрализовали «санитаров» в предбаннике — амбалам тихо накинули по шнурку на толстые шеи, и медбратья решили не дергаться и не шуметь. К тому же им самим до смерти надоело затянувшееся дежурство у палаты странного пациента. Они знали, что он был «большим авторитетом», но ведь и авторитет авторитету рознь.)

Званцев зашел в палату и долго смотрел в затылок Челищеву, который, не оборачиваясь, сидел у телевизора. Наконец Сергей медленно, словно нехотя повернул голову и встретился глазами с глазами Олега. Казалось, Сергей совсем не удивился, увидев его в своей палате. Паузу нарушил Званцев:

— Ну, здравствуй, Серега...

Челищев медленно кивнул:

— Здравствуй.

И они вновь надолго замолчали, вглядываясь в лица друг друга. Званцев вынул из кармана куртки пачку сигарет, закурили, отойдя к окну, сказал, отвернувшись от глаз Сергея:

— Собирайся. Поедем, поговорим. Тема созрела.

Челищев равнодушно пожал плечами, встал, шаркая тапочками, побрел к шкафу, в котором висела его одежда. Когда Олег увидел его неуверенные движения, ссутуленную спину и густо пробившуюся в черных волосах седину, ворохнулось в груди чувство жалости и тревоги, но... Тут же всплыли в памяти строки из письма Валдая, перед глазами поплыла малиновая муть, и Званцев отвернулся, прикрыв веки, чтобы не прыгнуть, не вцепиться Сергею в горло прямо в палате...

Челищев надел куртку и, словно вспомнив вдруг что-то важное, подошел к зеркалу. Оттуда на Сергея глянул незнакомый старик. В больнице Челищев перестал бриться, да и на голове волосы отросли до нормальной длины. Но если на голове черные волосы чередовались с седыми примерно в равной пропорции, то щетина на подбородке была серебряной почти вся. Седой человек из зеркала смотрел в лицо Сергею равнодушными погасшими глазами. Челищев причесался и повернулся к Олегу:

— Я готов.

Званцев кивнул, бросил на пол окурок и растоптал его ногой. Они вышли из палаты, прошли мимо притихших «санитаров» и направились к лестнице. Движения обоих были спокойны и неторопливы, но от вида этих двух фигур неуютно стало не только санитарам, но и браткам Димы-Караула, приехавшим с Олегом.

Когда Званцев и Челищев ушли, шнурки с шей «санитаров» были сняты. Попрощались братки вполне мирно — да и что им было делить-то? Это у авторитетов свои разборки, а пацан пацана всегда понять сможет...

Олег погнал свой «форд» на свиноферму, и об этом было немедленно доложено Васе. Антибиотик, выслушав его доклад, улыбнулся и кивнул:

— Ну и хорошо. Давай, Васенька, собирайся, и нам не грех туда наведаться, полюбопытствовать. Выезжаем через полчаса...

«Форд» летел по темному городу, мягко шурша шинами. Сергей равнодушно смотрел в окно — там мелькали лица случайных прохожих, мокрые скверики и угрюмые, нахохлившиеся дома. Начинался апрель, но весна еще не «поднялась», на улицах повсюду лежали кучи гряз-

ного снега, и ветер по-осеннему сердито гонялся за людьми. С того момента, как Сергей и
Олег вышли из больничной палаты, они не сказали друг другу ни слова. Оба понимали, что
разговор будет тяжелым и, скорее всего, для
одного из них последним, поэтому и не торопились начинать его.

Сергей достал сигарету, закурил и прикрыл
глаза. Странное дело, ему совсем не было
страшно. Наоборот, пришло какое-то непонятное чувство облегчения. Такое чувство наступает обычно в конце трудного пути — хоть и
не порадовала дорога наградой, а все ж кончи-
лась, и то хорошо...

Когда машина свернула с основной трассы,
Сергей узнал дорогу и понял, куда везет его
Олег. В машине их было только двое, но у Челищева даже мысли не возникло бежать. Куда
убежишь от себя?

У ворот фермы Олег посигналил и махнул
рукой толстой тетке-смотрительнице. Она узнала Олега и торопливо загремела ржавыми це-
пями и засовами. «Форд» въехал во двор.

Званцев направился не к номерам, в один
из которых Сергея когда-то приволокли даге-
станцы, а к небольшому двухэтажному домику,
который стоял впритык к воротам, как кре-
постная башня, во внутреннем периметре гостиницы. В домике был оборудован небольшой,
но очень уютный бар-казино. Рулетку, правда, в этом месте запускали редко, — как правило, посетители предпочитали более простые
и незатейливые карточные игры, если уж хотелось нервы пощекотать. Рассказывали, что
однажды некий пацан по прозвищу Шмэн вы-
играл в этом баре у самого Ильдара тридцать

пять тысяч долларов в очко. Ильдар расплатился со Шмэном по-честному, при свидетелях. Видно, просто совпало так, но через три дня Шмэна выловили из Невы с перерезанным горлом. Денег при нем не было, и куда они делись — никто не знал. Убийство это так и летает в ментовке глухарем, но Ильдару никто ничего предъявить не решился... Мало ли, может, и вправду совпадение было, и кто-то грохнул пацана случайно... Доказательств на Ильдара никаких не было.

Они молча зашли в бар. Невысокий бармен о чем-то болтал с официанткой и толстым крупье в малиновом жилете. Все трое, как по команде, повернули головы в сторону вошедших.

— Все вон, — угрюмо буркнул Олег и направился к дальнему столику в углу. Сергей шел за ним. Крупье и официанты без лишних слов встали и торопливо выскочили за дверь. Бармен, видимо, решил, что сказанное к нему не относится, и, зайдя за стойку, начал с деловым видом протирать и без того чистые стаканы.

— А тебя что, не касается? — рявкнул Олег и, словно большая тяжелая кошка, в одно движение подскочил к стойке. Бармен ответить не успел. Сакраментальное «За что?!» он провыл уже в полете, открывая дверь головой.

Олег и Сергей остались в баре одни. Званцев, словно растратив всю свою энергию на выбрасывание бармена, ссутулился и тяжело оперся на стойку. Челищев стоял рядом и смотрел куда-то поверх головы Олега. Тот обернулся, выбрал бутылку армянского коньяку, налил себе в стакан, отхлебнул. Подумал немного, взял второй стакан и налил Сергею:

— Пей.

Челищев пожал плечами, но стакан взял и коньяк выпил в два глотка.

Оба порозовели и начали потихоньку выходить из состояния заторможенной угрюмости. Олег сунул в рот сигарету, глубоко затянулся и наконец спросил:

— Ты что же, сука, наделал-то?

На Сергея коньяк подействовал сразу, он словно смыл с него равнодушную оцепенелость, и Челищев неожиданно для себя вскинул голову с прежней силой:

— Выражения выбирай!

Глаза Званцева помутнели.

— Выражения?! Я тебе сейчас эту бутылку в глотку заколочу!!

Сергей подвинул к себе стул и сел: коньяк ударил по ногам.

— Ну, допустим, заколотишь. Если сможешь...

Званцев навис над ним, ловя взгляд. Дыхание его стало прерывистым.

— Ты... ты как посмел Катьку тронуть?!

Сергей кивнул и достал сигарету. Закурил и ответил с демонстративным спокойствием:

— Катя мне жена.

От этих слов Олег даже отшатнулся, а потом затряс головой.

— Что?! Ты что, урод, спятил или прикидываешься?

Сергей невозмутимо курил, стряхивая пепел на пол.

— Катя мне жена.

Званцев грохнул кулаком по стойке и заорал во весь голос:

— Дурочку валяешь? Катя — моя жена, слышишь ты, урод, мо-я!!

Челищев покачал головой:

— Была. Она не любит тебя.

Олег шумно выдохнул и сказал почти нормальным голосом:

— Все, ты — покойник. Я — не Пушкин, обойдусь без лирики. Ты, сука, всех продал — меня, ее, да и себя тоже...

Сергей упрямо покачал головой:

— Она не любит тебя. Если б любила — не стал бы твой сын по бабкам мыкаться...

— Что?! — Вот этого Званцев никак не ожидал, поэтому растерялся и остановил руку, уже готовую вцепиться Челищеву в горло:

— Какой сын? Что ты мелешь?

— Твой сын, — ответил глухо Сергей. — Ему семь лет, живет у бабушки в Приморско-Ахтарске. В прошлом году в школу пошел. А родился он через девять месяцев после того, как ты в 84-ом в Москве Катьку изнасиловал... Тебе она про сына ничего не сказала, потому что не любила тебя, не верила... А мне сказала. Я... — договорить Челищев не успел. Званцев, зарычав, ударил ногой по стулу, на котором тот сидел. Сергей растянулся на полу.

— Все, пиздец тебе, урод!! Катька — моя жена, я ее не насиловал, слышишь ты!!

Рука Олега обхватила горлышко бутылки, но в этот момент снаружи послышался какой-то шум, и в бар ввалился толстый крупье с вытаращенными глазами:

— Менты! ОМОН! Облава!

Олег выругался и быстро оглянулся, потом подскочил к тумбе стойки бара, нащупал какую-то кнопку и сдвинул тумбу в сторону. На том месте, где она стояла, в полу открылась темная дыра. Званцев схватил Сергея за шиворот и буквально скинул его в эту дыру, а потом и сам прыгнул туда же, сделав крупье на прощание страшные глаза. Крупье, пыхтя от натуги, поставил тумбу на место, вытер рукавом выступивший на лбу пот и повернулся к дверям, пытаясь вылепить из непослушных губ некое подобие приветливой улыбки.

— На пол! На пол, сучара! — зарычали сразу несколько шкафообразных омоновцев в камуфляже, врываясь в уютный бар, и толстый крупье понял, что улыбался он зря.

Машина, в которой находился Антибиотик, проезжала мимо станции метро «Озерки», когда зазвонил радиотелефон. Виктор Палыч нахмурился и нажал кнопку приема:

— Ну?

Видимо, абонент рассказывал о чем-то неприятном, потому что лицо Антибиотика перекосилось и покраснело от гнева:

— А откуда они взялись?! С неба прилетели?! Откуда они узнали?! Блядство какое... Кумовского ищи, слышишь? Разорву подлюг...

Виктор Палыч в сердцах швырнул трубку на заднее сиденье и сказал с жутковатой ласковостью:

— Разворачиваемся, Васенька. Нельзя туда, мусора понаехали... Кто навел?! Что за блядство творится!

(Виктор Палыч напрасно подозревал обслуживающий персонал «свинарника» в стукачестве — по крайней мере, до облавы они были перед ним чисты, как олимпийский снег. Милицию на ферму навел Званцев, сам того не подозревая. После того как он вышел из «Крестов», за ним была пущена наружка, сработавшая на удивление грамотно и профессионально, хотя в последнее время в этой службе проколы были скорее закономерностью, нежели случайностью — не хватало людей, машин, бензина, да и средства связи были допотопными и все время выходили из строя.)

Антибиотик возвращался на свою конспиративную квартиру в самом мрачном расположении духа — у него всегда портилось настроение, когда что-то шло не так, как он задумывал, даже если дело касалось мелочей. Милицейский же налет на свинарник мелочью считать было нельзя — во-первых, придется искать там ментовского «барабана», а во-вторых, могла порушиться вся закрученная Виктором Палычем комбинация. Расчет на устранение одного из Адвокатов мог обернуться тем, что из игры выпадут оба...

У бармена «свинарника» Лени день выдался на редкость паскудным. Утром все заведение пришлось отмывать от ночной гулянки Сазона, два дня подряд отмечавшего какую-то «большую радость» вместе с десятком братков и немыслимым количеством блядей — чуть ли не по две на рыло из Питера привезли. Только все отмыли, прибрали, вздохнули спокойно — заявились на «форде» двое: один белобрысый, второй черненький, вернее — бывший черненький, седой наполовину. Белобрысого Леня с трудом узнал — видел его однажды, с полгода назад, когда только на это место устроился. Звали его Олегом-Адвокатом, говорили, что он очень крут, из «центровых». Второй по ухваткам тоже был не пряник — такого, судя по глазам, без большого количества масла просто так не съешь, подавишься. Очень не по-

нравились Лене глаза гостей, предчувствие ворохнулось — добром вечер не кончится, разговор у этих двух, судя по всему, серьезный
намечался: Адвокат Леню, как котенка, из бара вышвырнул, а потом там на очень высоких
тонах заговорили... Леня лихорадочно соображал, что делать, а тут ОМОН как снег на голову свалился... Правду говорят, что два при-
хода ОМОНа — это все равно что один по-
жар: все побили, покрушили, морду набили на
всякий случай. Все этих двух искали — куда,
говорят, подевались? Машина на месте, а сами
где? Хорошо, Саша-крупье выкрутился, сказал, что эти двое машину оставили, а сами в
деревню ушли, где у них, мол, еще одна стояла. Менты часа три переворачивали гостиницу, уехали, забрав с собой зачем-то кочегара,
охранника и Сашку-крупье. Только Леня ус-
покоился — эти двое из тайника вылезли, но
в бар, чтобы прибраться, не пустили, сидели,
зыркая друг на друга, разговаривали о чем-то
тихо.

Они шептались еще долго. Маленький бармен отчаялся дождаться, когда его позовут, и
улегся спать в одном из номеров вместе с совершенно ошалевшей от событий дня официанткой. Однако спокойно поспать труженику
стойки не удалось. Часа в два ночи Леню разбудил один из двух приехавших авторитетов,
из-за которых и обрушились на ферму напа-
сти. Тряс бармена за плечо не белобрысый, а
второй, поменьше ростом и наполовину седой,
которого звали Сергеем. От него несло конь-
яком, а глаза у него были совсем нехорошими:

— Эй, вставай, хватит спать, выходи, дело
есть.

Голая официантка ойкнула, натягивая на себя одеяло, но Челищев не обратил на нее никакого внимания. Он сдернул бармена с постели и буквально приволок в бар. В электрическом свете Леня увидел, что руки у седого в крови, а когда разглядел на полу у стойки неподвижно скрючившуюся фигуру второго, белобрысого, — колени у него заходили ходуном.

— Тихо ты, не трясись, — сказал Сергей бармену. — Быстро тащи сюда какую-нибудь скатерть. Сейчас мы уедем, а ты — забудь, что видел, — Челищев кивнул на неподвижное тело Олега. — А не то — рядом положу. Понял?

Леня всегда соображал быстро — метнулся пулей и приволок две большие белые скатерти, в которые Сергей самолично замотал Олега. Потом Челищев, поднатужившись, взвалил спеленутое тело Званцева на плечо, донес его до «форда», загрузил в багажник, отдышался и закурил. Затем вернулся, умылся, выпил рюмку на посошок, глянул на бармена так, что Лене совсем плохо стало, сел в машину и уехал. А Леня два часа оттирал, всхлипывая и подвывая, следы крови на полу в баре, потом ойкнул, вспомнив важное, и рванулся к телефону — докладывать...

Между тем Сергей, успешно миновав пост ГАИ, въехал в Питер и по радиотелефону вызвонил на «работу» Вальтера. Николай Трофимович заявился на кладбище злой, как черт, — было около пяти утра.

— Что-то ты, Сережа, зачастил ко мне, понравилось, видать. Это дело такое, засасывает. Кого приволок-то?

Челищев, присев на корточки, отдернул край запачканной в крови скатерти и хрипло сказал:

— Олежку хоронить будем.

Вальтера удивить, а тем более испугать было очень трудно, тем не менее, когда он увидел в слабом свете фонаря, скрипевшего у часовни, вымазанное уже засохшей и побуревшей кровью лицо Званцева, побежали по хребту у Николая Трофимовича неприятные мурашки. Вальтер протянул было к телу руку, но Челищев вызверился на него, как припадочный:

— Убери грабли, Трофимыч, других обшаривать будешь! Только тронь Олежку — в ту же ямку ляжешь!

Заглянул Богомолов в глаза Челищеву и спорить не стал, пропало как-то сразу все желание. Забурел паренек, ох и забурел: совсем перестал смерти бояться — и чужой, и своей. Такие, правда, сами долго не живут, но пока их земля на себе держит, спорить с ними — а тем более один на один — могут только ненормальные, к которым Николай Трофимович себя не причислял.

— Ладно, ладно, Сереженька, не кипятись. Я все понимаю, не тупой. Похороним твоего кореша по высшему разряду. Сегодня как раз бабушку хорошую к нему подселим, старушка праведницей была, глядишь, и Олежкины грехи замолит.

Сергей взял завернутое в скатерть тело на руки и пошел по кладбищу за Вальтером. Тот привел его к пустой могиле, спрыгнул туда и быстрыми движениями лопаты за десять минут углубил ее почти на полметра. Потом вылез и отошел в сторону. Челищев осторожно опустил Олега в могилу, забрал у Вальтера лопату и присыпал неподвижный кокон землей.

— Во сколько бабку хоронить будешь?

— В одиннадцать, — Вальтеру было неприятно, что этот щегол заставил его отвечать чуть ли не подобострастно.

— Гляди, Трофимыч...

Челищев повернулся и ушел, а Вальтер, набожно перекрестившись, заспешил к себе в кабинет, к телефону. Набрав «экстренный» номер Антибиотика, Вальтер вытер пот со лба, сел на стул и расстегнул верхнюю пуговицу рубашки. На седьмом гудке Виктор Палыч снял трубку:

— Ну?

— Босс, — заторопился Вальтер, — посылку, про которую ты предупреждал, получил, правда, с небольшой задержкой. Только что запечатал в лучшем виде.

— Кто доставил? — в голосе Антибиотика, несмотря на поздний (а вернее, ранний) час, проклюнулся странный азарт.

— Черненький. Весь не в себе Приехал, словно сдвинутый маленько, но доставил аккуратно, все в ажуре. С нервишками у него, видно, непорядок, на меня чуть было кидаться не вздумал.

— Ладно, — прервал его Виктор Палыч. — Это уже лирика. — И повесил трубку. Вальтер удовлетворенно кивнул, перекрестился и прилег на старенький диванчик покемарить перед началом нового трудового дня. С Антибиотика же на другом конце города слетел весь сон. Он бродил по огромной пустой квартире в роскошном шлафроке, что-то бормотал себе под нос, качал головой и улыбался...

Прошла неделя. Сергей вновь начал «работать». Антибиотик выказывал ему всяческое расположение, подарил даже вишневый «джип», на котором Челищев мотался по разным стрел- кам и теркам*. Его авторитет среди городской «братвы» прыгнул на немыслимую высоту — многие слышали о разборке с Олегом, посколь- ку причиной ее послужила женщина. Вокруг имени Челищева начал складываться некий ро- мантично-героический ореол. Сам Сергей на легенды вокруг своей персоны внимания не обращал, выражение его лица было, как пра- вило, угрюмым, и мало кто из братвы видел, как он улыбается.

Шел апрель 1993 года. Антибиотик, убедив- шись, что ему ничего реально не угрожает, вер- нулся на свое любимое место дислокации — в кабачок «У Степаныча», правда, проводил там не более трех часов в день и на всякий слу- чай почти вдвое усилил свою охрану и службу контрнаблюдения.

Однажды Виктор Палыч вызвал к себе на обед Сергея и после трапезы за кофе сказал, хитро прищурившись:

— Ну что, Сережа, хватит тебе, я думаю, всякой ерундой заниматься, пора настоящую тему «запустить». Появилась одна тонкая ра- бота, которая хоть и будет похожа на фокус, но с конкретными и приятными результатами.

Сергей кашлянул:

— Виктор Палыч, у меня два контракта на «Амаретто» еще до конца не отработаны — те, что через «Самоцвет» заключались, я...

— «Самоцвет» и «Амаретто» передавай спо- койно Диме-Караулу — там ничего особо слож-

---

* Терка — встреча, на которой бандиты из разных группи- ровок обсуждают (перетирают) возникшие проблемы *(жарг.).*

ного уже не осталось, только груз встретить да долю снять. Тут особых мозгов не требуется. А у нас с тобой такая тема, что придется голову понапрягать. Но и перспективы шикарные. Помнишь, как Шаляпин пел: «Люди гибнут за металл». Мы гибнуть за него не будем, но постараемся сделать так, чтобы металла этого у нас стало много — и желательно, любимого цвета.

Антибиотик ухмыльнулся и постучал пальцем по золотой фиксе, блестевшей в левом углу его рта.

— И главное, — продолжил Виктор Палыч, подняв вверх указательный палец, — все будет практически законно. Ты же знаешь, сынок, я к криминалу отношусь отрицательно. Мы же не гопники, а деловые люди... Схема проста, как все гениальное. Ты алгебру еще не забыл?

Челищев пожал плечами:

— Ну, в общих чертах...

— Эта алгебра, считай, для начинающих. Из банка А в банк С направляется платежное поручение от одной дружественной нам чеченской фирмы — ты, Сережа ее хорошо знаешь, фирма называется «Вайнах». Помнится, Иса на тебя неплохое впечатление произвел, а?

— Серьезный мужик, — угрюмо кивнул Сергей.

— Ну и славно. Хоть поручение и идет от банка А, но деньги реально будут получены в банке С, куда из банка Б должно прийти подтверждение их наличия — соображаешь?

Челищев потер лоб пальцами:

— Я что-то слышал о такой «алгебре». Это тема с авизовками?

— Да, Сергуня, с ними, родными, — Антибиотик зажмурился, как довольный кот на солнышке. — Что такое авизовка? Тьфу, листок бумаги... Но этот листок дает нам деньги... А деньги — как сказал кто-то очень умный, «наши маленькие друзья, которые могут открыть любые двери». Соображаешь?

— Соображаю, — кивнул Челищев. — Только я ведь не факир, такие фокусы делать не умею. И даже не банкир. Кстати, а о каких банках идет речь?

Виктор Палыч дружески потрепал Сергея по плечу:

— Не скромничай. Скромность украшает только тех, у кого других украшений нет... Банк С — это хорошо тебе знакомый банк «Отечество», возглавляемый милым человеком Карлом Фридриховичем Филем. А остальные банки не так уж и важны, потому что денежки мы будем получать именно от «Отечества».

Сергей достал сигарету и, спросив разрешения, закурил. Сделав пару глубоких затяжек, он кивнул и спросил недоуменно:

— А моя-то функция какая?

Антибиотик хитро прищурился и аж языком прищелкнул:

— У тебя, сынок, функция будет не только всем нам полезная, но и приятная. В банке «Отечество» работает операционисткой под счастливым номером семь хорошая девушка Лена Красильникова. Твоя задача — познакомиться с ней, подружиться и убедить ее принять нашу авизовочку.

Сергей недоверчиво усмехнулся:

— Да зачем же операционистке идти на такое — срок себе самой выписывать. Не будет она...

— Будет, еще как будет, — перебил Челищева Виктор Палыч. — Эту девушку из всех операционисток нам сам Карл Фридрихович порекомендовал. Сам он, правда, с ней никаких бесед не вел — положение не позволяет, но она почти готова... Мужа нет, дочке шесть лет, живет в коммуналке... А тут — реальная возможность за несколько недель изменить всю жизнь: получить собственный домик в Крыму, на побережье, там хорошо, ребенку — витамины опять же... Ты прикинь — из пяти миллиардов, которые должны через «Отечество» проскочить, два будут нашими, два уйдут мусорам, надзирающим за банками, а миллиард — целый миллиард — достанется нашим банковским друзьям. Естественно, девушку Лену никто обижать не собирается. В принципе всю тему можно и без нее прогнать, по более длинной цепочке, но зачем алгебру усложнять? Тогда больше народу будет в курсе, а Лена Красильникова на всю жизнь останется в коммуналке вместе с дочкой... Хорошо ли это будет? Нет, не хорошо. Старые люди, помню, всегда учили — живи и дай жить другим. В наше время, Сережа, можно украсть велосипед и все здоровье положить в тюрьме, а можно воровать вагонами и всегда быть на плаву. В России красть составы намного безопаснее, чем велосипеды. Это я тебе конкретно говорю. — И Антибиотик запил свою речь глотком красного вина.

«Ну вот, все уже по-простому, своими именами называется... Да и что ему меня стесняться... Кто я? Такой же вор, бандит и убийца, как и он...» — от этих невеселых мыслей Сергей вздохнул и опустил голову.

— Причем, что важно, — продолжил Виктор Палыч. — Ты, Сережа, когда-нибудь слышал, чтобы банкиры шли с заявлениями в милицию по поводу авизовок или кредитов левых?

— Нет, — ответил Сергей. — Не слышал.

— И не услышишь, потому что повар, который готовит блюдо, никогда не станет сам на себя писать акт об обвесе. Это противоестественно. А нет заявления — нет преступления. Ну, а если потом когда-то что-то и всплывет, то все к тому времени быльем порастет. Да и девушка Лена, на которой все стрелки сведутся, будет уже далеко и с другими документами... А ее дочка с новым ранцем и красивыми учебниками пойдет в хорошую школу. В России тему с авизовками еще несколько лет можно крутить, а набьют оскомину авизовки — другое что-нибудь придумаем. И мусора не будут мешать, они все уже потихоньку начинают разбираться, что к чему. Кроме некоторых фанатиков типа Степы Маркова. Ты ведь знал его когда-то?

Сергею стоило большого усилия воли справиться с нервами и не вздрогнуть. Каков старичок! Спросил-то как неожиданно, прямо как следак из важняков-асов. Челищев кашлянул и кивнул:

— Знал, и довольно неплохо. Но это все в прошлом.

— Может, есть смысл возобновить с ним знакомство? А то он и еще несколько таких же — прямо как кости в горле.

Челищев покачал головой:

— Это бессмысленно. Он разговаривать со мной не станет. Марков — правильный мент.

— Да? — спросил Антибиотик. — Ну и Бог с ним. Есть в конце концов и другие методы.

Сергей почувствовал, как взмокла рубашка на спине, а Виктор Палыч вернулся в основное русло беседы так же легко, как и отклонился от него:

— У меня, Сережа, на тебя особые надежды. Людей вокруг мало, одни кретины. Работать не с кем. Оттого и бардак в стране. Ты что, думаешь, в том беспределе, который сейчас по России гуляет, я виноват или Степаныч с Мухой?! Хуй в стакан! — Антибиотик вдруг разволновался, как будто заговорил о чем-то таком, что очень его трогало. — Это все от гнили наверху идет, от сытых толстых пидоров, которые никогда не знали, что такое — жить плохо и бедно. А я, Сережа, сам из сирот. Я жизнь знаю, людей... Придет время — и мы займем достойные места в городе... и не только в нем. Чем мы хуже этих толстых козлов, которые по телевизору учат жить народ? Конечно, это время придет не завтра, но готовиться к нему надо загодя...

Сергей мысленно присвистнул: «Масштабно мыслит Палыч... Если его не остановить, он ведь, пожалуй, может...»

Виктор Палыч пожевал губами и неохотно вернулся из грандиозного будущего к насущным проблемам:

— Ладно, Сережа... Обо всем этом у нас еще будет время поговорить. А сейчас — настраивайся на банк «Отечество» и девушку Лену. У нас сегодня пятница — значит, в поне-

274

дельник Карл Фридрихович познакомит тебя с операционисткой 007. Ты — адвокат, юрисконсульт банка. Она будет тебя консультировать и вводить в курс дела, чтобы ты с «низов» посмотрел слабые места в банковских операциях, для предупреждения возможных исков от клиентов. Прикрытие отличное, а дальше не теряйся. Не растеряешься?

— Постараюсь. — Сергей кивнул и встал, поняв, что беседа закончена.

— Давай, сынок. Я в тебя верю, ты удачу с собой носишь...— Антибиотик под руку проводил Челищева до двери, что означало высшую степень расположения.

Выйдя из кабинета, Сергей сел в свой «джип» и рванул к набережной. Покрутившись вокруг Финляндского вокзала и убедившись, что хвоста за ним нет, Челищев переехал Литейный мост, свернул у «Большого дома» налево, припарковал машину напротив следственного управления и проходными дворами выскочил на улицу Чайковского. Постоянно оглядываясь, он с трудом нашел работающий телефон-автомат и набрал номер Степы Маркова. Трубку на другом конце снял, однако, кто-то другой.

— Слушаю!

— Маркова позовите, пожалуйста.

— Маркова... Он отошел ненадолго... У вас что-нибудь срочное?

— Да.

— Хорошо, сейчас я его поищу, — трубку в «Большом доме» положили на стол.

«Курить, наверное, выскочил»,— подумал Сергей.

Весь пятнадцатый отдел — почти тридцать оперов — сидел «друг у друга на головах» в одном сорокаметровом кабинете. Поскольку стол начальника отдела, подполковника Кудасова, стоял тут же, у окна, в кабинете не курили, выходили в коридор. Кудасов, спавший по пять часов в сутки, почему-то был убежден, что самый большой вред здоровью наносит табачный дым.

— Слушаю, Марков, — раздался в телефонной трубке голос Степы. Челищев откашлялся и быстро заговорил:

— Степа, здравствуй, это Сергей. Я думаю, ты меня узнал. Ты, конечно, можешь бросить трубку, но у меня есть конкретное серьезное предложение. Оно может заинтересовать тебя.

— Какое предложение? — Степа был сух и деловит, никакого намека на неофициальную доверительность.

— Это — не телефонный разговор. Ты можешь прямо сейчас выйти на наше старое место? — Когда-то Степа и Сергей встречались у книжных развалов на Финляндском вокзале. Сколько жизней назад это было?

— Нет, — твердо сказал Марков. — То место не подходит.

— Хорошо, — согласился Сергей. — Назови сам. Я даю тебе слово, что с моей стороны никаких неприятных сюрпризов не будет.

Степа помолчал секунд десять, размышляя, потом ответил:

— Через пятнадцать минут у «вождя», — и, не дожидаясь ответа и не прощаясь, повесил трубку.

Челищев усмехнулся: место у памятника Ленину на Финляндском Степа выбрал не случайно — там все хорошо просматривалось со всех сторон. Марков не доверял Сергею и не скрывал этого. Челищев быстрым шагом направился к Литейному, прыгнул в троллейбус, переехал мост, вышел, проверился еще раз и направился к месту встречи. Удивительно, но Степа приехал к «вождю» раньше — видимо, его кто-то подкинул на машине. Марков прогуливался вокруг памятника, глубоко засунув руки в карманы кожаной куртки.

— Здорово, Степа!

— Привет! — Марков рук из карманов не вынул, поэтому Сергей, сделав было движение правой рукой навстречу Степе, скруглил его и полез в карман за сигаретами.

— Как живешь, Степа?

— Нормально. А у тебя, Челищев, «мальчики кровавые в глазах» не стоят еще?

Сергей опустил голову — оперативная информация доходила до Маркова четко, ничего не скажешь...

— Не стоят, — Челищев катнул желваками на скулах, подавляя вспыхнувшее раздражение, и, стараясь говорить спокойно, посмотрел Степе в глаза: — Я хочу тебе предложить один интересный вариант, — он замялся, и Марков нетерпеливо переступил с ноги на ногу:

— Если хочешь — предлагай, не тяни. У меня дел полно.

Челищев вздохнул глубоко и затоптал окурок.

— Степа, ты гарантируешь, что сейчас меня не «пишешь»?

Марков усмехнулся:

— Я такими вещами не балуюсь.

— Хорошо. Я прошу тебя выслушать меня как частное лицо. Я хочу, чтобы ты дал мне слово, что против моей воли не будешь никому передавать содержание нашего разговора. Если тебя не устроит то, что я предлагаю, — ты просто забудешь, что мы встречались, и все. А я обещаю, что никогда больше тебе не позвоню и ни о чем не попрошу.

Марков достал сигарету, размял ее, сунул в рот и кивнул:

— Хорошо, говори.

Челищев схватил себя за мочку уха, несколько раз дернул и, наконец, начал:

— Ты гоняешься за Антибиотиком. Результаты у тебя пока никакие, и мы оба знаем, почему. Я могу тебе дать полный «расклад» на Палыча и его империю. Я знаю схему, людей, каналы. Некоторые «темы» я могу расписать от и до — и уже отработанные, и только запускающиеся. Но все это я дам только в обмен на твою услугу.

— Мы не на рынке, — перебил его Марков.

Челищев кивнул.

— Я знаю, что мы не на рынке, но два человека только в том случае могут что-то сделать вместе, если у них находятся точки для соприкосновения и взаимных уступок.

— О чем именно идет речь? — тон Степы не стал менее сухим, но он не уходил, и это обнадеживало.

— Делом Катерины ты занимаешься?

Марков присвистнул:

— Еще несколько таких вопросов, и можем заканчивать разговор.

— Да перестань ты! Я дам тебе «расклад», если ты не будешь мешать Катерине выйти из тюрьмы. Это один момент.

Степа покачал головой:

— На ней наркота висит солидная, да 196-я...

Челищев не дал ему договорить:

— Брось, Степа, ты не хуже меня знаешь, что это не ее «темы».

— Ее — не ее, а все это при ней было.

Сергей достал новую сигарету, жадно затянулся несколько раз подряд и сказал совсем тихо:

— Кокаин ей в каблук я подсыпал, и на стрелку ту тоже я вас навел.

— Ты? — вот этого Марков никак не ожидал и поэтому слегка растерялся.

— Я. Только не спрашивай меня — зачем и почему. Это наши личные разборки, тебя не касаются.

Марков усмехнулся и почесал затылок:

— Что-то, Сережа, не пойму я тебя. То ты, как говоришь, нам ее сливаешь, то теперь из «Крестов» тянешь.

Сергей нахмурился и отвернулся:

— Она беременная от меня. Ей родить нужно по-человечески.

Марков долго молчал, наконец сказал, словно сделал над собой усилие:

— Ну, предположим, об этом пункте можно подумать. Я ничего не обещаю, я говорю — можно подумать. Какой тебе интерес «расклад» давать — тебя же тоже сажать придется. К слову сказать, тюрьма по тебе и без твоих раскладов плачет...

Челищев покачал головой и зло оскалился:

— Не понти, Степа... Если бы у тебя что-то реальное на меня было — ты бы давно уже посадил... Что, не так? Так... А у тебя ничего нет, кроме слухов и сплетен, которые к делу не подошьешь. И поскольку анашу со ржавой финкой вместе мне в карман тебе подкидывать впадло, посадить меня для тебя пока нереально.

Степа ничего не ответил, и Сергей продолжал:

— Поэтому второе мое условие — дай мне уйти, когда я тебе все отдам.

Они стояли, глядя друг другу в глаза, и сами не заметили, как перешли на шепот.

— Уйти? От себя все равно не уйдешь. Помнишь, как кончил Раскольников?

— Это все литература, Степа, ты за меня не беспокойся, я сам о себе позабочусь. Ты пойми, то, что я тебе расскажу, ни один агент никогда не скажет. Ты про «золотой эшелон» слышал? А про авизовки?

Степа вскинул голову — пущенные Сергеем шары явно достигли цели.

Марков молчал больше минуты, размышляя и нервно покусывая нижнюю губу. Наконец Степа вздохнул и посмотрел Сергею в глаза:

— Ты же знаешь, такие сделки нашим законодательством не предусмотрены...

— Ой, Степа, только не надо меня лечить, я ведь тоже в системе работал, знаю, как и что у нас предусмотрено — на бумаге и в жизни.

Марков кивнул:

— Ну, если ты систему вспомнил, то сам понимаешь, один я все равно такие решения принять не могу.

— Понимаю, — тыльной стороной ладони Сергей стер пот со лба. — Ты, Степа, тоже имей в виду — чем больше будет круг посвященных, тем больше у тебя шансов поздравить «убойщиков» еще с одним глухарем — со мной, в виде тушки потерпевшего.

— Кудасов тебя устроит?

Сергей медленно кивнул:

— Устроит. О гарантиях говорить не будем — мне достаточно твоего слова. Когда дашь ответ?

— Сегодня пятница, — наморщил лоб Степа. — Давай в понедельник, чтобы оно реально было. В шесть вечера, на старом месте.

— Идет, — Сергей кивнул, быстро повернулся и зашагал в сторону Литейного моста.

Оставшись один у памятника вождю мирового пролетариата, Степа сел на лавочку, с отвращением закурил вонючую сырую сигарету и, глядя на синеватый дым, невольно окунулся в грустные воспоминания о тех временах, когда Серега Челищев казался ему настоящим парнем и если не другом, то, по крайней мере, в чем-то примером для подражания.

Степа Марков поступил на юридический факультет Ленинградского университета на год позже Челищева и сразу попал в так называемую «ментовскую» группу. На юрфаке тогда экспериментировали, и решено было создать специальную группу из двадцати пяти ребят, которые после выпуска должны были влиться в славные ряды ленинградской милиции. За годы учебы Степа с Сергеем сталкивался редко, хотя, конечно, знал его (а не знать Челищева было трудно — чемпион университета по дзюдо, отличник и бабник, он был весьма яркой фигурой на факультете). Степа же учился средне, особо шумным успехом у девчонок не пользовался и вообще старался держаться в тени, стесняясь своей бедноватой по «универским» мерам одежды.

Воспитывался Степа Марков без отца, и его мать — инженер второй категории закрытого конструкторского бюро — всю жизнь выбивалась из сил, стараясь дать сыну образование, да, видно, оттого надорвалась и тихо угасла, когда Степа заканчивал пятый курс. Поскольку у Маркова не было вообще никакого блата, распределение он получил «на землю» — в отдел уголовного розыска районного управления внутренних дел.

Степа был настоящим романтиком, с восторженной верой в победу в бескомпромиссной борьбе с поднимающей голову уголовщиной. Работа «земельным опером» быстро развеяла романтическую дурь. Прощание с книжно-детективными мечтами началось со знаменитой истории об орле-похитителе. На «земле» Степиного РУВД завелась шайка, промышлявшая срыванием шапок с голов прохожих. Заявления от потерпевших посыпались в ОУР* настоящим осенним листопадом, и, пожалуй, из всех оперов один только стажер Марков горел стремлением поднять все эти глухари. Остальные коллеги каждый день мрачно пили водку, успокаивая напряженные грядущей проверкой нервы. Спасение пришло неожиданно — один из терпил вдруг сказал, что перед тем, как кто-то невидимый в темноте сзади сдернул у него с головы шапку, послышалось ему хлопанье больших крыльев где-то наверху... С того терпилы взяли показания всех, на ком висели эти проклятые шапки. На основании слов заявителя была выдвинута «блестящая версия» о том, что шапки с прохожих срывал

_____
* ОУР — отдел уголовного розыска.

282

принимавший их за добычу орел, залетевший в Ленинград, а раз так — то в возбуждении уголовных дел можно было смело отказывать...

По итогам нормально прошедшей проверки в РУВД перед операми выступил районный прокурор по кличке Ежик (он был знаменит тем, что в обеденные перерывы всегда принимал сердечные капли, запивая их стаканом портвейна, а по всем служебным делам непременно советовался с женой, учительницей литературы), который коснулся, в частности, ситуации с орлом, деликатно намекнув, что на птицу можно свалить три, ну пять шапок, но ведь не двадцать же, потому что где-то ведь должно быть и гнездо... Степа попытался тогда высказать свое мнение по орлу и шапкам. Кончилось это крайним обострением отношений с коллегами. Нет, они не стали делать пацану подлянок, но и всерьез его уже не воспринимали.

— Может, ты и станешь настоящим ментом, Степа, но только в том случае, если начнешь, как старшие товарищи, пить все, что горит, и все, что шипит, — смеясь, говорили ему опера. А к пьяным Степа так и не смог привыкнуть. Стыдно было бы ему беседовать с потерпевшими, пряча красные с перепоя глаза и убирая под стол трясущиеся потные руки. Постепенно в отделе к Степе привыкли, держали за своеобразного юродивого, спихивая на него все возможные глухари. К удивлению коллег, Степа умудрился «поднять» некоторые из них, что, естественно, популярности в коллективе ему не прибавило. Маркова с завидным постоянством на каждом собрании начали склонять за плохо оформленные бумаги, за состояние картотеки, за убогий вид конспектов по марксистско-ленинской подготовке... Степа только крепче стискивал зубы.

В конце 1988 года на Степиной «земле» случилось убийство известного антиквара Варфоломеева. Дело это на первый взгляд представлялось типичным глухарем, но Степа, заручившись поддержкой Гоши Субботина — старшего опера «убойного цеха» главка, решил все-таки пройтись по связям старичка. Антикварщик, как оказалось, водил компанию с очень известными в городе людьми... После допроса одного из знакомых Варфоломеева — начальника цеха обувной фабрики Криницына — заглянула к Степе в кабинет уважаемая в райуправлении начальник ИДН*, майор милиции Клавдия Алексеевна Папиро.

Клавдия Алексеевна была знойной женщиной лет сорока. Ее тугой зад, обтянутый серой милицейской юбкой, смущал даже оперов. Фамилия у Клавдии Алексеевны осталась от мужа, адвоката областной коллегии Александра Самуиловича Папиро. Клавдия Алексеевна говорила, что развелась с мужем по «идеологическим» соображениям: все знали, что Александр Самуилович, имея жену — начальника ИДН, защищал по уголовным делам несовершеннолетних. Впрочем, в РУВД ходили и другие слухи о причинах развода: якобы однажды адвокат Папиро, совершенно не вовремя вернувшись домой, увидел свою жену — майора Клавдию Папиро — на ковре с двумя голыми и абсолютно пьяными молодыми участковы-

_____
* ИДН — Инспекция по делам несовершеннолетних.

ми. На майоре Папиро из одежды была только пристроенная меж грудей полевая сумка, на которой стояла начатая бутылка вермута.

«Все, Клавдия, — с ударением на последний слог якобы сказал тогда Александр Самуилович. — Это переполнило чашу моего терпения, потому что перешло границы приличия...»

— Степа-Степушка, — сказала Клавдия Алексеевна. — Ты, говорят, как-то очень грубо с Криницыным побеседовал... Это может иметь нежелательный резонанс для всего управления... Ты ведь парень сообразительный.

В принципе, Степа формально мог послать начальницу ИДН подальше и посоветовать не лезть не в свои дела, но все знали, что ее трахает начальник РУВД, поэтому к майору Папиро относились как к неофициальному заместителю начальника...

Степа кивнул и пообещал принять намек к сведению, но не принял, и вскоре в отношении Криницына было возбуждено дело о хищении, выделенное в отдельное производство.

Папиро зашла к Степану снова и говорила уже совсем не так ласково и женственно, как в первый раз:

— Слушай, ты, Пинкертон, ты бы лучше убийства раскрывал, а не портил показатели району, высасывая мифические преступления из пальца... И про мафию нечего выдумывать, нет ее у нас в стране...

Через два месяца уголовное дело в отношении Криницына было прекращено, так как часть материалов потерялась в канцелярии следственного отдела, — секретарше за это даже объявили выговор.

Выйдя из тюрьмы, Криницын в сопровождении двух амбалов заявился к Степе в кабинет и сказал с порога:

— Слушай, Марков, ты, конечно, правильный мент, но если будешь таким же твердолобым, то не получится из тебя Нат Пинкертон.

Степа, конечно же, сразу вспомнил, что Пинкертоном его уже называла Клавдия Алексеевна. Похоже, Криницын упомянул эту фамилию не случайно — намекал на свои связи...

— Как вас следует понимать? — откинулся на спинку стула Марков.

— Как человека, который оказывает тебе любезность.

Криницын вышел не попрощавшись, и один из амбалов, по-доброму улыбаясь, положил Степе на стол металлическую ручку от двери его кабинета, завязанную хитрым узлом.

— Внизу валялась, — объяснил амбал и загоготал...

Степа завелся и, будучи лишенным возможности нормально отработать связи Варфоломеева, начал подробно перепроверять обстоятельства убийства антиквара. Вот тут и замаячила за трупом старичка тень некого Антибиотика, о котором Марков услышал тогда впервые... Доработать ему не дали — вскоре оперуполномоченный Марков вместе со старшим опером Субботиным был командирован в Читу.

— Плюнь ты, Степа, не бери в голову, — утешал Маркова в плацкартном вагоне Субботин — как всегда слегка пьяный, но до синевы выбритый и пахнущий дорогим одеколоном. — Когда-нибудь раскрутим и эту мокруху. Сейчас-то тоже едем убийство поднимать...

Степа хмыкнул. Из Читы они должны были доставить студента-неудачника, пырнувшего ножом своего соперника на дискотеке Горного института и теперь скрывавшегося от следствия.

— А на Клаву эту — положи с прибором, — продолжал Гоша, прихлебывая коньяк из стакана в железнодорожном подстаканнике. — Она очко начальству вылизывает, вот и хлещется... Переживем...

Вернувшись из Читы, Марков опять взялся по-тихому за дело Варфоломеева, но тут через несколько дней к нему в РУВД приехал следователь из горпрокуратуры Сергей Челищев, который, вызвав Степу на улицу, рассказал ему удивительные вещи. Формально дело Варфоломеева контролировала горпрокуратура, а именно — приятель Челищева Андрей Румянцев. От него Сергей и узнал о том, что на Маркова пошли официальные жалобы от людей, занимающих в городе очень высокое положение. Челищев помнил Маркова по факультету, потому не поленился предупредить его и даже научил, как лучше выкарабкиваться из говна, в котором Степу топили. Только благодаря Сергею и его советам для Степы все закончилось выговором с занесением в личное дело и легким испугом. В те времена отправить опера в Нижний Тагил было даже проще, чем посадить вора-рецидивиста. Задавленные требованиями «нормальной» статистики, опера были вынуждены мухлевать, у каждого было по нескольку так называемых «поджопных» материалов, обнаружив которые, любая проверка могла тут же ходатайствовать о возбуждении уголовного дела...

К убийству Варфоломеева Степе вернуться так и не удалось, и он начал понемногу закисать в своем РУВД, заваленный глухими квартирными кражами, пока не пригласил его к себе на работу начальник отдела ОРБ Никита Кудасов. ОРБ — оперативно-розыскное бюро — возникло на базе так называемого Шестого управления, призванного бороться с организованной преступностью, о которой в стране только начинали говорить... Ребята у Кудасова подобрались отличные, работали по пятнадцать часов в сутки без выходных, но очень скоро Степе пришлось убедиться, что и в этом элитарном подразделении царствует Его Величество Милицейский Палочный Показатель, превращавший борьбу с лидерами организованной преступности в подобие соревнования велосипеда и «мерседеса». Тем не менее что-то сделать все же удавалось, и именно Степе выпало в 1990 году задержать Валерия Ледогорова — ближайшую связь Антибиотика. Ледогоров на допросах держался нагло, на вопросы не отвечал, а однажды, усмехнувшись Степе прямо в лицо, прошептал:

— Марков, ты плохо кончишь...

Силу и мощь империи Антибиотика Степа в полной мере смог оценить летом 1992 года, когда и сам Ледогоров, и тридцать его братков, задержанных одновременно с ним, очень скоро оказались на свободе. Женщине-прокурору, поддерживавшей обвинение в суде, во время процесса однажды вечером проломили на улице голову, судьи оказались догадливыми и вынесли бандитам на удивление мягкие приговоры.

Иногда Степу охватывало настоящее отчаяние, и ему начинали казаться бесполезными попытки борьбы с теневым государством внутри государства. Пережить эти тяжелые минуты ему помогали ребята, работавшие рядом, такие же фанатики-энтузиасты, как и сам Степа. Марков частенько виделся с Челищевым, ему очень нравился этот красивый, образованный и сильный парень, Степа даже пытался подражать Сергею в манере говорить о серьезных вещах, насмешливо щурясь... Может быть, именно в силу этой симпатии так болезненно переживал Степа информацию о том, что Челищев, уйдя из прокуратуры, стал работать на Антибиотика. Марков никак не ожидал от Сергея такого финта ушами. После этого Степа стал еще более замкнутым и начал часто ловить себя на том, что перестал доверять многим своим коллегам даже внутри ОРБ...

...Марков сидел на лавочке у памятника Ленину перед Финляндским вокзалом, курил и размышлял о совершенно неожиданном предложении, которое сделал ему Челищев. Сергей выглядел плохо — поседел наполовину, если не больше, вокруг глаз расплескалась чернота, а в самих глазах было столько сдерживаемой боли, что Степа впервые задумался о том, что история «оборотня» Челищева была, пожалуй, совсем не простой... Не мог такой парень, как Сергей, в одночасье превратиться из нормального следака в бандита, даже если Званцев-Адвокат и был его другом детства... Должны быть еще какие-то причины. Степа досадливо закряхтел, вспоминая, как оттолкнул минувшей осенью Сергея от себя, как не пожелал с ним просто поговорить по-человечески...

«Ладно, поговорим еще, если Серый не врал, а похоже, он действительно говорил искренне, — у нас будет много общих тем для разговора... Может, это Званцева его втянула? Красивая баба, но неужели Серега из-за нее голову потерял?.. Надо будет пробить его в понедельник...» Марков затоптал окурок и, сутулясь на холодном ветру, побежал к трамвайной остановке. Степа даже не подозревал, что с Сергеем Челищевым ему больше не доведется увидеться никогда. По крайней мере на этой грешной земле...

В понедельник, за пять минут до назначенного Марковым времени, Челищев уже бродил на Финляндском вокзале у лотков с книгами. Настроение у Сергея было неважное. Несколько часов назад управляющий банка «Отечество» Карл Фридрихович Филь представил его Елене Красильниковой как нового юрисконсульта и попросил «любить, жаловать и всячески помогать». Лена Красильникова была молодой и довольно миловидной женщиной, которую можно было бы назвать красивой, если бы она одевалась чуть подороже и если бы вокруг ее глаз было меньше преждевременных морщин...

Челищев пригласил Лену на чашку кофе в буфет, шутил, легко ухаживал, а она смотрела на него с беззащитной доверчивостью ребенка, которого еще не окончательно успела озлобить жизнь своими жестокими ударами... Когда-то Лена училась в «Финэке», но вышла замуж за офицера, и институт пришлось бросить, потом гарнизонные скитания, все учащавшиеся запои мужа, изверившегося в армии и своей стране. Развод облегчения не дал — Лена с дочкой вернулись в Ленинград, жили в оставшейся от бабушки комнате огромной коммунальной квартиры, расселять которую никто не собирался. Работы не было. Лена с отчаяния всерьез стала подумывать о выходе «на панель», но тут одна ее давняя знакомая замолвила за нее словечко перед Карлом Фридриховичем, и Красильникову взяли операционисткой в банк. Сергей вспоминал ее глаза и чувствовал себя человеком, готовящимся обмануть ребенка...

Степа задерживался. Когда прошло сорок пять минут после назначенного срока, Сергей пошел к телефонам-автоматам. У Степы на звонок никто не отвечал.

«Странно... Может быть, передумал? Да нет, Степа все равно пришел бы и сказал — не тот это человек, чтобы просто так не прийти на встречу... Что-то случилось...»

Дурное предчувствие заворочалось в груди, заставив сердце Челищева сбиться с нормального ритма и неприятно заныть... Через полчаса Сергей перезвонил снова. Снова долго никто не отвечал, Челищев уже хотел было положить трубку, когда услышал вдруг незнакомый голос:

— Да, слушаю...

— Маркова Степу позовите пожалуйста!

Человек в «Большом доме» после небольшой паузы осторожно кашлянул и переспросил:

— Маркова? А... кто его спрашивает?

— Его хороший знакомый, — ответил Челищев. — У нас с ним встреча назначена. Степа знает, где и с кем...

На другом конце провода тяжело вздохнули:

— Погиб Марков. С вами могу встретиться я.

— Как погиб? — ошарашенно переспросил Сергей. — Когда? Мы же с ним...

— Вчера, — ответил незнакомец, — При исполнении служебных обязанностей. Смертью героя. Мы будем с вами встречаться? Как вас зовут?

— Спасибо, до свидания. — Челищев повесил трубку и долго смотрел на неподвижный телефонный диск.

Что произошло? Почему Степа погиб именно сейчас? Сергей вдруг вспомнил, как Антибиотик во время последней беседы спрашивал его о Маркове и намекал на то, что Степа стал мешать. «Как кость в горле», — сказал тогда о нем Виктор Палыч... «Неужели эта старая сволочь опять меня опередила? Надо кончать с ним, он словно чует...» От ненависти и отчаяния глаза Челищева стали заволакиваться красным туманом, а во рту почувствовался привкус крови. Выдохнув резко, с пристоном, Сергей со всей силы кулаком ударил по телефонному аппарату. Боль в разбитых костяшках пальцев отрезвила его. Сгорбившись, как старик, Челищев побрел к машине.

«Степа погиб, значит, все нужно срочно менять, весь план летит к черту...»

Челищев горько усмехнулся: он проработал в правоохранительной системе семь лет, и, как оказалось, у него был только один знакомый мент, кому он мог полностью довериться...

Сергей не мог даже предположить, что старший оперуполномоченный из пятнадцатого отдела ОРБ Степан Марков погиб из-за глупой самонадеянности одного их общего знакомого — Валеры Чернова. Антибиотик на этот раз был ни при чем, это была ситуация, когда дурак становится опаснее диверсанта...

* * *

В воскресенье Степа дежурил по отделу. Марков был даже рад этому дежурству — у него накопилось изрядное количество финансовой документации, в которой давно уже нужно было поковыряться, но в обычный рабочий день это сделать было трудно — в одной комнате терлось друг о друга столько народу, что и бумаги-то по-человечески на столе не разложить... От руководства по ОРБ дежурил Валера Чернов — это было его первое заступление ответственным дежурным. Всего неделю назад его повысили в должности, Валера стал замначальника семнадцатого отдела и, как все новоиспеченные начальники, жаждал возможности отличиться...

Около двадцати ноль-ноль на контактный телефон ОРБ пришла информация об адресе, в котором скрывается некая Марина Арипова, находящаяся в розыске уже полгода. Арипова была генеральным директором фирмы «Кипарис» — нормальной пирамидальной структуры, которая брала деньги у доверчивых граждан и обещала вернуть с процентами, превышающими во много раз сами вклады. Когда на счетах «Кипариса» осели миллионы, Арипова исчезла. Обманутые вкладчики устраивали митинги и организовывали какие-то комитеты... Городская пресса подняла большой шум. В многочисленных публикациях Арипову называли даже «злым финансовым гением», хотя было очень сомнительно, чтобы эта двадцатичеты-рехлетняя телка из Вологды могла сама придумать и осуществить такую аферу. Скорее, она была просто ширмой, за которой работали куда более серьезные люди... Как бы то ни было, но Арипова находилась в розыске, и то, что ее случайно опознал на улице один из вкладчиков (мало того что опознал — еще и отследил до дома, до дверей квартиры!), было большой удачей. Чернов уже видел заголовки статей на первых полосах питерских газет и предвкушал сладкое пожинание лавров. Все складывалось так удачно...

«Только бы из района не опередили», — эта мысль подстегнула Чернова, заставила его торопиться. Он выскочил в коридор, начал дергать двери кабинетов... Первым, кто попался ему на глаза, был Степа Марков.

— Так, Марков, быстро собирайся, смотаемся в адрес на Вторую Красноармейскую, нужно бабу одну задержать, пока она не «соскочила»!

— А что за баба-то? — спросил со вздохом только что разложивший все свои бумаги Степа.

— Мошенница! — Чернов подмигнул Маркову и по-начальнически стал его торопить: — Ну, живее, живее, чего копаешься!

— СОБР будем заказывать? — Степа начал быстро убирать бумаги в сейф. Чернов, стоя в дверях, хлопнул себя ладонями по ляжкам и расхохотался:

— Какой, в жопу, СОБР, людей только смешить — из-за одной девки... Возьмем мою машину — ты, я, Гришка Данилевский водилой — что, не управимся? Живее, живее!

— Сейчас, — кивнул Степа. — Бронежилет вот только надену...

Чернов выразительно повертел пальцем у виска:

— Давай, бери, бери... Ты еще пулемет возьми — на бабу... Все-таки правду говорят, что у вас в отделе с головами-то непорядок... Ладно, шевелись быстрее, я внизу тебя в машине жду.

Бронежилет Марков все-таки надел, потому что Никита Кудасов каждый день неустанно повторял всем операм: «На любое дело, в любой адрес — обязательно только с бронежилетами. Пусть, кто хочет, смеется... А я хочу вас видеть живыми и здоровыми».

Уже уходя из кабинета, Степа решил все-таки звякнуть на всякий случай дежурному в свое бывшее РУВД — Вторая Красноармейская была как раз их «землей». Как ни странно, у дежурного не было занято; более того, оказалось, что дежурит Гера Фоменко, старый Степин кореш. Марков вкратце обрисовал Гене ситуацию и торопливо попросил:

— Геныч, если не очень влом — пришли к адресу гэзэшников, мало ли что... Это же от вас совсем недалеко, через улицу всего... Хрен его знает, что там за хата, мы ее даже и не пробивали.

Фоменко ничего твердо гарантировать не стал, но по старой памяти обещал постараться...

Дежурная «Волга» влетела на Вторую Красноармейскую около двадцати одного ноль-ноль.

— Так, — важно сказал Чернов, когда машина остановилась у нужного подъезда. — Значит, Марков — старший, Данилевский — на подхвате. Давайте там особо не церемоньтесь — за рога и в стойло, по-быстрому. Думаю, вдвоем справитесь с девушкой — вы ж у нас спортсмены, «качки», так сказать... Ну, а я тут на связи побуду. Если что — кричите. — И Валера хохотнул, довольный своей шуткой.

Марков с Данилевским вошли в подъезд и поднялись на третий этаж. У невзрачной двери квартиры номер сорок три они остановились и тихонько щелкнули затворами своих «пээмов». Марков кивнул, и Гриша Данилевский нажал на кнопку звонка. В квартире послышался шум и торопливые шаги к двери.

— Кто там? — спросил женский голос.

— Это сосед ваш снизу, из тридцать девятой, вы нас затапливаете, — ответил Степа сердито.

За дверью начали щелкать замками.

— А у нас вроде ничего не течет, — сказала удивленно молодая женщина, появляясь на пороге. Степа договорить ей не дал, втолкнул в глубь квартиры, шепотом командуя:

— К стене! Тихо, милиция! Есть кто в хате?!

Арипова открыла рот от ужаса и замотала головой:

— Нет, что вы, никого тут нет, это какая-то ошибка!

Но она кричала как-то нарочито громко, и это не понравилось Степе. Кивнув Данилевскому на Арипову, Марков решил осмотреть квартиру. Он приблизился к закрытой двери в спальню и левой рукой резко толкнул ее. Последнее, что увидел в своей жизни Степа Марков, было дуло восьмизарядного американского помпового ружья. Марков даже успел выстрелить, но его пуля лишь чиркнула по шее парня, который зарядом картечи снес Степе

полголовы. В комнате находились двое «казанцев», «курировавших» Арипову, кстати, тоже
наполовину татарку. Эта троица скрывалась
вместе, большой и дружной семьей, уже давно,
на парнях висело «мокрое», поэтому с оружием они не расставались даже ночью...

Тело Маркова откинуло назад, в прихожую. Данилевский пригнулся, но выстрелить
не успел — картечь из второго ружья разворотила ему грудную клетку и перебила горло
Ариповой...

Чернов, услышав выстрелы, так растерялся,
что побежал наверх, даже забыв достать ствол
из наплечки. Увидев выскочивших из сорок
третьей квартиры двух заросших мужиков с
короткими ружьями в руках, Валера оцепенел
и поднял руки. Вид у него был настолько жал-
кий, что убегавшие бандиты даже не заподоз-
рили в нем мента.

— Грохни, — предложил на бегу один из «казанцев» напарнику.

— И так шумно, он — овца, не при делах, —
все это Валера успел услышать перед тем, как
тяжелый приклад коротко, но очень больно ударил его в лоб. Валера сел на задницу, но сознание не потерял. Он сидел и думал о том, что
теперь всей его так хорошо начинавшейся ка-
рьере наступил конец. Это было настолько обидно, что у Валеры даже прошла боль.

Бандиты выскочили из подъезда и нарва-
лись на гэзэшников, которых Гена Фоменко
все-таки направил в адрес. «Казанцы» успели выстрелить еще по одному разу и получили
в ответ автоматные очереди. Один был убит
сразу, а второй, с пулей в животе, успел заско-
чить обратно в подъезд. Непонятно, на что он

надеялся, может быть, хотел дворами уйти или чердаком... Это был тот, кто пожалел Чернова, не стал его убивать. На лестничном пролете бандит выронил ружье и, схватившись руками за живот, начал оседать на ступеньки. Валера увидел его умоляющие глаза, которые уже начали подергиваться мутной пеленой боли, и выстрелил прямо в них несколько раз подряд, лихорадочно приговаривая:

— Это тебе за овцу, за овцу, за овцу!!!

Так погибли Степа Марков, Гриша Данилевский. Были убиты и Марина Арипова, и двое бандитов, установить личности которых не представилось возможным.

Чернова не обманули первые, радужные, предчувствия — бойня на Второй Красноармейской действительно попала во вторник на первые полосы всех самых крупных питерских газет. Во всех материалах главным героем был представлен руководитель операции заместитель начальника семнадцатого отдела ОРБ Валерий Чернов, лишь благодаря мастерству и героизму которого бандиты, устроившие на своей квартире засаду, не ушли от возмездия...

Позже, в ходе служебного расследования, Чернов рассказал, что СОБР на задержание брать не стали, так как те были необходимы в резерве для возможного использования дежурным нарядом УУРа, по линии которого в тот вечер было совершено несколько тяжких преступлений, но зато именно он, Чернов, распорядился, чтобы Марков позвонил в РУВД и попросил помощи у местных гэзэшников. Глубоко копать служебная проверка не стала...

Сергей Челищев, конечно, не знал обо всех этих обстоятельствах. Гибель Степы перевернула все его расчеты, и Сергей принял решение срочно выехать под Лугу, на хуторок Федосеича, где он отлеживался после своего февральского запоя.

Реально в Лугу ему удалось выбраться только во второй половине следующего дня. Антибиотик по случаю гибели Маркова был в прекрасном настроении, он собрал все газетные вырезки и с наслаждением перечитывал их, потягивая неизменную «Хванчкару». Челищев сказал Виктору Палычу, что собирается немного отдохнуть на природе, и старик возражать не стал, лишь напомнил, чтобы Сергей не забывал про банк «Отечество» и операционистку Лену; до запуска операции с авизовками оставалось чуть меньше двух недель...

Челищев вызвонил Выдрина, страшно обрадовавшегося появлению пропавшего шефа, пересел в условленном месте со своего «джипа» на Сашкину «девятку» и велел гнать до Луги. Почти всю дорогу Челищев молчал, угрюмо глядя на дорогу перед собой, и Выдрин, почувствовав его настроение, не беспокоил Сергея никакими расспросами. Челищев курил сигарету за сигаретой, вспоминал Степу Маркова и время от времени невнятно мычал от внутренней боли. Челищеву было совсем плохо, он думал о том, что несет всем вокруг себя только горе и смерть...

Когда до хуторка Федосеича оставалось километров десять, Сергей взглянул на Сашка и сказал:

— Саня, дела пошли совсем невесело, ты слушай меня, не перебивай... Примерно через месяц тебе нужно будет уехать из города, спрятаться, так что готовься... Маму с собой заберешь, деньгами и документами я обеспечу. И не спрашивай меня ни о чем — все, что можно будет, я тебе сам скажу. Только уехать вам надо будет обязательно — это вопрос жизни и смерти, и не только моей, но и твоей, и еще многих других людей.

Выдрин даже пригнулся к рулю от неожиданности, долго молчал и наконец спросил:

— Уезжать навсегда придется?

— В жизни ничего не бывает навсегда, — вздохнув, ответил Челищев и закурил очередную сигарету.

Примерно в километре от дома старого тренера Сергей велел Сашку остановиться, вышел из машины и, предупредив, что вернется часа через три, направился к хуторку. Майское солнышко потихоньку набирало силу, листья вовсю вылезали из почек, и все в природе радовалось обновлению. Сергей любил май больше всех остальных месяцев в году, с его приходом он сам всегда оживал. Но сейчас его душу не отпускала жестокая февральская стужа.

Подойдя к дому Федосеича, Челищев услышал доносившиеся со двора тяжелые удары колуна. Ворота были открыты, Сергей вошел и увидел знакомую высокую фигуру, легко разваливавшую огромные березовые чурки. У Челищева вдруг перехватило дыхание и защипало в глазах.

— Здорово, Олежка...

Званцев обернулся к нему, сжимая одной рукой большой колун, и заулыбался:

— Серый! А ты чего прискакал раньше времени? Договаривались ведь на субботу...

Они обнялись, и Сергей вдруг уткнулся лицом в плечо Олега.

— Э-э, ты чего, братишка, случилось что? С Катькой?!

Челищев отрицательно качнул головой:

— Случилось, но не с ней. С ней все в порядке. Сейчас расскажу все, дай отдышаться только.

Они присели на березовые бревна, закурили, и Челищев вдруг снова с пронзительной отчетливостью вспомнил все, что произошло между ними в тайнике под стойкой бара в «свинарнике», где они прятались от омоновской облавы...

Устроители тайника под стойкой бара явно не рассчитывали на то, что в нем будут скрываться одновременно двое, да еще таких габаритов, как Званцев с Челищевым. Олег и Сергей вынуждены были сидеть скорчившись, прижимаясь друг к другу. Сверху еле различимо доносились тяжелые шаги, потом стало слышно, как залаяла собака. Кто-то завизжал, зазвенело разбитое стекло — судя по всему, в баре начали бить крупье.

Олег вздохнул и шепотом сказал:

— Если они запустят сюда пса — нам конец...

— Почему обязательно конец? Может, наоборот — начало?.. — решил поддержать беседу Сергей. Ну не сидеть же в полной темноте молча.

— Много ты об этом знаешь, — раздраженно ответил Званцев. — Начало... Ты вообще ментам должен в ножки поклониться: если бы не они, ты бы еще полчаса назад покойником стал...

Они снова замолчали, думая каждый о своем. На этот раз паузу нарушил Сергей:

— Интересно, по чью они душу — за мной или за тобой снова?

— Не знаю, — Олег пожал плечами. — Если они нас здесь найдут, обоим мало не покажется...

— Покурить бы, — вздохнул Челищев, но Званцев отрицательно мотнул головой:

— Нельзя, собака может учуять, да и вытяжки здесь никакой — задохнемся... Терпи. Лучше объясни, что ты там нес насчет сына. Какой сын, чей?

— Я же покойник?.. — невесело усмехнулся Сергей, но Званцев перебил его, не дав договорить:

— Не юродствуй! Сейчас не до шуточек, рассказывай, что знаешь!

Когда очень рассерженного человека обстоятельства вынуждают говорить шепотом, получается не очень страшно. Сергей улыбнулся против воли, надеясь, что Олег этого в темноте не заметит...

— А что тут рассказывать? В августе ему будет восемь лет, зовут Андреем. Сроки можешь сам посчитать. Катька от тебя тогда залетела, а Гончарову своему, покойнику, ничего не сказала — он в Швейцарию в длинную командировку уехал. А она подалась рожать к бабушке своей в Приморско-Ахтарск, там сына и оставила... Вот и все.

В темноте лица Олега было не разглядеть, но по его прерывистому дыханию Сергей понял, что Званцев просто в ауте от свалившейся на него новости. После долгой паузы Олег наконец взял себя в руки и спросил:

— Почему же Катька молчала все эти восемь лет? Ну, сначала еще понятно — а потом-то? Мы же расписались...

— Почему-почему... — на этот раз завелся Челищев. — Жизнь у тебя очень красивая, вот почему!

Олег сердито засопел:

— Можно подумать, что твоя жизнь лучше! Все мы из арестантского мира...

— Вот-вот! — язвительно продолжил Челищев. — Тебе хоть раз в голову приходило, что ни одна баба не хочет, чтобы ее ребенок в таком мире рос?

— Много ты понимаешь! — взорвался Олег и схватил Челищева за грудки. — Да она сама... А ты... Ты, стало быть, ее пожалел, утешил да еще и трахнул заодно, паскуда!

— Убери руки, мудак! — Сергей локтем сбил захваты рук Званцева, оба напряглись и тут же одновременно замерли, прислушиваясь к звукам сверху. Там продолжали топать тяжелыми казенными сапогами.

Постепенно успокоившись, Сергей и Олег отпустили друг друга и снова надолго замолчали. О чем они думали, что вспоминали? У обоих было и что вспомнить, и над чем задуматься.

— Олежа...

Званцев вздрогнул. Когда-то, очень давно, Сергей называл его так в те минуты, когда они говорили о чем-то очень важном и сокровенном. Все эти разговоры остались в далекой прежней жизни. Да и была ли она?

— Чего тебе? — буркнул Олег, сердясь на себя за то, что, когда Сергей назвал его «Олежей», у него екнуло сердце.

— Олежа... Ты меня выслушай, не перебивай... — Челищев глубоко вздохнул, словно перед нырком, потом медленно выдохнул. — Мне очень плохо, причем уже давно... Я, Олежа, жить не хочу, да и не могу... Только сам мучаюсь и остальным горе приношу... Мне от тебя смерть принять будет легче, чем от кого-то, только ты меня похорони по-человечески, к Вальтеру не вози...

— Ты че? — опешил Олег. — Ты че городишь-то?

— Подожди, не перебивай, — Сергей нашел в темноте руку Званцева, тот для вида попытался вырвать ее, но Челищев вцепился в нее крепко.

— Олежа... Пора точки расставлять... Я — лишний в раскладе. Не будет меня — всем станет хорошо. Тебе. Кате. Да и мне тоже... Об одном жалею — не хватило сил упыря этого кончить, Виктора Палыча... Я его напоследок оставил, да вот — не хватило меня... С тобой хотел сквитаться, да тоже уже рука не поднимается.

— Серега, — голос Званцева был полон растерянности и тревоги. — Серый, ты что, бредишь? Ты чего несешь-то? За что сквитаться-то?

Челищев продолжал говорить свистящим полушепотом, будто не слыша Олега:

— Это я Катерину определил в «Кресты».

— Что?! Ты?!

— Я.

Званцев закрутил головой, отказываясь верить услышанному. Олег почувствовал, что если сейчас он не поймет, что происходит с Сергеем, то будет жалеть об этом весь остаток своих дней.

Олег с усилием сглотнул и спросил по возможности спокойно:

— А зачем... ты ее в «Кресты»?

Челищев усмехнулся:

— Ты еще не понял? За отца и мать... Я думал, ты сам догадаешься... За предательство, которого я от вас не ожидал.

Званцев долго молчал, переваривая полученную информацию, потом положил Сергею руку на плечо и спокойно и жестко сказал:

— Значит так: чтобы нормально во всем этом винегрете разобраться, ты мне сейчас подробно и обстоятельно все расскажешь. Как постороннему, который вообще ничего не знает. А потом я тебе кое-что расскажу. Это наш единственный шанс разобраться.

— Зачем все это? — устало пожал плечами Челищев.

— Затем! — отрезал Олег. — Если тебе все равно, то мне — нет. Я, в отличие от тебя, с жизнью пока прощаться не собираюсь. А раз так, нужно размотать все эти непонятки... Давай, Серега, не тяни. Излагай все по порядку, как у батюшки на исповеди.

Челищев помолчал немного, вздохнул и начал рассказывать равнодушным тусклым голосом...

Он говорил минут сорок, и Олег ни разу его не перебил; лишь пару раз, когда Сергей останавливался перевести дух, Званцев нетерпеливо подгонял его:

— Дальше, дальше...

Закончив свой рассказ, Челищев в изнеможении прислонился к стенке тайника. По лицу его струился пот — может быть, его вызвали невеселые воспоминания, а может, просто в тайнике становилось слишком жарко от дыхания двух мужчин.

— М-да, — крякнул Олег. — Слов нет, одни буквы... И за весь этот набор ты решил со всеми нами поквитаться...

Челищев невесело хмыкнул:

— Я, Олежа, буду на самом деле рад, если ты поставишь точку во всей этой чехарде. Мне с такими темами на сердце жить невмоготу. А вы — живите... Только попомни мое слово — когда-нибудь Антибиотик убьет и тебя...

— Так, — сказал Олег. — Так... Хватит, урод. Теперь слушай, только слушай как следует, может быть, у тебя мозги на место встанут. Ты все очень логично нафантазировал, только все время жопу с пальцем путал, потому и заблудился в трех соснах. Я, как ты помнишь, в «Кресты» залетел недели за полторы до того, как твоих родителей этот Костя-Молоток кончил...

— Винт перед смертью сказал, что Танцор перед делом Молотка к тебе на инструктаж возил, — перебил Олега Сергей.

— Да подожди ты, дай сказать, — рыкнул Званцев и продолжил: — В мусорню нас слили по протеиновой теме — ты в курсе... И я до ареста занимался только ею, слышал, конечно, что у Палыча какие-то дела с деревообрабатывающей фабрикой возникли, но — кровью клянусь, ни сном ни духом не предполагал, что это с твоим отцом связано. Я в эту тему вообще не лез, это были старые дела Палыча, он мебельные вопросы давным-давно сам крутил. Потом мы сели. Действительно, хотел Танцор что-то обговорить, малявку мне передавал, но не получилось повидаться — у нас тогда еще в «Крестах» позиции совсем слабые были, только-только начинали коридоры налаживать... А потом уже, много позже, я узнал, что произошло...

Олег помолчал, вздохнул и продолжил:

— Никто твоих убивать не собирался, и Антибиотику это ни к чему было... Гурген, когда тебе свое виденье сюжета рассказывал, передернул: не знаю уж, специально или так же, как и ты, заблуждался добросовестно... Молотка посылали, чтобы он просто припугнул, «на нервы подавил» твоему отцу. А у Кости самого с нервами было совсем никак от наркоты, да и Александр Владимирович мужиком крепким оказался — вот этот козел и начал с перепугу ножом махать... Когда Палыч узнал, что в квартире два трупа осталось... Костю этого по всему городу искали, как нашли — сразу и кончили придурка, туда ему и дорога... Ты не думай, что я Палыча оправдываю, нет, эта сволочь не одну жизнь перемолола, но тогда — он точно не хотел, чтоб так все вышло, невыгодно это ему было... Он потом месяц трясся, по разным хатам прятался. Если бы он убить хотел, то совсем по-другому все закрутил бы, а тут — это как несчастный случай получился.

— Эксцесс исполнителя, — прошептал Челищев непослушными губами.

— Во-во, эксцесс... А я, даже когда узнал, что директора убили, только дня через два допер, что это твой отец. Фамилию-то мне не сразу назвали... В курсе темы были три человека — Гусь, Танцор и Антибиотик... Катька вообще ничего не знала, да и до сих пор, я думаю, не знает...

Челищев сидел молча, только дышал громко, как кузнечный мех. С непонятно откуда

307

взявшейся силой он вдруг схватил Олега за грудки и встряхнул как куклу:

— Так что же ты... Почему молчал, почему не сказал мне?!

— Руки убери! — Олег одернул куртку. — Когда я тебе мог об этом рассказать? Вспомни — только мы с тобой свиделись, как меня снова в «Кресты»... Да и не хотелось, если честно, душу тебе бередить, кто же знал, что ты все это ковырять будешь....

В тайнике стало тихо. Шагов наверху слышно больше не было, но менты могли перейти в другие помещения фермы. Вылезать было еще рано. Сергей, закрыв глаза, лихорадочно размышлял, вспоминал, анализировал. Теперь все действительно вставало на свои места, теперь становилось понятно, почему Никодимов с Прохоренко согласились помочь Виктору Палычу — убийство не планировалось, предполагался «наезд» и, видимо, сразу же после него — серьезный разговор... Но что же тогда получается? Катя... За что он ее запихнул в «Кресты»? (Об утопленном Глазанове и погибшем на «стрелке» Танцоре Сергей даже не вспомнил. О них он будет думать потом.)

— Господи, — прошептал Челищев. — Господи...

В его душе все вертелось и переворачивалось, голова готова была разорваться, а сердце снова стали сжимать невидимые жесткие руки.

Олег кашлянул и добавил глухо:

— Между прочим, Катька — беременная, рожать, видимо, будет...

— От кого? — тупо спросил Сергей.

— От духа святого! — взорвался Званцев. — От тебя, от кого же еще... Я с ней с августа девяносто второго не спал... Не Мищенко же, следак этот очкастый, ей вдул...

Сергей молчал. Ему нечего было сказать, мысли в голове перемешались настолько, что ни одну вычленить было нельзя. Они долго сидели в душной тишине, думая каждый о своем. Как же так все получилось, почему жизнь выкидывала с ними такие страшные шуточки?..

— Олежа...

— Что тебе?

— Ты откуда узнал про меня с... Катериной?

— От верблюда, — Званцев огрызнулся было, но потом нехотя рассказал все по порядку.

— Это Палыча прокладки, — угрюмо резюмировал Сергей. — По почерку видно. Он и Валдая подговорил письмо написать, да и тебе специально разрешил меня из больницы забрать... Он сознательно нас стравливает — мы вдвоем ему не нужны, боится, что из-под контроля вылезем... А так — один другого замочит — и все... И предлог хороший, братве просто объяснить будет.

— Не надо было чужую бабу в постель тащить, никакого предлога бы и не было, — завелся снова Олег, но Челищев положил ему руку на плечо.

— Брось, ты же сам знаешь, не было бы этого, он что-нибудь другое придумал бы... Не нужны мы ему вместе... И отсюда нам вдвоем хода нет... Выберемся вместе, он тогда обоих уберет, рисковать не будет... Как дальше-то жить будем?

— Не знаю! — отрезал Званцев. — Думать надо. Сначала из этого склепа вылезем, а там видно будет... Сколько мы тут уже?

— Часа два с половиной, — ответил Сергей, взглянув на светящийся в темноте циферблат часов.

— Полчасика подождем еще для верности, — вздохнул Олег. — Не будут же менты тут лагерем стоять...

Они снова замолчали, но тишина в тайнике на этот раз уже не была такой напряженной, как в самом начале их сидения... Олег вспомнил, как в десятом классе они с Сергеем поехали на рыбалку под Зеленогорск. Сентябрь тогда был на удивление теплым, ребята всю ночь сидели у костра, мечтали, говорили обо всем на свете... Тогда Сергей вдруг сказал Олегу, что Катя Шмелева — красивее всех кинозвезд. Олег промолчал, разозлился на Челищева неизвестно почему... Наверное, потому, что сам хотел сказать что-то подобное, да не успел, опередил его Сергей...

— Олежа, помнишь, как мы с тобой на рыбалку ездили?

Званцев вздрогнул:

— Ты что, мысли читать научился?

— Да нет, — усмехнулся Сергей. — Наверное, просто «у дураков мысли сходятся», знаешь такую поговорку?

— Угу, — буркнул Олег. — У нас немного по-другому говорят: «Придурки тянутся друг к другу»...

Челищев нашарил в темноте руку Олега:

— Ты на меня за Катерину зла не держи, я и сам уже весь извелся... Даже когда думал, что ты к убийству моих впрямую относился... Все равно совесть мучила...

— Что мне твоя совесть, — вздохнул Званцев. — Если бы ты мне под руку попался сразу, как я обо всем узнал — точно убил бы... А сейчас перегорело все как-то... С Катькой я больше все равно не буду, ты же знаешь, такое не прощается.

Олег помолчал, потом спросил напряженным голосом:

— Серый, а он похож на меня?

— Кто?

— Ну, сын мой, который в Приморско-Ахтарске...

Челищев пожал плечами:

— Я-то откуда знаю, Катька фотографий мне не показывала, я думаю, она их где-то далеко прячет, если вообще они в Питере есть... Похож, наверное... Она говорила, что он беленький, а глаза зеленые. Значит, в тебя...

Званцев спрятал лицо в ладонях. Сын... У него есть сын, большой уже, в школу ходит... Что-то необычное творилось у Олега в душе, что-то такое, от чего наворачивались на глаза слезы, которых не помнил он уже много лет...

— Серый...

— Что?

— Знаешь, я в «Крестах» о многом передумал, там для этого все условия — чтобы думать... На воле-то не очень получалось, все времени не было, так закручивало, что про смысл жизни думать сил не оставалось...

Сергей молчал, чтобы не перебить Олега, не сломать охоту говорить.

— Ну вот, и стали мне мысли разные интересные в голову приходить... Зачем мы крутимся, как белки в колесе? Уже такого накрутили — «мама, не горюй», а все остановиться не можем... Я раньше думал, что бегу по этой дорожке ради денег, а в «Крестах» дошло, что не так это... Денег у меня уже столько, что и не потратить их до конца жизни, если только не прикуривать от тысячедолларовых... Выходит, кручусь я ради крутежки, потому что ничего больше в жизни у меня нет... А теперь вот, ты говоришь, у меня сын... Слышь, Серый?

— Ну, — ответил Челищев. — Слышу.

Олег вздохнул глубоко, ударил кулаком правой руки по раскрытой ладони левой.

— Не знаю, может, и права была Катька по-своему, что мне о сыне не говорила... Я тогда многого не понимал. А сейчас — я тоже не хочу, чтобы его в колесо затянуло... Соскакивать надо с колеса этого...

— Куда? — спросил Сергей. — Мы ведь теперь везде чужие — и здесь, и там. Хотя — страна большая...

— Страна-то большая, — перебил его Олег. — Да везде одно и то же творится... Не хочу я больше в этой стране жить, где Антибиотики генералами командуют. А, кстати, их, генералов этих, ты тоже мочить собирался?

— Их бы надо в первую очередь, — угрюмо ответил Сергей. Званцев хмыкнул:

— Да, крышман у тебя напрочь отъехал, камикадзе ты наш... Ладно, об этом после потолкуем. Вроде тихо все наверху, давай на воздух выбираться. Я первый — огляжусь, если все лады — тебя вытащу.

Олег встал Сергею на плечи, сдвинул какой-то рычаг, потом с большим трудом начал поворачивать тумбу стойки бара. Через несколько минут в тайник упали лучи электрического света. Олег подтянулся, протиснулся в лаз и завертел головой. В баре никого не было. Званцев окончательно выбрался наружу и на всякий случай поставил тумбу на место. Сергей снова оказался в темноте, на этот раз один. Нет, пожалуй, все-таки не один — перед глазами все время стояло лицо Катерины...

Между тем Званцев обошел всю гостиницу — из обслуживающего персонала милиция оставила только бармена, официантку и тетку-привратницу — остальных увезли «для снятия показаний». Олег велел бармену не заходить, пока не пригласят, и вернулся за Сергеем. Званцев вытащил Челищева из тайника, и они уселись за стол в разгромленном до безобразия баре. Олег разыскал чудом уцелевшую бутылку коньяка, разлил по стаканам. Выпили молча, правда, чокнулись и посмотрели друг другу в глаза. И это было лучше всякого тоста.

— Катьку из «Крестов» вытаскивать надо, хоть и поделом ей... Да не ее жаль, а киндера твоего, моего родственничка. Не хочу я, чтобы братишка моего сына по лагерям мыкался.

Оглядев стены, Олег решил говорить шепотом прямо в ухо Сергею. Антибиотик — хитрый старикан, вдруг и здесь жучков понапихал на всякий случай.

— А когда Катьку вытащим — валить из страны надо. Сына с собой заберу. Денег хватит, коридор только заранее нужно приготовить.

— Мне с Антибиотиком посчитаться все равно надо. Как бы то ни было, а родителей через него убили, — теперь в ухо Олегу шептал Сергей, так они и чередовались, словно поцелуями обменивались.

— Все правильно. Серый, со стариком надо что-то решать: пока он в городе банкует — нам не соскочить. Вычислят и кончат. У него руки длинные — аж за океан тянутся. Катьку, Катьку надо из Крестов доставать...

— У меня есть одно соображение, только для начала нужно, чтобы план Антибиотика сработал. Мой старик-тренер всегда повторял: энергию противника нужно повернуть против него самого...

Они договорились тогда сымитировать убийство Олега для того, чтобы он, числясь покойником, мог спокойно начать готовить коридоры отхода на Запад. Сергей написал короткую записку Федосеичу, рассудив, что маленький хуторок под Лугой станет самым надежным убежищем для «покойника». Званцев должен был заняться документами для себя, Сергея и Катерины с сыном, а Челищеву предстояло войти в контакт со Степой Марковым, слить ему Антибиотика со всей кодлой, а потом, воспользовавшись сумятицей, которую должно было внести в империю Виктора Палыча своими действиями ОРБ, — забрать Катерину из тюрьмы и скрыться... План этот, хоть и содержал немало авантюрных моментов, вполне мог сработать, если бы не гибель Маркова...

Уходить же, оставляя за спиной Антибиотика, было еще большей авантюрой — и Сергей, и Олег прекрасно представляли себе возможности Виктора Палыча, знали, что старик может закрутить тотальный поиск не только в Питере, но и по всей России, да и за ее границами тоже...

Челищев долго рассказывал Олегу невеселые новости, потом замолчал, закрыл глаза и подставил лицо солнцу.

— Да, — мрачно сказал Олег. — Дела говенные. Ладно, пойдем в дом, перекусим да помозгуем. Сколько Катьке, если все нормально пойдет, до выхода на подписку осталось?

— Месяц, — глухо ответил Сергей. — Всего месяц. А дни летят, как сумасшедшие.

Они пошли в дом. Федосеича не было — Олег отправил старого тренера в Питер. Старик согласился помочь сразу, как только Олег появился в его доме и, отдав письмо от Сергея, рассказал от себя кое-что... Это «кое-что» заняло почти целый день, и Федосеич, слушая Званцева, время от времени вдруг начинал тереть подозрительно влажно блестевшие глаза. Олег использовал старого тренера как курьера, направив его в одну туристическую фирму, генеральный директор которой был Званцеву «по жизни должен». Олег надеялся, что должок этот не забудется и после его «гибели» — и не ошибся. Генеральный директор турфирмы «Планетрон» имел такие завязки с ОВИРом, что заказ на несколько загранпаспортов не являлся для него такой уж большой проблемой, а если уж совсем честно, то не был проблемой вовсе. Самым сложным пунктом было сохранение инкогнито заказчика, «Планетрон» и ОВИР нужно было использовать «втемную», поэтому Званцев с Федосеичем просидели несколько дней, оговаривая мельчайшие нюансы комбинации по получению бланков паспортов И их последующего заполнения...

Пока Олег собирал на стол нехитрую снедь, Сергей включил старенький телевизор Федосеича. Программа «Факт» показывала сюжет с пресс-конференции в ГУВД, посвященной событиям на Второй Красноармейской. На вопросы журналистов отвечал заместитель начальника семнадцатого отдела ОРБ Валерий Чернов. Валера был строг и серьезен, белоснежная повязка на голове придавала ему сходство с Шараповым из фильма «Место встречи изменить нельзя». Чернов говорил о том, что, несмотря на гибель товарищей, все оставшиеся в строю еще теснее сомкнут ряды, чтобы защитить горожан от растущего беспредела озверевших преступников. На вопрос, правда ли, что его за операцию по задержанию Ариповой решено представить к ордену, Валера, скорбно опустив глаза, ответил, что сам на себя представлений не писал и считает — прежде всего нужно подумать о семьях погибших. Да и вообще, о нуждах сотрудников милиции журналистам стоило бы писать не только в тех случаях, когда приходится хоронить боевых друзей...

— Сука! — грохнул Челищев кулаком по столу. — Еще и орден этому пидору! Наверняка же этот козел сам ребят под пули и подставил! Я этого мудака давно знаю, ему бы только закованных плющать...

Подошедший Олег досмотрел сюжет до конца, потом хмыкнул, положил руку Сергею на плечо:

— Не переживай так, Серый... У нас в стране всегда так. В Афгане точно такое же творилось. „Братва за атаку — хуй в сраку, санитарке за пизду — Красную Звезду». Не бери в голову.

— Ну просто непонятно, ну почему, почему у нас все время — нормальные ребята гибнут, а всякие твари вонючие — на коне и с орденами?!

Они наскоро перекусили, вылили не чокаясь по пятьдесят граммов водки за помин Степиной души. Олег, поставив пустую рюмку на стол, усмехнулся грустно:

— Да, не думал, что когда-нибудь за упокой мента пить придется. Хотя про этого Маркова всегда нормально говорили. Честных ментов не бывает, но правильным ментом он был...

Челищев ничего не ответил, и некоторое время они сидели за столом молча. Наконец Олег вздохнул и заговорил о делах.

— Ладно, Серый. Мертвым — земля пухом. и вечный покой, а нам о живых думать надо. Раз твоя комбинация сорвалась — надо что-то новое выкручивать. Самое надежное — это Палыча завалить. Тогда такая муть поднимется, что мы без проблем в ней уйдем, дележка начнется, и всем не до нас будет... Тем более что я в покойниках числюсь, а про тебя с Катькой не сразу вспомнят... А скорее всего, просто решат, что вас тоже где-то по-тихому под асфальт положили... А?

Сергей пожал плечами:

— Старика грохнуть сложно... Как ты это реально себе представляешь?

Званцев почесал в затылке:

— Есть у меня в одном месте арсенальчик кое-какой... Да и пара братков проверенных найдется...

— Нет, — Сергей твердо покачал головой. — Каждый лишний — это огромный риск. Случись какой прокол — все жопой накроется. Череп языки развязывать умеет. Нужно только самим все делать.

— Может, ты и прав, — ответил Олег, немного подумав. — Ну что же, значит, придется мне самому в войну поиграть. Знать бы только, где он сейчас базируется...

Сергей вздохнул:

— Он как чувствует, все время лёжки меняет. И охрану усилил, а один вообще нигде не появляется.

— Ничего, — сказал Олег. — Попасем. Времени вот только маловато остается. Мне через две недели — крайний срок за сыном в Приморско-Ахтарск лететь надо. Его ж отфотографировать для паспорта нужно, да еще эту фотку с Катькиной смонтировать — если позже, то не успеем...

Они еще около получаса оговаривали разные детали по согласованию действий, по режимам экстренной связи, местам встреч и сигналам предупреждения об опасности. Потом встали из-за стола, обнялись, Сергей заспешил назад, к «девятке» Выдрина, а Олег остался дожидаться возвращения из Питера Федосеича.


Олег выслеживал Антибиотика почти неделю, но старику везло. Он как нарочно игнорировал те места, где Званцев устраивал свои засады. Сергей ничем не мог помочь Олегу — никто не знал, куда поедет Виктор Палыч, где будет ночевать, где обедать... С необходимыми ему людьми Антибиотик теперь встречался таким образом: к назначенному месту встречи подъезжал Вася и забирал человека туда, где ждал Виктор Палыч. Васин «джип» сопровождали постоянно несколько машин контрнаблюдения. За эти несколько дней Челищев виделся с Антибиотиком трижды, и каждый раз в разных местах.

Званцев, который отлеживался после долгих неудачных засад на квартире в переулке Гривцова, ключи от которой оставил ему Сергей, начал нервничать. Время сейчас работало против него. В конце концов Олег решил устроить засаду, подстерегая Антибиотика у кабачка Степаныча, — это место он приберегал напоследок, как одно из самых перспективных. На душном чердаке пятиэтажного дома, расположенного напротив входа в кабачок, Званцев пролежал двое суток. Антибиотик не появлялся. Олег уже хотел было покинуть свою лёжку, но инстинкт охотника его остановил и заставил пристальнее вглядеться в дверь ресторана покрасневшими от постоянного напряжения глазами. Чутье не подвело его — на двери вдруг появилась табличка: «Закрыто по техническим причинам». Минут через пятнадцать подкатила машина «дежурного экипажа» — четверо «быков» деловито проверили обстановку и рассредоточились по улице.

Олег почувствовал, как сердце забилось неровными толчками, и, стараясь успокоиться, приник к оптическому прицелу своей СВД[*]. Минут через десять (Званцеву показалось, что прошло не менее часа) прямо к дверям кабачка подкатил «мерседес». Указательный палец правой руки Званцева осторожно подкрался к спусковому крючку... Но не зря, видно, говорили в Питере про невероятное, звериное чутье Антибиотика. Выскочившие первыми из машины «быки» образовали живой коридор, закрыв своими тушами Виктора Палыча от Олега. Голова Антибиотика лишь на мгновение

---

[*] С В Д — снайперская винтовка Драгунова.

мелькнула в оптическом прицеле и исчезла в кабачке.

Олег сплюнул и выругался. Оставался только один шанс — дождаться выхода.

С каждой новой минутой ожидания Званцев понимал, что перспектива удачного выстрела становится все более и более призрачной — у него устали глаза, они слезились и подергивались в нервном тике, все тело затекло и казалось чужим... Примерно через час после приезда Виктора Палыча в дверь к Степанычу постучал какой-то человек. Олег прищурился — лицо обернувшегося на мгновение посетителя показалось ему знакомым. Званцев потер виски и прикрыл на мгновение воспаленные глаза, вспоминая... Есть! Это же тот мусорок, который выступал на пресс-конференции в ГУВД, Сергей еще сказал, что он с ним какие-то старые счеты имеет. Как же его... Чернов! Ну да, Чернов, начальничек из ОРБ, к ордену представленный... Олег усмехнулся и покачал головой, вспоминая, как красиво обещал Валера в телевизоре «еще теснее сомкнуть ряды». Может, и впрямь этот Чернов специально подставил под пули Серегиного кореша?

Званцев много лет знал Антибиотика и давно перестал удивляться, насколько успешно и красиво прокручивал старик невероятные, на первый взгляд, комбинации.

Минул еще час, смеркалось. В мае вечера уже долгие и светлые, но белые ночи наступают чуть позже. Любой стрелок знает — самое трудное время суток для стрельбы — это даже не ночь, а сумерки, когда уже расплываются силуэты целей, а прицелы ночного видения еще бесполезны... Антибиотик выскочил из дверей кабачка именно в сумерках, опять прикрываемый со всех сторон торсами телохранителей. Званцев поймал было в перекрестье прицела примерно то место в заднем стекле «мерседеса», за которым должна была появиться голова Виктора Палыча, но, вздохнув, не стал нажимать на спуск. «Гасить» Антибиотика нужно было только наверняка, а кто его знает, может, у него в машине стекла бронированные... С Палыча станется... «Мерседес» рванул с места и через несколько секунд исчез из поля зрения.

Званцев перевернулся на спину, несколько раз согнул и разогнул затекшие ноги и начал быстро разбирать винтовку и укладывать ее части в большой чертежный тубус.

«Что же делать? Нужно придумать что-то другое... Но что? Может, подорвать весь этот сраный кабак к ебаной матери? Но как? Времени совсем нет...»

Званцев быстро собрал в полиэтиленовый мешок все следы своего пребывания на чердаке, осторожно вылез на лестницу и легкими шагами вышел во двор. Подходя к своей неприметной старенькой «шестерочке», припаркованной неподалеку, Олег заметил боковым зрением, как в кабачке Степаныча снова открылась дверь, выпуская кого-то на улицу. Когда этот человек прошел мимо машины, Званцев узнал Чернова.

Внезапно Олегу в голову пришла интересная мысль. Стараясь держать Чернова в поле зрения, Званцев быстро завел машину, дождался, пока Валера свернет в переулок, и медленно поехал за ним. У Олега не было времени на выработку плана, он надеялся на экспромт. Должно же ему было в конце концов повезти после стольких дней тяжелой и бесполезной охоты? Ему повезло. В пустынном переулке Чернов зашел в телефонную будку с отломанной дверью, снял трубку и, убедившись в том, что телефон работает, стал набирать номер.

Но поговорить он ни с кем уже не успел. Из плавно подъехавшей «шестерки» выскочил Званцев и коротко, но резко ткнул Чернова лбом в телефонную коробку. Видимо, голова у Валеры после недавнего общения с бандитским прикладом еще не окрепла, потому что он сразу тихо осел Олегу на руки, закатив глаза. Званцев вытащил у Чернова из кобуры пистолет, защелкнул ему сзади на запястьях браслеты самодельных наручников (на Металлическом заводе халтурившие вечерами работяги делали их не хуже импортных, закупаемых милицией за валюту в Германии), заклеил пластырем рот и быстро кувыркнул бесчувственное тело в заранее открытый багажник автомобиля. Все заняло не более двух минут, а спустя еще несколько мгновений «шестерки» Олега в переулке уже не было. Званцев ехал по городу, аккуратно пристегнувшись, не превышая скорость и дисциплинированно включая поворотные сигналы за сто метров до перекрестков. Ни один гаишник даже не подумал его остановить. Олег ехал к новостройкам в районе озера Долгого. Там он заехал в пустой двор недостроенного высотного дома и вышел из машины. Званцев открыл багажник и ткнул скрюченного наподобие эмбриона в материнской утробе Чернова в бок:

— Жив, сучонок?

Валера что-то замычал через липкую ленту пластыря и задрыгал ногами.

— Лежи тихо, если жить хочешь. Будешь шуметь — навсегда угомоню. А услышать тут тебя некому...

Олег снова захлопнул багажник, потом аккуратно протер на всякий случай поверхности автомобиля, к которым прикасался пальцами, запер его и отправился искать телефон-автомат. Он нашел его лишь через несколько кварталов от того места, где оставил машину. Набрав номер радиотелефона Челищева и услышав, что тот ответил на вызов, Званцев нарочито измененным пьяным голосом попросил:

— Матвея Петровича... это... по-быстрому мне... позовите.

— Вы ошиблись номером, — ответил Сергей.

— Да? А... а разве это не 13-24?

— Нет. Это совсем другой номер. Набирайте внимательнее. — И Челищев отключился.

Олег повесил трубку и с облегчением вздохнул. Он передал Сергею вызов на срочную встречу в одном из оговоренных заранее мест. Слова Челищева «набирайте внимательнее» означали, что он все понял, выезжает немедленно и пока никаких признаков опасности или слежки не чувствует.

Сергей подъехал минут через сорок, Олег быстро сел к нему в машину и рукой показал направление, куда двигаться. Они молчали, не доверяя подаренному Антибиотиком «джипу», лишь обменялись рукопожатием и долгими взглядами. За квартал до недостроенного дома

Сергей припарковал машину, и дальше они отправились пешком.

— Ну что? — спросил Челищев, как только они отошли на несколько метров от «джипа».

— Дохлый номер пока, — ответил Званцев, пожимая плечами. — Старика не подстрелить, у него охраны немерено, закрывают его, прицелиться не дают... Но я для тебя один маленький сюрприз приготовил — может, пригодится.

— Какой сюрприз? — не понял Челищев.

Олег усмехнулся, они уже подходили к его «шестерке». Никого вокруг не было.

— Але-оп! — Званцев открыл багажник с видом фокусника, исполнившего сложный номер. Сергей заглянул внутрь, прищурился, потом чиркнул зажигалкой и рассмотрел вытаращенные от ужаса глаза Валеры Чернова.

Сергей выпрямился и недоуменно уставился на Олега:

— Откуда он здесь, зачем?

— Ну вот, а я-то думал, ты обрадуешься, — притворно вздохнул Званцев.

Челищев нахмурился:

— Олежа, не дури, зачем из-за этого козла рисковать надо было? Что теперь с ним делать? Ты же сам говорил — побольше бы таких. Забыл уже? Зачем он тебе?

Олег кивнул и, перестав дурачиться, объяснил:

— Этот орденоносец к Палычу приезжал, там я его срисовал, ну и не удержался — в гости пригласил... Есть у меня мнение, что он нам может место назвать и время их следующей встречи... Соображаешь?

Челищев медленно закивал головой:

— Понятно... Ладно, дело сделано, может, и к лучшему.

Они легко вынули Чернова из багажника и быстро повели к недостроенному дому. Поднялись по темной лестнице до восьмого этажа, и только там, в пустой коробке неотделанной квартиры, Сергей сдернул со рта Чернова пластырь. Пару минут Валера дышал, как выкинутая на берег рыба, переводя взгляд со Званцева на Челищева. Нельзя сказать, что его настроение резко повысилось, когда он узнал Сергея:

— Челищев? Ты?? Что все это значит? Что ты делаешь? Ты отдаешь себе отчет...

Званцев резким движением усадил Чернова на пол, и тот осекся, клацнув зубами. Сергей вздохнул:

— А ведь я говорил тебе, Валера, — паси коров, не рвись в ментовку... Слушаться надо, когда старшие товарищи из надзирающего органа советуют...

Чернов шумно выдохнул и попытался перевести разговор в более жесткий ритм:

— Немедленно освободи мне руки! Где мой пистолет?! Вы, похоже, не понимаете, с каким огнем решили поиграть! Я офицер, сотрудник ОРБ.

— Ах, ОРБ?! — подключился к разговору Званцев. — Ну как же, как же... Так это ты, мразь подлючая, моих братков там на допросах месил?! А?!

И Олег вдруг схватил Чернова жесткой ладонью за лицо. Валера ойкнул, но тут Челищев перехватил руку Званцева. Олег хмыкнул, отошел в дальний угол, закурил там сигарету и присел на корточки у стены.

— Чего вы хотите? — в голосе Чернова звучал неприкрытый страх, но он все еще хорохорился. — Вы ответите за это!

— Ой, — «испугался» Челищев, — перед кем? Не перед Виктором ли Палычем?

Сергей съежился, всем своим видом демонстрируя крайнюю степень испуга, а потом выпрямился, почесал пятерней грудь и сказал с грузино-армянским акцентом:

— Баюс-баюс, савсэм баюс, да...

Услышав имя Виктора Палыча, Чернов вздрогнул, но гонор окончательно еще не утратил:

— Вы ответите перед законом! А ты, Челищев, скоро очень, очень пожалеешь обо всем этом... Немедленно отпустите меня! Я с вами базар вести не буду!

— Придется бить, — грустно констатировал Олег, поднимаясь из своего угла. Он цыкнул зубом, развел руками, виновато глядя на Челищева, и повторил: — Придется бить.

Одним прыжком Званцев подскочил к Чернову и ударил его ногой в лицо:

— Ты так наших на допросах бил? Так?!

Валера вскрикнул и повалился набок, потом отодвинулся в угол и зашептал:

— Я никого не бил, это не я...

Олег посмотрел на Челищева:

— А может, и впрямь он не бил? Может, он хороший?

— Может, — ответил Челищев. — Но вряд ли.

— Что вам от меня надо? — простонал из своего угла Чернов.

Челищев подошел к нему и присел на корточки:

— Валер, ну что нам от тебя может быть надо? Мы же не гомики, правда? Значит, нужно нам от тебя только одно — поговорить откровенно, и все дела... Когда и где у тебя назначена следующая встреча с Антибиотиком, а? Скажи по-хорошему...

Чернова затрясло:

— Неужели вы не понимаете, что вам этого не простят?

Челищев резко ударил его ладонями по ушам. Валера взвыл и задергал ногами.

— Ничего, — сказал Сергей. — Подергайся, сука... Заодно вспомни, как ты Степу Маркова под пули подставил...

Чернов перестал что-либо понимать и совсем обезумел от страха. Между тем Олег достал из-за пояса отобранный у Валеры ПМ, передернул затвор и ткнул стволом Чернову в лицо:

— Сейчас ты нам скажешь, когда и где будешь встречаться с Виктором Палычем, иначе скушаешь пулю... Ну?!

— Послезавтра в пятнадцать ноль-ноль у Технологического института холодильной промышленности, это рядом с Пятью углами, — выпалил Чернов, и Олег убрал ствол.

Чернова била крупная дрожь, он всхлипывал и лихорадочно облизывал разбитые губы:

— Ребята, отпустите меня, я же свой, Виктор Палыч вам может подтвердить...

— Свой, это хорошо, — ответил Олег. — Только свои, они, видишь ли, тоже разными бывают. У нас вот в соседнем дворе в блокаду одну бабку слопали, а тоже все говорили: свои, мол, свои...

Челищев со Званцевым вышли в соседнюю комнату посовещаться:

— Ну, что? — шепотом спросил Олег. — Мне он больше без надобности: место и время назвал — что с него еще возьмешь... Мочить его надо.

Сергей кивнул:

— Да, к сожалению, придется... Ну, хоть одной сволочью на земле меньше станет — и то хорошо... Олежа, ты сходи пока за водкой, а я тут с ним покаляю... А потом — закончим все и расходимся. Ты когда в Приморско-Ахтарск летишь?

— Через три дня, — ответил Олег и опустил голову. — Так что в три часа дня у Техноложки послезавтра — это наш последний шанс...

Сергей кивнул, Олег ушел вниз искать водку в ночных ларьках, а Челищев вернулся к Чернову. Сергей достал свой диктофон, посмотрел на Валеру и сказал бесцветным голосом:

— Валера, сейчас ты все спокойно и по порядку сюда расскажешь — как тебя завербовал Антибиотик, что ты для него делал, как Степу Маркова погубил... От степени твоей искренности будет многое зависеть — сам понимаешь, шутки кончились... Убеждать я тебя больше не буду, не захочешь говорить — не надо. Ты все понял?

Чернов быстро закивал и торопливо заговорил, глотая слова:

— Я вам все расскажу, Сергей Саныч, я вам полезен буду... Я готов помогать...

— Ну и славно, — ответил Сергей и включил запись.

Валера нарассказывал почти на целую сторону кассеты, когда вернулся Олег с бутылкой водки. Чернов рассказал обо всем — и как его вербовали, и какие поручения просили выполнить, а попутно еще и вывалил целый ушат дерьма на многих своих коллег. Единственное, в чем продолжал упорствовать Валера, — это в том, что никакой специальной операции по ликвидации Степы Маркова никто не планировал и не проводил. В этом вопросе он стоял насмерть, но Челищев все равно не поверил ему. Не принимала душа Сергея версию о «случайной» гибели такого парня, как Марков...

— Ладно, — сказал Сергей, выключая диктофон. — Поговорили, и будет... — Олег шагнул к Валере, и тот весь сжался, переводя взгляд с Челищева на Званцева:

— Что вы собираетесь делать?!

Олег молча расстегнул наручники на запястьях Чернова и положил их себе в карман:

— Да не трясись ты... Мы тебе и ствол вернем, и вниз спустим... Если вести себя хорошо будешь.

По лицу Валеры расползлось выражение чудовищного облегчения, сдерживаемого недоверием и страхом:

— Я... я буду... я — все нормально, клянусь, мужики, я помогать вам буду...

Сергей кивнул:

— Куда ты теперь денешься... Давай-ка, выпей водочки — за все хорошее и за новую жизнь...

Олег налил до краев прихваченный с собой граненый стакан и протянул его Валере. Тот затряс головой, с подозрением глядя на Челищева.

— Пей, пей — это нам для спокойствия и гарантии, так сказать... Не бойся, не отравленная, слово даю...

Чернов взял стакан дрожащей рукой и легко выпил его в несколько глотков.

— Да, Валера, — присвистнул Челищев. — Единственное, что ты классно научился делать в ментовке, — это водку жрать.

Чернов криво улыбнулся, пытаясь отдышаться, а потом попросил у Сергея сигарету. Где-то на четвертой затяжке его «повело». Валера пристально вгляделся в лицо Званцева, ухмыльнулся и спросил, виновато улыбаясь, с неким оттенком заискивающей фамильярности:

— А вы... Вы же Званцев? А почему вы живой?

— Так сложилось, — хмуро ответил Олег и добавил: — Ладно, хорошо сидеть тут, но пора расходиться.

Олег быстро протер пистолет Чернова носовым платком и засунул его Валере в наплечную кобуру, предостерегающе заметив:

— Только не вздумай дурить — не советую.

Счастливый Чернов, не веря до конца в благополучный для него исход, замотал головой, глядя на Олега преданными глазами:

— Нет, нет, что вы... Я понимаю.

Сергей стоял у незастекленного проема окна и задумчиво смотрел вдаль. Потом он обернулся к Чернову и поманил его пальцем:

— Иди-ка сюда, Валера... Видишь во-он тот сарайчик — смотри, куда я рукой показываю...

Чернов подошел к Челищеву и выглянул из окна:

— Вижу, а что?..

Он не услышал, как сзади к нему бесшумно приблизился Олег. Наверное, даже не понял, что произошло: Званцев схватил его за щиколотки и одним движением выкинул из окна... Дикий крик оборвался глухим шлепком, от которого, как показалось Олегу и Сергею, вздрогнул пустой дом. Олег перекрестился. Челищев опустил голову, а потом сказал:

— Быстро собираем все и валим отсюда.

Через несколько минут «шестерка» Званцева выехала на улицу. В темном дворе недостроенного дома осталось обезображенное тело того, кто при жизни занимал должность заместителя начальника отдела в ОРБ...

Друзья молча курили в машине, тяжело вздыхая по очереди. Первым нарушил тишину Сергей:

— Вроде и сволочью был покойник, а все равно на сердце как-то...

Олег пожал плечами и ответил философски:

— Все относительно в жизни... Твой Марков — спору нет — сволочью не был... Но он бы с огромным удовольствием отправил на лесоповал меня, да и тебя, я думаю, тоже... Так что — не всякий хороший человек — нам друг и не всякий подонок — враг.

— Это потому, что мы с тобой — такие, — устало сказал Челищев.

— Какие это «такие»?! — завелся Званцев. — Я, при всех моих раскладах, последней сволочью себя не считаю.

— Да я не об этом, — перебил его Челищев. — Я тоже себя сволочью не считаю... Ладно, Олежка, хорош самоедством заниматься, давай о деле поговорим.

— Давай, — согласился Олег. — Послезавтра я попробую Палыча у Техноложки снять. Если не получится — что делать будем?

Сергей помолчал немного, потом сказал:

— Я над этим уже думал. Если не получится — езжай спокойно за сыном, я попробую на крайний случай Антибиотика через Гене-

331

ральную прокуратуру слить. Кое-какой опыт имеется... Но лучше, чтобы у тебя получилось.

— Это уж как Бог даст.

Сергей кивнул:

— В Ахтарск тебе лететь в любом случае — привози сына и добивай тему с документами. Четырнадцатого июня я должен буду привезти Катерину.

— Если Бог даст, — снова добавил Олег.

— Да. Если Бог даст, — согласился Сергей... Они проговорили еще минут двадцать и разъехались.

В указанное Черновым время у Техноложки Антибиотик не появился. Видимо, он достаточно быстро узнал о странной смерти своего агента.

Олег улетел в Приморско-Ахтарск, а Челищев начал проработку последнего возможного варианта прикрытия их предстоящего бегства...

\* \* \*

...Примерно дней за десять до выхода Катерины из «Крестов» Сергей начал вдруг испытывать странные ощущения — ему казалось, что внутри у него работает метроном, который день за днем убыстряет темп странного отсчета... Челищев понимал, что с нервами творится явно что-то нехорошее, но утешал себя: поскольку он осознавал это, то, значит, еще не окончательно сошел с ума...

Подошла к своей финальной фазе и операция с авизовками. За прошедшие недели Сергей очень сблизился с Леной Красильниковой, несколько раз бывал у нее дома, играл с дочкой и пил чай вечерами. В принципе, он легко мог бы, при желании, и оставаться ночевать, ему казалось, что Лена даже хочет этого, но... Этого не хотел Сергей. Даже не то что не хотел — не мог. Его и так мучило сознание того, какую роль он готовил Красильниковой, но Челищев успокаивал свою совесть тем, что пусть «втемную», но он изменит жизнь этой женщины к лучшему... Он старался не вспоминать мудрый афоризм о том, куда именно ведет дорога, вымощенная благими намерениями...

Шестого июня 1993 года в банк «Отечество» пришло платежное поручение от фирмы «Вайнах», имеющей счет в одном из банков города Грозного. Сумма, указанная в авизовке, была весьма внушительной — пять миллиардов рублей, и деньги предназначались петербургской фирме «Самоцвет». Авизовка поступила Елене Красильниковой, которая, согласно инструкции должна была перед тем, как начать выплату, получить официальное подтверждение из Москвы о том, что «Вайнах» действительно располагает указанной в платежном поручении суммой. В «Отечестве» уже с утра томился получатель денег с Доверенностью от фирмы «Самоцвет». Получатель был благообразен, носил очки в роговой оправе и внешне походил на композитора Раймонда Паулса. Даже опытный опер никогда не сказал бы, что этот лощеный человек был дважды судимым мошенником и кидалой — его хорошо знал теневой Питер, когда-то Михаил Константинович Бродовкин работал вместе с Хоттабычем...

Лена объяснила Бродовкину, что тот реально сможет распорядиться деньгами лишь после того, как курьер доставит подтверждение из Москвы. Михаил Константинович начал заламывать руки и кричать, что у него горят контракты и срываются сделки. В разгар его глубокой коммерческой драмы появился Сергей, который, как оказалось, хорошо знал Бродовкина.

— Лена, может быть, можно получить подтверждение из Москвы по телетайпу? — спросил Челищев Красильникову. — Это очень важно, очень... У меня в «Самоцвете» тоже есть свои интересы.

Лена посмотрела Сергею прямо в глаза и наклонила голову:

— Хорошо, я попробую. Для тебя...

Лена отбила в Москву шифротелетайпограмму и получила оттуда подтверждение. Фокус был в том, что шифротелетайпограмму из Москвы давал человек, который был в доле и почти ничем не рисковал, потому что официальным подтверждением мог считаться лишь корешок платежки, доставленный специальной почтой, а все остальное было воздухом, словами, фикцией...

Бродовкин, получив возможность распорядиться деньгами, тут же раскидал их на счета сразу нескольких фирм в разных банках. Оттуда деньги пошли еще дальше — так, чтобы их уже никто не смог отследить. Сергей ошеломленно наблюдал за тем, как прямо из воздуха на его глазах материализовались миллиарды — он до самого конца не очень верил, что все может получиться так просто...

На следующий день Челищев приехал в банк незадолго до конца рабочего дня и отвез Лену домой, где состоялся тяжелый разговор. Сергей рассказал, что Бродовкина подставили и кинули — реальных денег у «Вайнаха» нет, подтверждения из Москвы не будет... Лена побелела и разрыдалась, а Челищев долго утешал ее, объясняя, что не бросит ее в этой ситуации, что нужно просто скрыться на какое-то время — деньгами и документами он поможет, и место уже есть замечательное — домик на северном побережье Крыма в поселке Песчаное — там солнце, море, фрукты, там можно будет начать новую жизнь, а здесь уже ловить нечего. Кто тут станет разбираться в том, что на самом деле произошло? Все свалят на Лену, сделают ее крайней...

Он говорил, убеждал, доказывал несколько часов, рисовал перспективы нормального, обеспеченного будущего:

— Ты пойми, Леночка, бояться и стыдиться тебе нечего, умысла на все случившееся у тебя не было, а значит, и совесть твоя чиста. Деньги, которые потерял банк, спишутся, просто кто-то немного потеряет в прибыли... А ты уже давно заслужила нормальную человеческую жизнь, ты и твой ребенок...

В конце концов Красильникова немного успокоилась и начала суматошно собирать вещи — Челищев сказал, что улететь нужно прямо завтра, а паспорт на новое имя и новую метрику ребенку он сделает за несколько часов...

Когда Сергей уже собрался уходить, Лена обхватила его руками и в голос зарыдала. Челищев остался, проклиная в душе себя. Антибиотика, все банки разом и вообще всю эту подлую и грязную жизнь.

Эта ночь была невероятно длинной, и оба не сомкнули глаз ни на минуту. Лена отдавалась Сергею так исступленно и искренне, что к утру они еле нашли силы встать с постели...

Вечером Сергей отвез Красильникову (по новому паспорту она стала Федоровой) в аэропорт. Там он передал ей документы на дом и пятьдесят тысяч долларов. Лена все время плакала, а ее дочка, наоборот, радовалась, утешала маму и все время спрашивала: а какое оно, это море... Перед тем как уйти на посадку, Лена бросилась Сергею на грудь:

— Ты приедешь к нам, приедешь? Ну скажи, скажи, Сереженька?!

— Да, — не выдержал и соврал Челищев. — Приеду. Только не сразу, у меня ведь тоже тут проблемы большие — когда еще с ними разберусь... Ты позвони мне обязательно, как доберешься и устроишься... А потом я дам знать о себе — ближе к осени...

Из аэропорта Сергей заехал в мастерскую к своему старому приятелю Игорю — скульптору, у которого не был с прошлой осени. Игорь ахнул, увидев лицо Челищева и его седые волосы...

Игорь переживал не лучшие времена: заказов не было, монументальная скульптура никому не была нужна. Сергей достал пять тысяч долларов и протянул их скульптору:

— Помнишь, мы про памятник моим говорили... Я могу уехать... Надолго... Прошу тебя — сделай все сам... Этих денег хватит?

Игорь покачал головой:

— Я не возьму столько, это слишком много...

— Ничего, — Челищев положил доллары на стол. — Много — не мало, пусть с запасом будет... Ты наведывайся на могилку иногда — подправить там что-нибудь, подновить... Я действительно надолго уезжаю.

Было видно, что Игорь хочет задать Сергею много вопросов, поэтому Челищев, грустно улыбнувшись, сказал скульптору:

— Ты не спрашивай меня ни о чем... Поверь, так спокойнее будет — и мне, и тебе тоже...

Они долго просидели за чаем с сушками, курили, разговаривали «за жизнь». Перед тем как попрощаться, Челищев вдруг обратился к Игорю с неожиданной просьбой:

— Слушай, Игорюха, ты ведь крещеный?

— Крещеный, а что?

— Отведи-ка меня завтра в церковь. Я тоже окреститься хочу.

Игорь от удивления даже крякнул:

— Что это тебя проняло-то так? Какая такая благодать снизошла?

Сергей вздохнул и пожал плечами:

— Дело не в благодати... Я где-то прочитал, что если человек — некрещеный, то Бог как бы и не знает о его существовании — ни о делах его, ни о нем самом... Вот я как-то и подумал, что честнее будет окреститься, чтобы Он все знал и видел... А там пусть уж Он сам разбирается, чего было больше — хорошего или плохого... Прятаться от Него не хочу.

— Интересный подход, — хмыкнул Игорь. — Вообще-то от Него не спрячешься — что так, что эдак... Но спорить не стану — неисповедимы пути к Богу.

Сергея окрестили на следующий же день в маленьком храме Николы-Угодника, где настоятелем был отец Александр — старый приятель Игоря, бывший скульптор, кстати.

Все прошло очень по-домашнему, скромно и тихо, обряд занял всего около часа. Странно, но Челищев почувствовал облегчение, правда, ненадолго — затихший было в его груди метроном застучал снова, когда Сергей с Игорем вышли из храма...

Сразу после крещения Челищев поехал на встречу с Антибиотиком, которая на этот раз состоялась в одном из кабинетов Дворца молодежи — прямо напротив городского управления ГАИ. Виктор Палыч был в прекрасном настроении, поздравил Сергея с замечательно проведенной комбинацией в «Отечестве»:

— Так держать, сынок! Смотри, как все хорошо получилось — через несколько дней можно будет уже и денежки пощупать... Кстати, я давно тебе хотел присоветовать — дело, конечно, твое, как ты долю тратить будешь, но могу подсказать, куда вложиться можно... Когда деньги не работают, а в чулке лежат — они умирают...

Сергей поблагодарил и обещал подумать над этими словами.

— Подумай, подумай, — кивнул старик. — У нас тут одна новая тема закручивается — по рекламным делам с телевидением. Перспективы — атомные, и риску никакого...

Челищев осторожно кашлянул и перевел разговор на другую тему:

— Виктор Палыч, через шесть дней, вроде бы, должны Катю выпустить...

Антибиотик кивнул и подтвердил:

— Да, я интересовался, там все в порядке, никто мешать не будет... Ну, и какие планы, молодежь? Отдохнуть бы вам хотя бы недельку-другую, а? Не помешает?

Виктор Палыч рассмеялся, поняв, что предугадал просьбу Сергея. Челищев, опустив голову, начал благодарить, но Антибиотик благодушно махнул рукой:

— Ладно, ладно, я же понимаю... И Кате нужно в себя прийти, да и тебе отдых не помешает. Вы мне оба будете нужны здоровыми и веселыми. Тем более что у вас теперь для этого все есть...

— Да, — сказал Челищев. — Действительно, все.

— Кстати, — «вспомнил» Антибиотик на прощание. — Лена Красильникова добралась до места нормально, вроде бы довольна всем... Дом у нее — целые хоромы, прямо на берегу, до моря метров триста. Люди вокруг хорошие, помогут, позаботятся... Она тебе позвонить сегодня должна.

Лена действительно позвонила Челищеву вечером. Видимо, солнце и море придали ей сил и надежды, в ее голосе больше не было горечи и страха, как при расставании в аэропорту. Она спрашивала, когда он сможет приехать. Челищев пообещал, что постарается дать знать о себе в начале осени... Повесив трубку, он долго сидел молча, глядя на телефон, и думал о том, что, может быть, хоть одной женщине он помог устроиться в жизни. Сергей утешал себя тем, что его она скоро забудет. Лена — женщина молодая и красивая, да и с деньгами теперь — пройдет год, другой, и все у нее наладится...

(Бог пожалел его и не дал узнать, что в начале июня на одном из пляжей в Песчаном был обнаружен труп молодой женщины, видимо, утонувшей во время купания. Тело долго пролежало в воде, и лишь с большим трудом местной милиции удалось идентифицировать его как труп некой Федоровой, недавно унаследовавшей дом от дальней родственницы и переехавшей в Песчаное вместе с шестилетней дочкой. Кстати, дочка куда-то исчезла, ее занесли в реестр «пропавших без вести», но особо не искали, потому что предположили, что она тоже утонула, купаясь вместе с матерью во время шторма...)

Внутренний метроном стучал все чаще и сильнее, Челищеву казалось, что он физически чувствует, как уходит время...

Полночи он просидел на кухне, стуча клавишами своей старенькой пишущей машинки. Сергей начал описывать структуры организации Антибиотика, связи, контакты, сферы влияния и интересов. Эта работа захватила его, напомнила о том времени, когда он еще был следователем... Глаза у Челищева начали слипаться около четырех утра, когда он отпечатал восемнадцать листов. Это была лишь небольшая часть той информации, которую он собирался передать в Генеральную прокуратуру.

На следующий день он встретился по очереди с Выдриным и Ворониной, велел срочно сфотографироваться на паспорта — Сашок был заранее предупрежден о том, что ему нужно будет скрыться из города, а Юле он объяснять ничего пока не стал, сказал, что готовит для нее сюрприз... После разговора с Ворониной Сергей навестил бабу Дусю. Евдокия Андреевна страшно обрадовалась гостю, побежала заваривать чай.

Она рассказала Сергею последние новости прокуратуры. Место Никодимова занял бывший начальник Челищева, самого же Ярослава Сергеевича похоронили с почестями. По официальной версии, его сердце не выдержало чудовищных перегрузок на работе, но в коридорах прокуратуры шептались о том, что инфаркт Никодимов заработал, когда в Генеральной получили на него какую-то убойную телегу.

Сергей кашлянул и задел давно мучивший его вопрос:

— Баба Дуся, ты на меня зла не держишь, что я тебя в эту историю втравил? Хотя я и сам не думал, что так все кончится...

Евдокия Андреевна вздохнула и покачала головой:

— Нет, Сереженька, не держу... Ярослав сам себя наказал, сгрыз изнутри. Поделом ему, прости меня Господи... Если бы ты знал, сколько он нормальным людям судеб переломал — причем не ради дела, а так, походя... Он себя сам приговорил...

И замолчала, окунувшись на мгновение в прошлое, когда она, волевая и красивая женщина, была старшим следователем по особо важным делам... А было ли это? Баба Дуся промокнула платочком повлажневшие глаза и грустно улыбнулась Челищеву:

— А ведь ты прощаться пришел, Сережа... Угадала?

Сергей медленно кивнул.

— И куда? Хотя лучше и не говори — так спокойнее будет... Надолго?

Челищев пожал плечами:

— Как сложится...

Они помолчали, а потом Сергей осторожно заговорил:

— Меня могут начать искать потом, я тут кое-какой материальчик подсобирал — он здорово весь муравейник разворошит, если сработает... Я вот что подумал — если искать качественно будут, то ведь и на тебя, баб Дусь, выйти могут... Может, уехать и тебе? Деньгами и документами я бы помог.

Евдокия Андреевна покачала головой:

— Нет, сынок, это уже не для меня. Куда я поеду — тут всех моих могилки, срок придет, я хочу рядом с сыночком своим лечь... Да и кто на меня выйдет — кому я нужна, старая. Ты обо мне не беспокойся, себя береги. А я уж как-нибудь. Тревожно мне за тебя, Сереженька.

Они посидели еще часок, а потом крепко обнялись, прощаясь.

Баба Дуся заплакала и потому не заметила, как Сергей, уходя, опустил пачку стодолларовых купюр в карман висевшего в полутемной прихожей старенького халата...

Весь следующий день Челищев провел за пишущей машинкой, отвлекшись только для того, чтобы забрать у Выдрина и Ворониной фотографии для документов. Сергей печатал досье на организацию Антибиотика в двух экземплярах: один он предполагал передать в Генеральную прокуратуру, а по поводу второго экземпляра у него были особые соображения...

«Доклад для прокурора» получился довольно толстым — около семидесяти страниц. Сергей аккуратно сложил их в большой конверт из плотной коричневой бумаги, в него же он положил копии магнитофонных записей с исповедями Глазанова, Ворониной и Чернова. Запечатав конверт, он спрятал его в стол.

Второй пакет получился чуть толще — в него Сергей добавил видеокассету с записанными на ней сексуальными развлечениями покойного Никодимова и еще несколько страниц убористого машинописного текста. На этих страницах Сергей сжато и без прикрас рассказал свою собственную историю.

Была уже глубокая ночь, когда Челищев начал печатать письмо на имя Генерального прокурора России. Она вышло не очень длинным:

«Уважаемый товарищ Прокурор!

Продолжая неравную борьбу с мафиозными структурами, парализовавшими жизнь нашего города, довожу до Вашего сведения, что в результате расследования, проведенного мной по причине непримиримости к вышеуказанным структурам, мне удалось добыть материалы, представляющие интерес для изобличения главарей этих структур и их пособников в противоправных деяниях. Указанные материалы вы можете получить в 354-м отделении связи Выборгского района города Петербурга в а/я № 27.

По понятным причинам свои данные пока не сообщаю.

Полковник милиции в отставке Р.

P. S. После того, как достоверно станет известно, что по собранным мною материалам проводится добросовестная проверка, обязуюсь сообщить свои полные данные».

Рано утром Сергея разбудил телефонный звонок.

— Простите, это почта? — поинтересовался в трубке знакомый голос.

— Нет! — рявкнул Челищев. — Это квартира! Вы бы еще в два часа ночи позвонили!

Звонок был от приехавшего в город Федосеича. Ответ Сергея означал, что они могут встретиться через два часа в месте, которое было заранее оговорено со Званцевым: в сквере у Михайловского замка.

Федосеич отнесся к своим обязанностям весьма добросовестно — надел широкополую шляпу, темные очки и постоянно озирался, проверяя, нет ли слежки. Словом, он сделал все, чтобы стать похожим на шпиона из старых фильмов. Сергей опустился на лавочку рядом со стариком и незаметно вынул из кармана пакетик с фотографиями. Глядя в сторону, Челищев негромко спросил:

— Как Олег?

— Вернулся, — Федосеич уже забрал фотографии и начал подниматься, нарочито кряхтя. — Все в порядке, Андрюша — вылитый он. Завтра в это же время.

Старик удалился, старательно шаркая, а Сергей покурил еще немного, греясь на солнышке. Потом Челищев поехал в Озерки, где в 354-м отделении связи, располагавшемся прямо в торговом центре, «курируемом» группировкой Адвоката, оставил в абонентном ящике предназначенный для Генеральной прокуратуры пакет. Письмо для Генерального прокурора он опустил в почтовый ящик лишь на следующий день, после того как Федосеич передал ему паспорта, изготовленные для Выдриных и Ворониной. Документы на себя, Олега, Катю с сыном и Челищева старик забрал в Лугу.

— Когда ждать? — спросил он на прощание.

— Должны быть четырнадцатого. Если задержимся — значит, что-то случилось, уходите сразу...

13 июня, накануне освобождения Кати «на подписку о невыезде», Сергей доделывал все оставшиеся в городе дела. Сначала — отдал документы и деньги Сашке Выдрину.

— Саша, спасибо тебе за все, — сказал ему Челищев на прощание. — Прости, что не хватило сил все-таки оттолкнуть тебя тогда, на овощебазе. Ты — нормальный парень, Сашка, забирай мать и вали из города. Особо ты нигде не мелькал, искать тебя, может, и не будут, но годик поживите где-нибудь подальше от Питера. И не лезь больше в бандиты. Тех денег, что я тебе оставлю, должно хватить на какое-то время. Может быть, потом что-то в стране изменится...

Выдрин молча взял документы и, помявшись, спросил:

— Сколько у нас есть времени на сборы?

— Не знаю, — ответил Челищев. — Лучше, если ты будешь считать, что у тебя этого времени нет совсем. Да, вот что я тебя хотел попросить — дай мне телефоны Андрюхи Обнорского.

Выдрин продиктовал ему номер рабочего телефона Андрея, которого в городе знали больше как Серегина, потом вдруг взглянул на Челищева как-то по-детски и спросил:

— Но... может быть, мы еще встретимся?

— Не знаю, — ответил Сергей. — Береги себя, Сашка...

Воронину он вызвонил к Медному всаднику в обеденный перерыв. Разговор их был совсем коротким.

— Юля, — сказал Сергей, передавая ей толстый конверт. — Так случилось, что из-за тебя, ну, будем точнее — в том числе из-за тебя мне пришлось испытать много горя и боли. Я не хочу платить тебе тем же. Скоро в городе может начаться большой шухер. Если ты к тому времени не исчезнешь — тебя, скорее всего, уничтожат. Я не пугаю тебя и не давлю — поступай как хочешь. Здесь — документы и деньги, которые могут помочь тебе начать новую жизнь. Это все, что я хотел тебе сказать.

Сказать, что слова Челищева ошеломили Юлю, — это все равно что не сказать ничего. Она долго не могла вымолвить ни слова, а потом спросила:

— А как же... квартира?

— Бросай, — посоветовал Челищев. — Бросай и беги туда, где тебя не смогут вычислить. Я думаю, максимальный лимит времени, который у тебя есть, — это три дня. Да, запомни — если ты здесь, в Питере, хоть кому-то скажешь о том, куда ты уехала, — можешь считать себя покойницей. Ну, все. Прощай.

Он повернулся и ушел, оставив плачущую Воронину на лавочке. Две старушки укоризненно покачали головами вслед Челищеву — они решили, что парень только что на их глазах бросил девушку, на которой обещал жениться...

Из телефона-автомата Сергей позвонил в редакцию Андрею Серегину.

Сергею повезло — журналист был на месте.

— Вы меня не знаете, — начал Сергей. — Я читал ваши статьи. До недавнего времени я работал в правоохранительных органах и, как мне кажется, мог бы сообщить вам кое-какую интересную фактуру...

Серегин согласился на встречу сразу, не ломаясь. Они договорились, что через полчаса Андрей выйдет к скверику на «ватрушке» (так коренные питерцы называют площадь Ломоносова).

Челищев приехал к месту минут за пять до назначенного времени и успел докурить сигарету почти до конца, когда заметил спешащего от «Лениздата» Андрея. Обнорский сильно изменился за те годы, что они не виделись: в черных волосах журналиста проклюнулась седина, плечи стали шире, на лице появилось много преждевременных морщин.

— Здорово, Андрюха, — поднялся со скамейки Челищев. — Это я тебе звонил.

— Челищев? — Обнорский хорошо владел собой: если он и удивился встрече, то, по крайней мере, вида не подал. — Не ожидал... Что ты хочешь? — Он не спешил протягивать Сергею руку. — Я слышал о тебе. Как ты догадываешься, это была не самая лестная для тебя информация.

Челищев кивнул:

— Давай присядем, надолго я тебя не задержу...

Они проговорили почти час, точнее, говорил только Сергей, а Обнорский его внимательно слушал. Затем Челищев достал пакет из плотной коричневой бумаги (расширенную копию досье, предназначенного Генпрокуратуре) и протянул его журналисту:

— ...Вот и все. Более подробно все изложено здесь. Ты взрослый человек и, вроде, неплохой журналист. Позволь только высказать тебе одно замечание... Ты в своих статьях все-таки пытаешься подогнать всех под одну универсальную схему, а ее нет, потому что все структуры оргпреступности состоят из людей, а у каждого — своя судьба. Ладно, это все лирика, Андрей, помни одно: то, что ты держишь в руках, — это бомба. В том плане, что эта информация легко может убить того, кто стал ее носителем. Ну, да я думаю, ты и сам разберешься...

Сергей встал со скамейки и собрался было уходить, но Андрей удержал его, и они проговорили еще около часа, а на прощание обнялись, как в старые добрые времена...

Вот и настал день Катиного освобождения. Челищев подъехал к «Крестам» в десять утра, припарковал свой «джип» напротив КПП и начал ждать... Метроном в его груди совсем взбесился и уже не щелкал, а непрерывно стрекотал... Было жарко, над «Крестами» дрожало марево, в котором вязли голоса заключенных, выкрикивавших имена тех, кто пришел их проведать на Арсенальную набережную. Сергей ждал, боясь моргнуть лишний раз, чтобы не пропустить появление Катерины. И все же она появилась неожиданно — вышла из проходной незнакомой отяжелевшей походкой и беспомощно огляделась.

— Катя! — крик застрял у Челищева в горле, и он, не помня себя, выпрыгнул из машины.

Катерина обернулась к нему, прижала руку ко рту, ее ноги подломились, и Сергей едва успел подхватить ее. Она обмякла на мгновение в его руках, но потом вырвалась с непонятно откуда взявшейся силой.

— Нет! Не трогай! — Катя взглянула прямо ему в глаза и спросила: — Я слышала, что Олег... Это правда?

Челищев успокаивающе улыбнулся и ответил шепотом:

— Мне нужно много разной правды тебе рассказать, но здесь для этого не самое удобное место. Поедем...

— Куда? — спросила Катя, и у Челищева в который уже раз за эти мгновения снова оборвалось сердце. Он никогда не видел Катерину такой беззащитной и слабой. И такой чужой.

— Поедем в наш скверик. Там поговорим, а потом ты сама примешь решение. Не бойся, я ни к чему тебя принуждать не буду. Поехали.

...В Румянцевском садике на Университетской набережной они нашли пустую скамейку и сели. Сергей немедленно полез за сигаретами, но вдруг спохватился, покосившись на Катин живот:

— С тобой теперь, наверное, курить рядом нельзя... Это правда?

Катерина упрямо сжала губы и тряхнула головой:

— Пусть тебя это не волнует. Можешь курить...

Сергей зажмурился, а потом счастливо улыбнулся:

— Значит, правда...

Катя наклонила голову и резко сказала:

— Если это — единственное, о чем ты хотел поговорить, то можем считать, что разговор окончен! — Она сделала попытку встать, но Сергей удержал ее:

— Начнем с того, что Олег жив. И я надеюсь, что ты сегодня его увидишь — вместе с вашим сыном. А теперь слушай меня и не перебивай...

Через полчаса после начала рассказа Катя не выдержала, заплакала и уткнулась лицом Сергею в грудь. Челищев осторожно обнял ее и начал целовать мокрое от слез лицо, с горечью и болью разглядывая морщинки, которых три месяца назад не было...

Когда Катерина успокоилась, Сергей смог продолжать, но разговор шел уже совсем в другой интонации, потому что постоянно прерывался поцелуями и всхлипами...

— Вот такие пироги. Времени у нас мало, так что — быстро едем к тебе, бери самое необходимое и — к Федосеичу. Документы и билеты уже там.

Катя одернула на себе платье и вдруг заявила:

— Опять вы за меня все решили... А еще говорил: «Сама решение примешь, давить не буду...»

Челищев аж подскочил на лавочке:

— Да как ты не понимаешь?! У нас же выхода другого нет, сейчас не время амбициями мериться, я же тебе все русским языком объяснил, Катя!

Катерина снисходительно улыбнулась и покачала головой:

— Все в тебе хорошо, Сереженька мой, вот только иногда ты полностью теряешь чувство юмора... Конечно, едем. Ну, чего ты замер? То кричал, что времени нет, а теперь сидишь, как на именинах...

— Ну и время же ты выбрала для шуточек, — только и смог сказать Сергей, вставая и подавая Кате руку. Она тоже встала и легко поцеловала Челищева в губы:

— Это еще не самая неприятная черта моего характера. Я думаю, тебе в этом скоро придется убедиться. Я из тебя за свои «тюремные университеты» еще все жилы повытягиваю, Сереженька...

Челищев облегченно засмеялся. Раз Катерина могла шутить и иронизировать — значит, силы у нее пока еще есть.

Они заехали в Катину квартиру на Петроградской стороне. Катя приняла душ и переоделась, потом собрала кое-какие вещи в большую сумку и наскоро прибрала.

— Присядем на дорожку?

Сергей кивнул, они опустились на диванчик в прихожей и замолчали, прощаясь с домом. Кате вдруг вспомнилось, как пять лет назад ее увозил из московской квартиры Олег. Она запрокинула голову назад, пытаясь остановить слезы, но все-таки не выдержала и заплакала. Челищев обнял ее и осторожно поднял с дивана:

— Пора, родная моя...

К оставленному у подъезда «джипу» они подходить не стали. Сергей вывел Катю через три проходных двора к «Ниве», купленной два дня назад по доверенности специально для отъезда в Лугу. Машина была заправлена «по горлышко», проверена и укомплектована.

— Ну, с Богом, — сказал Сергей, и «Нива» тронулась. Они ехали по городу молча, смотрели на спешащих по своим делам людей и прощались с Питером, понимая, что вернуться им доведется еще очень нескоро, если вообще когда-нибудь доведется. Катя снова заплакала, да и у Сергея вдруг защипало в глазах и заныло в груди...

По дороге Катю несколько раз тошнило, и Челищеву приходилось останавливать машину, чтобы она могла отдышаться.

До хуторка Егора Федосеевича они добрались только под вечер. Когда Катя увидела вышедшего встречать Олега, у нее подкосились ноги, и она упала на колени:

— Олег... Олежка... Я... прости...

Олег молчал. Из дома выбежал мальчик в футболке и новеньких джинсах и прижался щекой к ноге Олега.

— Папа Олег, а что это за тетя, почему она плачет? — спросил мальчик, выговаривая слова с характерным южнорусским акцентом. Он был удивительно похож на Олега — такой же зеленоглазый и светловолосый, с крупным упрямым подбородком.

— Это не тетя, сынок, — ответил Олег и тяжело вздохнул. — Это твоя мама.

И вот тут Катерина сломалась окончательно: она закрыла лицо руками и зарыдала по-бабьи, в голос.

К ужину все более или менее успокоились и сели обсуждать последние детали отхода. В привезенных Федосеичем загранпаспортах у каждого стояли три открытые на два месяца визы — в Финляндию, Турцию и Австралию. Уходить было решено каждому своим маршрутом — Катя с сыном должны были улететь через Киев, куда ее брался доставить Федосеич (у старика там жили друзья, и он рассчитывал сам отсидеться у них некоторое время). Челищев уходил из Москвы через Финляндию, а у Олега был билет на чартерный рейс из Питера — поскольку он числился в покойниках, его вряд ли бы вообще стали искать. Встретиться договорились в Стамбуле, где Катя и Олег были несколько раз по делам. Местом встречи был выбран ресторанчик «Джанна» в европейской части Стамбула на берегу Босфора. Время встречи — каждый четный день недели с шести до семи вечера. Первой уехать должна была Катя с сыном — ее самолет из Киева улетал через два дня...

— А дальше что? — спросила Катерина, избегая встречаться глазами с Олегом.

— Дальше видно будет, ответил он. — С деньгами нигде не пропадешь, а «бабки» у нас есть... Хватит и на жилье, и на новые документы. Ты же знаешь, у меня в Стамбуле кое-какие завязки имеются...

Катерина кивнула, подумала и вдруг неожиданно сказала:

— Денег у нас даже больше, чем вы думаете...

Сергей с Олегом удивленно переглянулись и уставились на Катю.

— Что ты имеешь в виду? — одновременно спросили оба.

Катя вздохнула и рассказала им о счете в швейцарском банке, который оставил ей после смерти Вадим Гончаров.

После ее рассказа все долго молчали.

— Да, — наконец сказал Олег, прищурившись. — Выходит, тогда, в восемьдесят восьмом, ребятишки Гургена знали, чего хотели от тебя...

Катя виновато опустила голову, а Олег продолжил, усмехаясь:

— Мне кажется, что если тебя потрясти хорошенько, то ты, Катька, можешь еще очень много интересного и нового нам с Серегой рассказать... Ну, да ладно. Время для разговоров еще будет. Давайте спать укладываться. Мы с Федосеичем и Андрюшкой отъедем в лес:

малой в палатке никогда не жил, просился очень... А вы тут устраивайтесь. Мы недалеко будем — километрах в трех, Серега нас проводит...

— Олег! — рванулась было к мужу Катя, но Званцев остановил ее.

— Потом, Катя, потом... Будет время — во всем разберемся. — Он вышел из дома, сгорбившись под невидимой ношей...

Паспорта, билеты и деньги с самого начала было решено разобрать и на всякий случай постоянно держать при себе. Олег оставил Сергею автомат с двумя рожками — часть перевезенного к Федосеичу «арсенала».

— Ну, счастливо оставаться в душной хате, — бодрым голосом сказал Олег, усаживаясь в седло мотоцикла за Федосеичем. Сына он усадил в коляску. — А мы уж лучше на воздухе.

Сергей кивнул и ничего не ответил. Он понимал, что Олегу неимоверно тяжело было бы находиться под одной крышей с женщиной, которую он когда-то очень любил... Да, наверное, и сейчас еще любит...

Ночь была теплой и светлой, может быть, это была самая счастливая ночь в жизни Сергея и Катерины. Они говорили взахлеб и не могли наговориться. Челищев поминутно гладил уже округлившийся Катин живот и осторожно целовал его сухими губами, а Катерина тихо стонала, то ли смеясь, то ли плача...

Она заснула лишь под утро и во сне продолжала тихонечко всхлипывать и постанывать. Сергей осторожно, боясь потревожить ее сон, встал с кровати и на цыпочках вышел покурить на веранду. Он вдруг ощутил, что метроном, стучавший все эти дни у него внутри, смолк, но облегчение почему-то не наступало, напротив, холодная и безжалостная тоска разлилась в его груди... Челищев по-звериному напрягся и прислушался. В тихой и светлой июньской ночи звуки разносились на много километров вперед, и Сергей услышал, как где-то еще далеко запели злыми комариными голосами моторы приближающихся автомобилей...

Случилось то, чего предугадать, наверное, не мог никто. Посланное Челищевым в Генеральную прокуратуру письмо дошло на удивление быстро — всего за пару дней. В канцелярии прокуратуры его расписали референту первого зама Генерального. Референт бегло просмотрел анонимку и не особо заинтересовался — письма без подписей приходили в Генпрокуратуру тысячами. Референт принял решение переслать письмо в питерское ОРБ, что и было исполнено с резолюцией первого заместителя: «Направляю для проверки и возможного использования в служебной деятельности». В Петербург это письмо пришло утренней спецпочтой 14 июня, то есть в тот самый день, когда Катерина выходила из «Крестов». Конверт лег на стол первого заместителя начальника ОРБ, подполковника милиции Геннадия Петровича Ващанова. Геннадий Петрович, прочитав анонимку, не поленился лично съездить в 354-е отделение связи и забрал из абонентского ящика № 27 большой пакет в плотной коричневой бумаге. Когда Геннадий Петрович прочитал первые страницы досье, его прошиб пот. Ващанов вернулся к себе в кабинет, внимательно прочитал все отпечатанные на машинке листы и прослушал все три приложенные микрокассеты. Геннадий Петрович долго размышлял, потом уложил бумаги и кассеты обратно в конверт, спрятал его к себе в портфель и вышел из «Большого дома». На улице Некрасова у Кукольного театра Ващанов нашел исправный телефон-автомат и начал вращать диск чуть подрагивающим указательным пальцем. Комбинация набираемых им цифр сложилась в «экстренный» номер Антибиотика...

Виктор Палыч встретился с Ващановым через полчаса в одном из кабинетов ЗАГСа Куйбышевского района. Чтение содержимого коричневого конверта заняло у Антибиотика минут сорок — когда надо было, старик умел все делать очень быстро. Перевернув последнюю страницу досье, он медленно поднял голову и глянул в лицо Ващанова:

— Спасибо тебе. Гена. Я не забуду. Ты иди пока... Можешь считать, что жизнь свою ты уже обеспечил до глубокой старости.

Геннадию Петровичу очень не понравилось выражение глаз Антибиотика, и он, кивнув, торопливо выскочил из кабинета. Старик остался один. Несколько минут он сидел молча, раскачиваясь на стуле и улыбаясь страшной, совсем уж нечеловеческой сейчас улыбочкой...

— Ах, сучонок, — шептал Виктор Палыч. — Ах ты, сучонок...

Антибиотика не раз била жизнь, и он умел держать ее удары. Ему понадобилось совсем мало времени, чтобы прийти в себя и принять решение. Выскочив из кабинета, он спокойно и деловито отдал распоряжение Васе:

— Езжай за Черепом и людей подтяни к Смоленке. Я пока съезжу Вальтера навещу...

Да, Валдая найди... И быстро, Васенька, быстро, у нас сегодня день будет интересным.

Николай Трофимович Богомолов визита Антибиотика совсем не ждал и растерялся, когда в его кабинет вошел Виктор Палыч.

— Ну что, Трофимыч, как живешь? — спросил Антибиотик и ощерился. Вальтеру была знакома эта улыбочка, обычно она не предвещала ничего хорошего. — Пойдем-ка, Коля, сходим на могилку к Олежке Званцеву. Я ведь с ним так и не попрощался... Ты людей с собой прихвати, у меня нужда возникла на покойничка взглянуть...

Подручные Вальтера мигом раскопали могилу умершей в возрасте восьмидесяти четырех лет Марии Николаевны Новоселовой и, не церемонясь, выволокли гроб из ямы. Еще несколько ударов лопат, и на дне могилы забелела скатерть. Она была пуста. Вальтер перекрестился, схватил лопату и сам спрыгнул в могилу. Все его усилия были тщетны. Труп Званцева исчез.

Антибиотик тихо засмеялся:

— Стареешь, стареешь ты, Трофимыч... Живого от мертвого отличить не можешь. Менять тебя пора, Коля...

Виктор Палыч повернулся и направился к выходу с кладбища, куда уже начали съезжаться машины Черепа и его людей.

Оставшийся у разрытой могилы Вальтер вдруг разразился длиннющей матерной тирадой, пинком сбросил гроб со старушкой обратно в яму, потом перекрестился и, велев своим помощникам привести все срочно в порядок, бросился догонять Антибиотика.

После короткого совещания было решено направить людей на квартиры Челищева и Званцева. Они, естественно, вернулись ни с чем, да никто, собственно, и не ожидал там никого застать. На всякий случай во дворах оставили немногочисленные засады. Тем временем Виктор Палыч лихорадочно просчитывал сложившуюся ситуацию. Перечитав еще раз досье и прослушав кассеты, Антибиотик навел Черепа с людьми на квартиру Юлии Ворониной.

Юля была дома, и не одна. Вечером она должна была уехать на поезде к подружке в Волгоград, а вещи ей помогал собирать Саша Выдрин... Не зря Челищева еще долго после разыгранной комбинации с барменом Юрой из «Форта» мучило ощущение, что где-то он допустил очень серьезный просчет... Юля и Саша понравились друг другу и начали втайне от своего патрона встречаться... Предугадать такое разбитие событий Сергей не смог...

Череп вывез Воронину и Выдрина в арендуемый его людьми стрелковый тир и там лично занялся молодыми людьми. Юля очень быстро рассказала все, что знала, и с ней начали забавляться «отморозки» Черепа. Когда им надоело ее насиловать, они заколотили ей между ног бутылку из-под водки и перерезали горло.

Выдрин держался дольше. Он удивил даже Черепа, про которого рассказывали, что он вообще никогда ничему не удивлялся и ничего не боялся. (Никто не знал, где и когда нашел Антибиотик этого человека. Поговаривали, что когда-то он был офицером то ли ГРУ, то ли КГБ... Возможно, это были просто легенды и слухи, потому что никто, кроме Виктора Палыча, не знал ни настоящего имени Черепа, ни его прошлой жизни. «Начальника контрразведки» Антибиотика слишком боялись, чтобы интересоваться фактами его прошлого.) Но к десяти часам вечера накачанный наркотиками кусок мяса, которого звали когда-то Сашей Выдриным, все же заговорил. Он не рассказал ничего интересного, кроме информации о поездке Челищева под Лугу в мае, за которую Череп тут же ухватился. Лично пристрелив Сашка (видимо, из уважения к тому, как он держался), Череп поехал к Антибиотику и высказал свое мнение, что Челищева, Катерину и Олега надо искать на хуторке под Лугой. Виктор Палыч принял решение. Он велел Черепу взять для усиления Валдая с его людьми и найти беглецов.

— Найдите их, ребятки, и вы доставите старику самую большую радость за эти годы...

Карательная экспедиция из восьми машин убыла в Лугу немедленно, а Виктор Палыч еще долго сидел в кабинете у Вальтера, не обращая никакого внимания на хозяина, смотрел в окно, о чем-то думал и время от времени приговаривал с усмешкой:

— Ах вы, сучата...

Дом Федосеича стоял в стороне от основной трассы, на небольшом пригорке. Метрах в трехстах от дома начинался лес, куда уходила вполне сносная грунтовка — именно по ней уехали на ночевку Федосеич и Званцев с сыном. Когда Сергей увидел остановившиеся на трассе восемь иномарок, он все понял и бросился будить Катерину. Катя спросонок ничего не понимала, и Челищеву пришлось плеснуть ей в лицо холодной воды:

— Катенок, родная, быстрее, быстрей! Одевайся и беги в машину — документы и деньги с тобой?

— Да, — машинально кивнула еще не пришедшая в себя Катерина. — А что случилось?

Сергей подхватил ее сумку и начал подталкивать Катю к выходу, лихорадочно шепча:

— Быстрее, быстрее! Я не знаю как, но они нас высчитали! Видишь, машины на трассе стоят? Это за нами! Я их задержу тут, а ты рви в лес к Олегу, и уходите все — Федосеич в лесу все тропки знает, он выведет... Быстрее же, родная моя!

До Кати наконец дошло, она замотала головой и остановилась:

— Нет! Я с тобой!

Челищев силой выволок ее во двор и потащил к машине:

— Езжай! Их надо предупредить, иначе все тут ляжем! Ну пойми ты, мне без тебя легче уйти будет, я их немного подержу — и в лес. Прорвемся, Катенька! Ты, главное, детей береги, потом в Стамбуле встретимся!

Катерина мотала головой и цеплялась за Сергея. Челищев выругался и дал ей пощечину:

— Езжай в лес, дура! Всех нас погубишь!

Катя охнула, пришла в себя и села на водительское сиденье «Нивы».

— Сереженька! Я люблю тебя!

— И я очень, очень люблю тебя, ненаглядная...

Катерина запустила мотор и без прогрева, на подсосе, рванула в лес, а Челищев с автоматом лег у стены дома...

Когда машины Валдая и Черепа остановились напротив дома Федосеича, они решили послать одного человека на разведку, потому что у них не было полной уверенности, что это именно тот дом, который они искали.

Посланный на разведку двадцатилетний пацан по кличке Тыря увидел, как завелась и поехала в лес не зажигавшая габаритных огней и фар «Нива», и вскинул было автомат, чтобы остановить ее, но выстрелить не успел — Сергей короткой очередью прострелил ему грудь и живот. Челищев метнулся к упавшему Тыре и сдернул с него автомат, но тут с трассы открыли ураганный огонь, и, прежде чем Сергей успел укрыться за домом, одна из пуль ударила ему под колено, в правую ногу. Челищев упал и чуть не закричал от боли, но пересилил себя и пополз в сторону от дома, ближе к лесу, туда, откуда открывался хороший сектор обстрела. Два «джипа» один за другим начали осторожно спускаться с трассы к дому, но Челищев, обернувшись, длинной очередью разворотил капот передней машины, видимо, повредив двигатель, потому что «джип» остановился как вкопанный. Не очень ясно видимые в утреннем тумане фигуры братков начали выпрыгивать из машины и разворачиваться в некое подобие цепи...

Катя, рыдая, гнала машину по утреннему лесу и обязательно проехала бы мимо места, где Федосеич разбил палатку, если бы ей навстречу на дорогу не выскочил Олег с автоматом в руках: Званцева разбудили звуки автоматных очередей. Катя остановила машину и буквально выпала из нее на руки Олегу:

— Там... Там... Сережа, — еле смогла выговорить она сквозь плач.

— Понял, понял, не бойся, маленькая, выкрутимся, сколько их, сколько?!

Олег несколько раз встряхнул Катерину, но она продолжала рыдать:

— Не знаю, не знаю, много...

Званцев метнулся в лес, через мгновение вынес оттуда сына и буквально забросил его на заднее сиденье машины. За Олегом на проселок выскочил Федосеич, выкативший свой мотоцикл. Олег заставил Катерину сесть на пассажирское место в машине и обернулся к старику:

— Федосеич, увози их быстро по той схеме, как с самого начала договаривались, а я Серегу подхвачу.

— Нет! — закричала Катя и попыталась выскочить из «Нивы», но Званцев уже прыгнул в седло мотоцикла и завел его.

— Береги детей, все будет хорошо, жди нас, как договаривались, Катька!..

Он хотел добавить еще что-то, но не успел, последние его слова были заглушены ревом мотоцикла, который понес Олега к хуторку, где не переставая трещали автоматные очереди...


Челищев медленно отползал к лесу, оставляя за собой густой кровавый след. У него остался последний рожок с патронами, и Сергей равнодушно подумал, что ему уже не уйти. Странно, но ему почему-то не было страшно, сначала только мучило чувство обиды, но потом и оно ушло. Сергей устроился поудобнее и дал несколько очередей по бандитам, приближавшимся короткими перебежками.

Челищев не заметил, как в дом Федосеича заскочил Валдай, который, быстро сориентировавшись, полез на чердак. Оттуда Челищев был виден как на ладони. Валдай тщательно прицелился и выпустил из своего автомата длинную очередь. В угасавшем сознании Челищева крутился какой-то очень важный вопрос, и в тот момент, когда пули Валдая пробили его тело, Сергей застонал не от боли, а от того, что так и не нашел на этот вопрос ответа...

(...И привиделся ему давний кошмар — «волчья яма» на кладбище и он сам, отчаянно взмахивающий руками на краю.

...Сейчас, сейчас Олег толкнет его в спину, отбросит от края... Сейчас... Олежа...

На этот раз никто его не спас. Сергей упал спиной в черную пустоту, и железные прутья арматуры пробили его насквозь. Боль сверкнула оранжево-красным сполохом, но через мгновение ее сменила равнодушная серая мгла.)

Он уже не слышал рев выскочившего из леса мотоцикла Званцева.

Спрыгнув на землю, Олег сразу увидел неподвижно лежащего в мокрой траве Челищева и бросился к нему, стреляя на бегу из автомата. Поднявшиеся было после того, как замолчал АКМ* Сергея, братки снова попадали на землю. Кто-то из молодых узнал Званцева и в ужасе закричал, приняв Олега за ожившего покойника. (То, что Белого Адвоката не нашли в могиле, до рядовых «быков» никто, естественно, доводить не стал.)

Пользуясь минутным замешательством братвы, Званцев подхватил Челищева на руки и, путаясь неживой тяжести друга, побежал обратно к мотоциклу. Он почти уже добежал до него, когда с чердака дома ему в спину ударила короткая очередь. Званцев споткнулся, выронил из ослабевших рук Сергея и упал на колени. Непослушными руками он начал шарить

---

* А К М — автомат Калашникова модернизированный.

болтавшийся сбоку автомат, но еще одна очередь толкнула его вперед, швырнула лицом прямо в грудь разметавшегося на траве Челищева...

Выстрелы смолкли. Бандиты, отряхиваясь, поднимались с земли и, матерясь, подходили к двум неподвижным телам, замершим у самой кромки леса. Челищев лежал на спине, глядя остановившимися глазами в небо, а Званцев, будто пытаясь обнять друга, уткнул свое лицо ему под мышку. Ветер легко шевелил их волосы: совершенно седые — Сергея и светло-русые — Олега...

Из стоявшего на шоссе «джипа» не спеша вылез Череп. Подойдя к притихшим браткам, он окинул их холодным презрительным взглядом и усмехнулся. А потом напуганную закончившимся боем тишину июньского утра разорвали два «контрольных» выстрела...

# Эпилог

Хамид, официант ресторана «Джанна», расположенного на европейском берегу Босфора, увидев знакомую фигуру русской, повадившейся ходить к ним почти каждый день, обрадовался. Она всегда заказывала одно и то же — бутылку «Столичной» и три стакана, сидела ровно час, потом начинала плакать и уходила, не притронувшись к водке. Нетронутый напиток Хамид забирал себе. Обычно странная посетительница приходила одна, но в прошлый раз привела с собой ребенка, видимо, сына — симпатичного светловолосого паренька, для которого заказала мороженое.

— Смотри, «твоя» пришла, — толкнул Хамида в бок его напарник и приятель Мансур. Мансур тоже обрадовался этой русской, потому что оплаченную ею водку они с Хамидом распивали после закрытия ресторана вместе.

На этот раз русская была без ребенка. Она сделала свой обычный заказ и сидела, глядя в море, не обращая никакого внимания на взгляды, которые бросали на нее посетители.

Хамид принес ей бутылку водки и три стакана, аккуратно расставил все на столике и отошел к стоявшему у стойки Мансуру.

— Красивая баба, — сказал Мансур. — Я бы ее трахнул. А ты?

Хамид слыл рассудительным человеком и никогда не отвечал, не подумав.

— Она красивая, но сумасшедшая, — сказал он наконец. — Скоро опять плакать будет. Русская, да еще и сумасшедшая — нет, я не стал бы ее трахать.

— По-моему, она еще и беременная, — задумчиво сказал Мансур.

— Тем более, — оживился Хамид. — Разве стала бы нормальная беременная женщина ходить по ресторанам и заказывать водку? Даже если она и русская? Я тебе говорю — она самая настоящая сумасшедшая.

Мансур кивнул и прищелкнул языком:

— А я бы все-таки ее трахнул. Она очень красивая...

Между тем странная русская действительно начала плакать. Она не рыдала в голос и не всхлипывала, нет — она вела себя прилично и сидела за столиком очень спокойно. Только из глаз ее текли слезы, искрясь в мягких лучах заката. Русская сидела неподвижно и слез не вытирала — скатываясь с ее подбородка, прозрачные капли падали на стол и на дно стоявшего перед ней пустого стакана...

В империи Антибиотика все постепенно нормализовалось, и жизнь пошла своим чередом. Виктор Палыч перестал скрываться и начал выходить в свет — он посещал все крупные презентации, выставки и другие официальные тусовки. Несколько раз Антибиотика даже показывали по телевизору. Виктор Палыч казался весьма довольным жизнью. В бандитских кругах Питера на все разговоры о какой-то странной разборке, случившейся в середине июня под Лугой, было наложено негласное вето.

Настроение Антибиотику время от времени, правда, портил неуемный Никита Кудасов, продолжавший ютиться вместе со своим отделом в сорокаметровом кабинете. В начале осени 1993 года этот Кудасов «упаковал» в тюрьму Ильдара и Муху, но досрочно получивший полковничье звание Гена Ващанов пообещал Виктору Палычу детально разобраться с этой проблемой. Вскоре прокуратура Петербурга начала служебную проверку в отношении начальника пятнадцатого отдела...

Имелось, правда, одно обстоятельство, о котором Антибиотик не знал: у журналиста Серегина в надежном месте было спрятано любопытное досье, которое передал ему незадолго до своей гибели Сергей Челищев. Но это уже совсем другая история...

*Октябрь 1995 года*

*Петербург — Стокгольм — Москва — Париж — Ставангер — Форт-Уэйн — Чикаго — Индианаполис — Маастрихт — Симферополь — Пярну — Мурманск*

## Послесловие

...И все же мне не хотелось бы проститься с вами, уважаемый читатель, на грустной ноте.

Я хотел бы предложить вам, уважаемый читатель, две байки из жизни Серегина, относящиеся к тому периоду, когда он еще не работал журналистом, а служил офицером, военным переводчиком на Ближнем Востоке и в разных точках бывшего Советского Союза. Надеюсь, что эти две истории заставят вас улыбнуться.

*Ноябрь 1995 года*

*Санкт-Петербург*

# Содержание

**Константинов А.**

К65    Судья. — М.: ОЛМА-ПРЕСС, 2001. — 383 с. — (Бандитский Петербург).

ISBN 5-7654-0796-X
ISBN 5-224-01230-9

Горя жаждой отомстить за смерть родителей, Сергей Челищев — бывший «следак», а ныне «юрист-консультант» криминальной группировки — разрабатывает тонкую операцию, направленную против преступных авторитетов. Но и в бандитской среде есть свои стратеги, умеющие просчитывать игру на несколько ходов вперед... Книга входит в цикл произведений об Андрее Обнорском-Серегине («Адвокат», «Журналист», «Вор», «Сочинитель», «Выдумщик», «Арестант», «Специалист», «Ультиматум губернатору Петербурга»), по мотивам которого снят знаменитый телесериал «Бандитский Петербург».

ББК 84.(2Рос-Рус)6

**Издательство «Олма-Пресс» и**

**«Издательский Дом „Нева"» представляют книги А. Константинова о судьбе Андрея Обнорского-Серегина:**

**«Адвокат»**
**«Судья»**
**«Журналист»**
**«Вор»**
**«Сочинитель»**
**«Выдумщик»**
**«Арестант»**
**«Специалист»**
**«Ультиматум губернатору Петербурга»**
**«Агентство „Золотая пуля"».**

Андрей Константинов

СУДЬЯ

Ответственные за выпуск
*Л. Б. Лаврова, Я. Ю. Матвеева*

Корректор
*В. И. Валентинова*

Верстка
*В. Б. Титова*

Компьютерный дизайн
*Д. В. Кайзер*

Налоговая льгота — Общероссийский классификатор продукции ОК-005-93, том 2; 953000 — книги, брошюры

Лицензия ИД № 02040 от 13.06.00
Лицензия ЛР № 070099 от 03.09.96

Подписано в печать 15.03.01.
Формат 84×108$^1$/$_{32}$. Печать офсетная.
Бумага газетная. Гарнитура «Балтика».
Усл. печ. л. 21,84. Изд. № 00-1056 БП.
Доп. тираж 15 000 экз. Заказ № 4518.

Издательский Дом «НЕВА»
199155 Санкт-Петербург, ул. Одоевского, 29

Издательство «ОЛМА-ПРЕСС»
129075 Москва, Звездный бульвар, 23

Отпечатано с готовых диапозитивов
в полиграфической фирме «КРАСНЫЙ ПРОЛЕТАРИЙ»
103473 Москва, Краснопролетарская, 16

## Серия
## «ПРИКАЗАНО ВЫЖИТЬ»

В волчьей стае может выжить только волк. В криминальном мире нет законов и правил, его будни — смерть, кровь и предательство. Ему предстоит установить свои законы, законы силы — и не только выжить, но и стать победителем, сыграв главную роль в кровавом спектакле, поставленном жизнью...
Серия «Приказано выжить» — крутые романы о крутых героях нашего криминального времени!
В 2000 году в серии вышли:

# В. Угрюмов

## ЕГО ЗВАЛИ ГЕРАСИМ
●
## ЕГО ЗВАЛИ ГЕРАСИМ–2
●
## РОЖДЕННЫЕ ПЕРЕСТРОЙКОЙ
●
## БОЕЦ
●
## БОЕЦ. Охотник за головами
●
## АВТОРИТЕТ СОЮЗНОГО ЗНАЧЕНИЯ
●
## УХОДЯ, ГАСИТЕ ВСЕХ. Дикий
●
## УХОДЯ, ГАСИТЕ ВСЕХ. Дикий и Зверь
●
## ПАЦАНЫ
●
## ПАЦАНЫ. Война продолжается

Серия
«СОЛДАТЫ РОССИИ»

Югославия и Чечня, Афганистан и Вьетнам.
Судьба забрасывает их в самые отдаленные
уголки планеты, меняются театры военных
действий и противники, а открытые поединки
все чаще сменяются закулисной игрой полити-
ков и спецслужб. Неизменным остается лишь
одно — честь и доблесть русского солдата, сра-
жающегося за свою страну… Серия «военных
приключений» издательства «ОЛМА-ПРЕСС»
возрождает традиции русского военного романа, впервые за много лет открывая читателям
настоящее лицо российской армии.

В 2000 году в серии вышли:

**Д. Черкасов**

НОЧЬ НАД СЕРБИЕЙ

•

КОСОВО ПОЛЕ. Балканы

•

БАЛКАНСКИЙ ТИГР

**О. Вихлянцев**

ВОЕННАЯ БАЗА

**А. Первушин**

ПИРАТЫ XXI ВЕКА

**М. Разумков**

МИНЕР

## Серия
## «УЮТНЫЙ ДЕТЕКТИВ»

Каких только детективов не перевидали мы за последние годы – «крутых», «навороченных», «исторических» и «политических», «бандитских» и «ментовских»... Но чтобы детектив, и вдруг «уютный»? Изящная смесь загадки и иронии, тонкая интеллектуальная игра, хитро запутанный клубок тайн и загадок, распутать который не смогут грубые пальцы супергероя в камуфляже. Но тонким пальчикам настоящей леди это вполне под силу...

Все лучшие качества романов Хмелевской и Кристи — в новых произведениях «первых леди» российского детектива!

В 2000 году в серии вышли:

### В. Клюева

## УНИКУМ
•
## КАК ИЗБЕЖАТЬ ЗАМУЖЕСТВА
•
## О МЕРТВЫХ — НИ СЛОВА
•
## ЛЕКАРСТВО ОТ ХАНДРЫ

### О. Максимова

## ЗА КУЛИСАМИ — СМЕРТЬ
•
## СМЕРТЕЛЬНЫЙ КОНКУРС

## Книги
## Юлии Латыниной

Латынина Юлия Леонидовна — экономический журналист, кандидат экономических наук, автор многочисленных публикаций в центральной прессе («Известия», «Коммерсантъ», «Независимая газета», «Литературная газета», «Книжное обозрение», «Совершенно секретно»).

В 1999 году Русский Биографический Институт удостоил Юлию Латынину звания «Человек Года» «за успехи в экономической журналистике».

Юлия Латынина — один из ведущих авторов серии «Русский проект» (романы в жанре «экономического триллера»), а также цикла романов-фэнтези из серии «Иные миры». Общий тираж книг Юлии Латыниной, выпущенных в 1999—2000 году, превысил 500 000 экземпляров.

Серия
«РУССКИЙ ПРОЕКТ»

# Юлия Латынина
## ОХОТА НА ИЗЮБРЯ

Роман Юлии Латыниной нельзя отнести к традиционным «русским триллерам» или детективам. Напротив, можно говорить о том, что «Охота на изюбря» открывает для России совершенно новый жанр — «экономического боевика» (бизнес-триллера).

«Изюминка» книги — не только в грамотно выстроенной, многоплановой сюжетной интриге, непривычной для русского остросюжетного жанра неоднозначности и яркости характеров и великолепном стиле изложения. «Охота на изюбря» — это настоящая энциклопедия русского бизнеса, и именно он является главным действующим лицом книги.

В центре романа — грандиозная борьба, развернувшаяся вокруг некоего «Ахтарского Металлургического Комбината» (многочисленные подробности и намеки, щедро рассыпанные автором по книге, позволят искушенному читателю с легкостью угадать прототип). За контроль над этим мощным концерном, объединяющим десятки коммерческих структур, вступают в схватку один из крупнейших московских банков, преступные группировки и коррумпированные силовые ведомства.

## Юлия Латынина
## СТАЛЬНОЙ КОРОЛЬ

Генеральный директор Ахтарского металлургического комбината Вячеслав Извольский талантлив, но жесток и беспринципен. Он стал директором, выкинув с должности обласкавшего его предшественника, он купил губернатора и милицию города. Но шахтерская забастовка и те, кто за ней стоит, поставили его комбинат на грань банкротства, город — на порог экономической катастрофы, а перед рабочими замаячил призрак голодной смерти. Где же граница, на которой остановится Стальной Король в стремлении защитить себя и своих подданных? И имеет ли он право остановиться?

## Юлия Латынина
## РАЗБОР ПОЛЕТОВ

До чего же удивительна современная Россия! Страна, где экономика живет по своим собственным, никому не понятным законам, страна, правительственные структуры которой частенько выступают в роли «заказчика» громких убийств... И что же остается делать в этой ситуации простому московскому «авторитету»? Пожалуй, только брать на себя роль... современного Робин Гуда!

«...Доскональное знание всего спектра уловок промышленников и финансистов» («Время MN»).

«Невиданная смесь экономического детектива и историко-приключенческого романа в духе Дюма» («Известия»).

# Юлия Латынина
## САРАНЧА

Безжалостное описание финансовых уловок, неженская манера письма, достоверное знание материала — все это выделяет произведения Юлии Латыниной из массы экономических детективов. Валерий Нестеренко, крупный московский авторитет, расследует убийство друга — главного технолога небольшого, но очень прибыльного предприятия. Круг подозреваемых велик — на фирму убитого претендовали губернатор области, глава областного УВД и крупная зарубежная фармацевтическая компания....